A VOLTA

Bruce e Andrea Leininger
com Ken Gross

A VOLTA

A INCRÍVEL E REAL HISTÓRIA DA REENCARNAÇÃO DE JAMES HUSTON JR.

Prefácio
Carol Bowman

Tradução
Claudia Gerpe Duarte

15ª EDIÇÃO

Rio de Janeiro / 2025

CIP-BRASIL. CATALOGAÇÃO-NA-FONTE
SINDICATO NACIONAL DOS EDITORES DE LIVROS, RJ.

Leininger, Bruce
L542v A volta: a incrível e real história da reencarnação de James Huston Jr. /
15ª ed. Bruce Leininger, Andrea Leininger com Ken Gross; prefácio: Carol Bowman; tradução: Claudia Gerpe Duarte. - 15ª ed. - Rio de Janeiro: BestSeller, 2025.

Tradução de: Soul survivor
ISBN 978-85-7684-369-6

1. Leininger, James, 1998-. 2. Leininger, Bruce. 3. Leininger, Andrea. 4. Huston, James M. (James McCready), d. 1945. 5. Reencarnação - Estudo de casos. 6. Aviadores - Estados Unidos - Biografia. 7. Guerra Mundial, 1939-1945 - Biografia. I. Leininger, Andrea. II. Gross, Ken, 1938-. III. Título.

09-2323 CDD: 920.13390135
CDU: 929:133.9

Texto revisado segundo o novo Acordo Ortográfico da Língua Portuguesa.

Título original norte-americano
SOUL SURVIVOR

Capa: Sérgio Campante
Editoração eletrônica: Abreu's System

Impresso no Brasil

ISBN 978-85-7684-369-6

Seja um leitor preferencial Record.
Cadastre-se em www.record.com.br e receba informações sobre
nossos lançamentos e nossas promoções.

Atendimento e venda direta ao leitor
sac@record.com.br

Dedicado ao porta-aviões de escolta *Natoma Bay* CVE-62, à tripulação do navio, aos esquadrões VC-63, VC-81, VC-9 e aos homens que deram a vida pela nossa liberdade:

Ruben Iven Goranson, 7 de fevereiro de 1944, Piloto de TBM, Guarda-marinha, VC-63

Eldon R. Bailey, 7 de fevereiro de 1944, Oficial de Mat. Bélico de TBM, 3ª classe, VC-63

Edward B. Barron, 7 de fevereiro de 1944, Operador de Rádio, 2ª classe, VC-63

Edmund Randolph Lange, 14 de abril de 1944, Piloto de FM-2, Segundo-tenente, VC-63

Adrian Chavannes Hunter, 19 de outubro de 1944, Piloto de FM-2, Tenente, VC-81

Leon Stevens Conner, 25 de outubro de 1944, Piloto de TBM, Segundo-tenente, VC-81

Donald "E" Bullis, 25 de outubro de 1944, Operador de Rádio de TBM, 3ª classe, VC-81

Louis King Hill, 25 de outubro de 1944, Marinheiro de Máquinas de TBM, 2ª classe, VC-81

Edward J. Schrambeck, 26 de outubro de 1944, Operador de Rádio, 3ª classe, VC-81

Walter John Devlin, 26 de outubro de 1944, Piloto de FM-2, Guarda-marinha, VC-81

Billie Rufus Peeler, 17 de novembro de 1944, Piloto de FM-2, Guarda-marinha, VC-81

Lloyd Sumner Holton, 17 de novembro de 1944, Oficial de Engenharia, Guarda-marinha, VC-81

George Hunter Neese, 6 de janeiro de 1945, Marinheiro de máquinas, 3ª classe, VC-81

John Frances Sargent Jr., 6 de janeiro de 1945, Piloto de FM-2, Segundo-tenente, VC-81

James McCready Huston Jr., 3 de março de 1945, Piloto de FM-2, Segundo-tenente, VC-81

Peter Hamilton Hazard, 27 de março de 1945, Piloto de TBM, Segundo-tenente, VC-9

William Patrick Bird, 27 de março de 1945, Operador de Rádio, 1ª classe, VC-9

Clarence Edward Davis, 27 de março de 1945, Oficial de Mat. Bélico, 1ª classe, VC-9

Richard Emery Quack, 9 de abril de 1945, Piloto de FM-2, Guarda-marinha, VC-9

Robert William Washburg, 9 de abril de 1945, Piloto de FM-2, Guarda-marinha, VC-9

Loraine Alexander Sandberg, 7 de junho de 1945, tripulante do navio, Segundo-tenente

AGRADECIMENTOS

COMO NUNCA HAVÍAMOS tentado escrever um livro, nada poderia ter nos preparado para o volume de trabalho envolvido nessa aventura. *A volta* é o clímax de quatro anos de pesquisa, de muitos milhares de quilômetros de viagem e mais de um ano de redação, e nada disso poderia ter sido realizado sem a ajuda de algumas pessoas muito especiais. Gostaríamos de externar nosso reconhecimento e estender nossa sincera gratidão àqueles que tornaram possível a conclusão de *A volta.*

Al Zuckerman e Writers House: sua experiência, orientação e apoio durante todo esse complicado processo foram inestimáveis. Obrigado por nos conduzir ao longo dele e por proteger nossos interesses em todos os momentos.

Ken Gross: sua capacidade de combinar nossa versão dos eventos e desfiá-los em uma cativante e convincente narrativa é a verdadeira evidência de seu incrível dom e inegável talento. Vivemos durante esse ano uma espantosa montanha-russa de emoções, mudanças de ânimo e gargalhadas incontroláveis. Recordaremos com carinho essa experiência todos os dias de nossa vida.

Carol Bowman: seu incrível livro *Crianças e suas vidas passadas* fez com que iniciássemos nossa jornada para desvendar os pesadelos de James e deu origem a uma longa e maravilhosa amizade. Somos gratos por você ter permanecido disponível para nos ajudar e aconselhar, pelo seu prefácio lindamente redigido e por nos colocar nas mãos extremamente capazes de Al Zuckerman.

Natalie Kaire e Grand Central Publishing: por se arriscar com dois autores desconhecidos e nos explicar tudo que nunca soubemos a respeito do mundo editorial.

Anne Huston Barron: por não ter desligado o telefone na noite em que lhe falamos a respeito das lembranças de James e por ter acolhido a todos nós em sua vida de maneira positiva. Somos imensamente abençoados pela oportunidade de compartilhar essa experiência com você.

Bobbi Scoggin, Jennifer Cowin e Becky Kyle — "o conselho": pelos milhares de telefonemas, intermináveis investigações, pesquisas, soluções de problemas, avaliações e busca de informações. Este livro não teria sido possível sem a abordagem "é preciso saber tudo" das meninas Scoggin aos mistérios da vida.

John Dewitt: por nos fornecer todas as fitas de vídeo, documentos, fotos, microfilmes, diários de voo e tantas outras informações a respeito do *Natoma Bay*, que estabeleceram a base da pesquisa que confirmou as memórias de James.

Al Alcorn, Leo Pyatt e os membros da Natoma Bay Association: por seu contínuo apoio e incansável esforço ao encorajar nossa pesquisa e abraçar tanto nossa família quanto a história de James. O *Natoma Bay* e os homens que serviram a bordo dele não serão esquecidos. Cultivamos nossas lembranças de cada um de vocês e o lugar especial que ocupam em nosso coração.

Gostaríamos de agradecer especialmente às famílias dos 21 homens que morreram em serviço a bordo do *Natoma Bay.* Pelo fato de vocês terem compartilhado suas histórias, fotos, documentos, cartas e objetos pessoais guardados com carinho, esses homens voltaram à vida para nós e para os leitores de *A volta*. Somos eternamente gratos pelo sacrifício que fizeram para preservar nossa liberdade. Cada um deles era um homem especial, que viemos a conhecer e admirar por meio de seu atencioso empenho. Ainda não acabamos de contar a história deles.

Por último, nosso filho, James Leininger: obrigado por nos escolher e nos guiar nessa jornada incrível e inesperada. Esperamos que você sempre tenha a coragem e a convicção de falar abertamente sobre o que está vivenciando, e de acreditar no que sabe ser verdade em seu coração — mesmo quando outros ao seu redor possam ter dúvidas. Nós amamos você e continuamos assombrados com seu espírito incrível e seu coração meigo.

Se você desejar mais informações sobre a história da família Leininger, acesse o site (em inglês) www.soulsurvivor-book.com.

PREFÁCIO

A HISTÓRIA DE JAMES Leininger é o melhor caso americano da lembrança de uma vida passada em uma criança entre os milhares que encontrei. Ela é extraordinária porque o pequeno James se lembra desde nomes e lugares de sua vida passada até pessoas e eventos verdadeiros — fatos que podem ser facilmente confirmados. Ele, inclusive, esteve com pessoas que o conheceram em sua vida pregressa, quando foi piloto na Segunda Guerra Mundial.

Creio que esta é a história que finalmente abrirá a mente dos ocidentais céticos para a realidade das lembranças de vidas passadas das crianças. Este livro demonstra como essas lembranças podem trazer profundos benefícios emocionais e espirituais, tanto para a criança quanto para sua família.

De algumas maneiras, a história de James não é incomum. Muitas crianças no mundo inteiro têm lembranças de vidas passadas. É um fenômeno natural. Sei disso porque comecei a coletar e pesquisar esses casos há mais de vinte anos, depois que meus dois filhos tiveram suas próprias vívidas lembranças de vidas passadas. Meu filho lembrou-se de ter morrido em um campo de batalha durante a Guerra Civil; minha filha lembrou-se de ter morrido quando criança em um incêndio residencial.

Fiquei impressionada quando observei que, apenas por conversar a respeito de suas recordações, ambos ficaram curados de fobias provenientes de suas mortes na vida passada.

Cheguei à conclusão de que o mesmo certamente deveria ter acontecido com outras famílias. Entretanto, quando pesquisei livros para compreender o que estava acontecendo com meus filhos, não consegui encontrar nenhum que abordasse os efeitos curativos das lembranças de vidas passadas das crianças, somente livros a respeito de adultos que eram ajudados por meio da terapia de regressão a vidas passadas. Decidi, então, preencher a lacuna e escrevi *Crianças e suas vidas passadas*, como um guia de leitura para os pais que encontram essas lembranças em seus filhos.

Depois da publicação do livro em 1997 e do lançamento de meu site, www.reincarnationforum.com, recebi milhares de e-mails de pais cujos filhos haviam tido ou estavam tendo lembranças espontâneas de vidas passadas. Devido à quantidade de casos, comecei a perceber padrões repetitivos no fenômeno. Algumas crianças começam a falar sobre essas lembranças assim que são capazes disso — algumas quando ainda usam fraldas! Elas surpreendem os pais com comentários do tipo "quando eu era grande antes" ou "quando eu morri antes". Ou, então, exibem comportamentos fora do comum: fobias, pesadelos, talentos que não foram aprendidos e habilidades desconcertantes, ou um estranho discernimento com relação a assuntos dos adultos que elas não poderiam, de modo algum, conhecer em seus dois ou três anos de vida. Algumas lembranças manifestam-se como fortes emoções, como uma profunda tristeza quando elas relatam mortes solitárias em campos de batalha, memórias afetuosas de um cavalo particular ou saudades da outra família, da esposa, do marido, de seus *próprios* filhos.

Os casos que me chegaram às mãos eram repletos de eventos dramáticos, de assombro e emoções incontroláveis.

No entanto, uma coisa estava faltando: fatos que pudessem ser confirmados, que oferecessem uma prova objetiva de que as recordações eram genuínas. Nem meus filhos nem qualquer das outras crianças cujas lembranças eu investiguei conseguiram se lembrar de seus antigos nomes, de onde tinham vivido ou de quaisquer outros fatos reais que pudessem ser confirmados. É por esse motivo que esta convincente história de James Leininger é tão incomum.

Entretanto, ela não é única. Existe um grande acervo de casos desse tipo confirmados em crianças em culturas não ocidentais. O dr. Ian Stevenson, ex-diretor do Departamento de Psiquiatria da Escola de Medicina da University of Virginia, pesquisou durante quarenta anos lembranças espontâneas de vidas passadas de crianças, começando no início da década de 1960. Em 2007, quando morreu, ele havia rigorosamente investigado e meticulosamente documentado quase 3 mil casos, a maioria na Ásia. Cerca de 700 dessas crianças, geralmente com menos de 5 anos, tinham recordações tão claras de vidas anteriores que se lembravam de seu antigo nome, do lugar onde tinham vivido, do nome de parentes e de detalhes muito específicos, porém triviais, de vidas anteriores, detalhes esses que o dr. Stevenson demonstra que elas não poderiam conhecer. Para cada criança, o dr. Stevenson correlacionou declarações, comportamentos, peculiaridades da personalidade e até mesmo atributos físicos (ele redigiu um trabalho sobre marcas e defeitos de nascença relacionados com vidas passadas) com os fatos da pessoa que a criança se lembrava de ter sido. As semelhanças vão bem além do mero acaso ou coincidência.

No entanto, a maioria dos casos por ele descritos provém de culturas nas quais a reencarnação é uma crença dominante: Índia, Birmânia, Tailândia, Sri Lanka, Turquia, Líbano e África Ocidental, o que torna mais fácil para os céticos rejeitar as constatações do dr. Stevenson, porque essas culturas *já acreditam* em reencarnação. Eu sabia que seria necessário um caso extremamente detalhado e verificável de uma família judaico-cristã para abrir a mente dos ocidentais para essa realidade. Entretanto, nem o dr. Stevenson, nem seus colegas estrangeiros, nem eu tínhamos encontrado casos americanos ou europeus com a mesma riqueza de detalhes dos casos asiáticos. Isso era enigmático e bastante frustrante.

Foi então que, em 2001, recebi um e-mail de Andrea Leininger. À primeira vista, ele era semelhante a muitos outros. Seu filho, James, estava tendo graves e repetitivos pesadelos a respeito da queda de seu avião. O menino, que tinha apenas 2 anos, também era obcecado por aviões e parecia ter um misterioso conhecimento a respeito de aviões da Segunda Guerra Mundial. Ao ler o e-mail de Andrea, notei fatos que se encaixavam em um padrão que eu vira com frequência: pesadelos de eventos que uma criança não poderia ter vivido em seus dois ou três breves anos de vida, bem como um interesse ou obsessão relacionado ao conteúdo do pesadelo.

Trocamos e-mails, e fiquei impressionada com as observações de Andrea. Tive a impressão de que ela e o marido, Bruce, eram pessoas realistas e instruídas que estavam se esforçando para entender o que estava acontecendo com seu precioso filhinho. Eles estavam buscando desesperadamente uma maneira de minimizar os terríveis pesadelos que tanto estavam perturbando a vida da família. Fiquei particularmente fascinada pelo vasto conhecimento que James tinha de aviões, de fatos que nem mesmo seus pais conheciam.

Eu disse ao casal Leininger que James estava recordando sua morte em uma vida passada e reiterei as técnicas apresentadas em meus livros: reconhecer o que James estava passando como uma experiência e garantir ao menino que ele agora estava seguro e que a experiência assustadora havia terminado. Outros pais haviam constatado que essas técnicas funcionavam para acalmar o medo de seus filhos e para que eles se desfizessem das lembranças de uma morte traumática em uma vida passada. Andrea compreendeu. Intuitivamente, ela sabia o que estava acontecendo com James, ou seja, que ele estava sofrendo por causa de recordações genuínas da queda de seu avião. Tranquilizei-a, garantindo-lhe que ela seria capaz de ajudar o filho.

Depois disso, não tive mais notícias de Andrea, e pressupus que isso significava que meu conselho fora útil e que James estava melhor. Mais tarde, cerca de um ano depois, um produtor da ABC entrou em contato comigo para verificar a possibilidade de gravarmos um segmento sobre vidas passadas de crianças. Examinei com atenção todos os meus e-mails e escolhi alguns casos promissores, entre eles os da família Leininger. Tive vontade de saber o que tinha acontecido com James.

Telefonei para Andrea em busca das novidades. Ela ficou feliz em me informar que havia seguido meu método e que os pesadelos de James praticamente tinham desaparecido. Excelente notícia!

Mas havia mais novidades. Embora os pesadelos tivessem diminuído, e o medo de James a respeito de seu acidente de avião houvesse desaparecido, ele continuava a aturdi-los com novos detalhes sobre sua vida como piloto de caça. Ele se lembrava do tipo de avião em que voava, o nome de seu porta-aviões e o nome de um de seus amigos que era piloto. Fiquei animada porque o caso ainda estava progredindo e tive uma grande expectativa de que o casal Leininger narrasse sua história na televisão. Andrea mostrou-se aberta à ideia, mas precisava consultar o marido. Quando conversamos, a primeira coisa que Bruce me disse foi o seguinte: "Você precisa entender que sou cristão." Senti que eu havia esbarrado em um obstáculo, de modo que achei que teria de procurar outro caso para a televisão. Mas em seguida ele me surpreendeu, quando acrescentou: "Mas não consigo explicar o que está acontecendo com o meu filho." Conversamos um pouco mais e senti uma abertura. Bruce estava claramente lutando para manter intacta sua crença cristã, ao mesmo tempo em que tentava entender o que estava acontecendo com James, de modo que precisava desesperadamente explicar a situação por meio de outro argumento, que não a reencarnação. Percebi o quanto isso era traumático para ele, de modo que o tranquilizei afirmando que tudo isso era "normal".

O programa de televisão foi um grande sucesso; a história foi apresentada de maneira clara e imparcial. Todos ficamos satisfeitos. Nos anos seguintes, trocamos dezenas de e-mails. Andrea enviou-me fotos de James e de seus inúmeros desenhos de aviões sendo derrubados. Passamos horas ao telefone conversando animadamente sobre as últimas revelações de James e incríveis coincidências, uma após a outra. Todas elas os levavam cada vez mais fundo na toca do coelho.

Tanto para Andrea quanto para mim, cada nova revelação era uma confirmação do que já sabíamos, ou seja, que James estava relembrando uma vida passada de fato. Mas Bruce continuava a resistir. Cada revelação contribuía para seu conflito. Assim, este livro é tanto a respeito de Bruce quanto de James. Ele estava dividido entre sua profunda crença cristã de que "vivemos uma única vez, morremos e depois vamos para o céu" e o que ele estava presenciando no próprio filho. Por mais arduamente que tentasse, ele não conseguia explicar o que via.

O impulso de Bruce de provar a falsidade das lembranças de James da vida passada adiciona um grande significado a esta fascinante história. Vemos o quanto ele se esforça para encontrar uma explicação "racional". Observamos, enquanto ele vai no encalço de pistas com a tenaz perseverança de um detetive, que não se satisfaz com nada menos do que fatos concretos. E o conjunto de provas que ele e Andrea reúnem, por meio de sua laboriosa pesquisa, é a principal razão pela qual a história dessa família é tão extraordinária.

A volta também é especial de outras maneiras. Somos testemunhas de algo milagroso na maneira pela qual o jovem James tocou o coração de tantas pessoas. Sua família atual, a família de sua vida anterior e os veteranos sobreviventes que lutaram ao seu lado em sua vida pregressa foram profundamente afetados por James. O que surgiu com tanta naturalidade para esse menino abalou as convicções arraigadas daqueles que o cercam. Sua história revela uma nova perspectiva de vida e morte para qualquer pessoa que perceba que isso não foi apenas fruto da imaginação de uma criança, e sim algo dolorosamente real.

Carol Bowman
Autora de *Crianças e suas vidas passadas* e *Return from Heaven*

PRIMEIRA PARTE

O sonho

CAPÍTULO UM

É apenas um sonho ruim e, quando você acordar de manhã, tudo terá passado.

MEIA-NOITE, SEGUNDA-FEIRA, 1º DE MAIO DE 2000

OS GRITOS SURGIRAM repentinamente. James Leininger, então com 2 anos recém-completados, era um menino feliz e brincalhão, a maior alegria de uma família amorosa, moradora da suave planície costeira do sul da Louisiana. Certa noite, o menino, dormindo, começou a se debater na cama como um cabo elétrico partido, aos berros, numa angústia devastadora.

Andrea, mãe de James, saiu de seu quarto e disparou pelo longo corredor. Parou na entrada do quarto do único filho e, ofegante, ficou observando o filho gritar e se debater. O que fazer? Ela havia lido, em um dos textos de sua grande coleção de livros sobre puericultura, que poderia ser perigoso acordar abruptamente uma criança durante um pesadelo.

Assim, lutando para se conter, Andrea ficou na porta do quarto, paralisada. Chegou a reconsiderar o que lera, pois ela era, sem sombra de dúvida, uma mãe completamente racional e muito bem informada, estudiosa de todas as mais recentes teorias e técnicas sobre educação infantil. Era óbvio que James não estava preso debaixo de uma viga de madeira. Não estava sangrando. Andrea não via qualquer motivo físico óbvio para a terrível comoção. James estava simplesmente tendo um pesadelo. Era, sem dúvida, um pesadelo horrível, mas, ainda assim, algo que se incluía perfeitamente na rotina de episódios ruins da infância.

É claro que Andrea queria desesperadamente entrar correndo no quarto, agarrar seu filhinho, sacudi-lo para que acordasse do pesadelo, abraçá-lo e fazê-lo dormir novamente. Mas não fez nada disso, porque não era uma mãe comum. Andrea Leininger, uma loura arruivada de 38 anos, ainda tinha a mesma bela forma de quando se apresentava nos palcos, além de algo menos óbvio: uma disciplina de ferro. Esta última provinha de seu longo treinamento como bailarina profissional, paixão da qual desistira quando a dor de encenar sobrepujara o prazer. Agora, seu novo amor estava chutando freneticamente as cobertas e berrando a plenos pulmões.

Enquanto tentava avaliar objetivamente a situação, Andrea achou que conhecia a causa do pesadelo: a casa desconhecida. Fazia apenas dois meses que haviam se mudado de Dallas, no Texas, para a casa septuagenária em Lafayette, na Louisiana. Se a casa parecia estranha para ela, Andrea imaginou que deveria parecer no mínimo caótica para James. Até mesmo os ruídos externos eram esquisitos: o vento assobiando através da barba-de-velho, os pássaros do pântano piando nos galhos dos velhos carvalhos, os insetos indo de encontro às telas. Nada se parecia com o longo e imóvel silêncio que caía como um manto sobre os arredores suburbanos de Dallas.

E o próprio quarto de James, com seu papel de parede desbotado com flores cor-de-rosa e venezianas maciças fixas – que em nada lembravam o quarto de um garotinho –, conferia a Andrea a sensação arrepiante de estar presa dentro de um túmulo. Esses, certamente, tinham de ser os ingredientes da perfeita tempestade de um pesadelo. Acalmando-se, ela se dirigiu, pé ante pé, para a cama do filho, pegou-o no colo e abraçou-o, murmurando suavemente: "Durma, durma, meu benzinho! Não é nada, nada mesmo. É apenas um sonho ruim e, quando você acordar de manhã, tudo terá passado!"

E, quando ela o abraçou, James parou, pouco a pouco, de se debater, os gritos diminuíram gradualmente e se transformaram em lamúrias – pequenas lamúrias de pesar –, e em seguida ele voltou a dormir.

Naquela primeira noite, relembrou Andrea, ela não prestara atenção ao *que* ele estava berrando, não ouvira qualquer palavra específica que fizesse algum sentido. Os sons eram indistintos e bruscos, dentro do grito poderoso de uma criança muito pequena que dava a impressão de estar se debatendo desesperadamente para salvar a própria vida. Não, pensou Andrea, não se trata de um evento potencialmente fatal. É apenas uma criança sendo atacada em um pesadelo.

Mesmo assim, ela ficou profundamente abalada, porém determinada a lidar com a situação, pois era esse seu papel. Esse foi o acordo que ela fizera quando concordara em se casar com Bruce Leininger, 12 anos mais velho, pai de quatro filhos de um casamento anterior. Andrea também fora casada, mas não tinha filhos. Se eles iam se casar, dissera ela a Bruce com firmeza, ela queria um filho. Esse era o trato; esse era seu pacto antenupcial.

Bruce, fazendo valer sua parte no acordo, ouvira os gritos vindos do quarto de James, rolou na cama e sussurrou: "Você cuida disso?" Essa tarefa era de Andrea.

Na grande trama da vida deles, o trato era justo. Ele ficou com a deslumbrante bailarina, e ela, com o executivo másculo e bonito — mais uma criança. É claro que nem tudo funcionou como eles haviam planejado. Bruce tinha trabalhado até quase sofrer um colapso para honrar sua parte do acordo, que era proporcionar segurança básica à sua nova família.

Naquele momento, em Lafayette, era Bruce que parecia estar passando pela maior crise, esforçando-se para manter o controle da situação e seu novo emprego. Ele fora dispensado da empresa em que ocupava um cargo altamente remunerado em Dallas, devido a uma divergência de opinião no gerenciamento. A indenização não foi ruim, mas aquela realidade inesperada — a perspectiva de desemprego para um homem que sempre fora bem-sucedido, com alto poder aquisitivo, um modelo de equilíbrio e autocontrole — deixou um medo não explícito pairando como uma nuvem sobre o lar dos Leininger.

O novo emprego, a adaptação, nada foi fácil. Bruce era executivo de recursos humanos, o que se assemelhava a algo como ser um bombeiro corporativo. Sempre que surgiam problemas com o pessoal, ele tinha de correr e apagar o fogo, o que significava mudar o local de residência, viajar muito e se estabelecer de novo. Isso era aceitável quando os dois, Bruce e Andrea, viviam sozinhos, mas agora eles tinham James. Em quatro anos, Bruce fora obrigado a desalojar a família três vezes. A primeira foi quando conseguiu um novo emprego em São Francisco. Bruce encontrou uma casa com vista para o mar em Pacífica, cidade vizinha. Andrea ficou encantada. "Não há nada entre nós e o Japão", dizia, extasiada.

Foi um interlúdio feliz e romântico. E foi em São Francisco que James nasceu. Passados dois anos, Bruce recebeu a oferta de um emprego melhor em Dallas, que ainda permitia que Andrea morasse perto de sua família. Ela era de Dallas e profundamente ligada às irmãs e à mãe. Mas a nova colocação acarretou outra mudança. E depois esse emprego degringolou quando Bruce contestou as decisões de um superior e precisou arranjar outro trabalho, impressionar outro chefe, encontrar uma nova casa e administrar a mudança. Não que estivesse se queixando; estava apenas exausto. Andrea não aguentava mais se mudar. Quando Bruce escolheu a casa em Lafayette, ela decidiu que seria para sempre.

E agora surgia esse pesadelo perturbador! Não era uma época apropriada, pensou Bruce. Ainda assim, era apenas um sonho ruim e barulhento, nada demais. No casamento anterior, Bruce conseguia acalmar seus quatro filhos quando tinham pesadelos. Mas ele estava simplesmente cansado demais para administrar de novo esse tipo de coisa.

É claro que, quando rolou na cama e voltou a dormir, ele não tinha como saber que sua família estava à beira de algo totalmente insondável, algo inimaginavelmente fantástico. Exausto, Bruce voltou a pegar no sono.

Assim como Bruce, Andrea também estava sob forte pressão. O parto de James fora muito difícil. Ela tinha 36 anos quando ele nasceu, o que significava que estava rapidamente se aproximando da meia-noite de seu relógio biológico. E a gravidez foi complicada. Andrea sofreu de pré-eclâmpsia, um distúrbio perigoso que causava o aumento da pressão arterial, retenção de líquido e convulsões. Depois, quando a gravidez já estava avançada, o feto inexplicavelmente parou de crescer.

Quando os médicos avaliaram o tamanho do bebê no resultado da ultrassonografia, James pesava pouco mais de 1,3 quilo e não estava crescendo. A equipe médica ficou perplexa e insegura e cogitou a possibilidade de Andrea perder a criança. E, mesmo que a gravidez chegasse a termo, os médicos advertiram para o fato de que havia forte possibilidade de que a criança nascesse com síndrome de Down ou autismo, ou alguma outra deficiência física ou intelectual.

Bruce recusou-se a aceitar a opinião dos médicos. Sempre inabalavelmente otimista, ele afirmou: “Papo furado! Tudo dará certo com James.”

Essa não foi uma explosão inconsequente de esperança inútil. Ter um filho era um compromisso que haviam assumido um com o outro, que afetou até mesmo o nome que deram ao menino: James Madison Leininger. Não foi uma escolha acidental. O nome surgiu da longa pesquisa genealógica que Andrea começara a fazer no início do casamento. Ela descobrira que seu tataravô, James Madison Scoggin, havia servido no Exército Confederado durante a Guerra Civil. Assim, seu pequeno feto ameaçado já tinha um nome e uma história imponente e pais batalhadores que jamais pensariam na hipótese de desistir dele.

Finalmente, no dia 10 de abril de 1998 — Sexta-feira Santa (um prenúncio) —, seis semanas antes da data prevista para o parto, quando os médicos detectaram fraqueza nos sinais vitais de James, ele nasceu por meio de uma cesariana. Bruce estava na sala de parto nesse momento e, quando o bebê veio ao mundo, Bruce segurou a mão dele — e, como eles gostam de dizer na família, Bruce e James nunca se separaram.

Depois do parto de James, os médicos descobriram o motivo de sua falta de desenvolvimento no útero. Tratava-se de uma peculiaridade anatômica. A placenta de Andrea não era maior do que uma tangerina, quando deveria ter sido do tamanho de uma pequena melancia. Foi um milagre James ter sobrevivido com essa absorção reduzida de nutrientes. Por outro lado, talvez o trauma no útero viesse a se revelar um fator no que ainda estava por acontecer. Talvez James fosse reter alguma lembrança pós-parto do aperto pelo qual passou antes de nascer.

No final, depois de ficar algum tempo na incubadora, James revelou-se perfeitamente normal, isento de qualquer deficiência física ou intelectual.

E ele era um bebê encantador. Não chorava muito; não fazia muito estardalhaço. Aceitava todas as mudanças e modificações praticamente sem se manifestar. James parecia, de um modo geral, feliz e contente. Na realidade, seus pais achavam que havia algo misterioso e incrivelmente maduro a respeito de sua tranquilidade cotidiana — o que, em parte, explica por que aquele primeiro terrível pesadelo foi tão chocante para eles.

Por conta de seu novo status, Bruce precisava trabalhar arduamente para manter o padrão da família. Devido às longas horas de trabalho do marido, Andrea deixava James acordado além do horário normal de uma criança de 2 anos ir para a cama. A justificativa por trás disso era uma concessão mútua: James poderia sacrificar um pouco de sono para passar algum tempo com o pai. Por conseguinte, sua hora de dormir passou a ser 22h. Depois que o colocavam na cama, Bruce e Andrea tinham algum tempo para tomar uma taça de vinho e pôr a conversa em dia, antes de também se recolherem. Dois dias depois do primeiro pesadelo, pouco depois da meia-noite, os gritos apavorantes recomeçaram. Isso aconteceu em um momento em que Bruce e Andrea estavam entrando no sono REM profundo, e mais uma vez os pegou despreparados. Andrea, é claro, saltou da cama e correu pelo longo corredor para abraçar o filho e tentar consolá-lo.

Pela manhã, ela tentou descrever para Bruce, de modo mais ou menos detalhado, a assustadora característica dos pesadelos para que ele pudesse compreender a gravidade do que ela havia experimentado, mas ele deu de ombros e insistiu que não deveriam ficar exageradamente preocupados, que os pesadelos eram normais. Mas Andrea reforçou seus argumentos, enfatizando como ele chutava e se debatia violentamente. Ainda assim, Bruce demonstrou pouco interesse pelo ocorrido. Ele estava no meio de seu pesadelo particular, tentando ajudar sua empresa a abrir o capital.

Bruce trabalhava para a Oil Field Services Corporation of America (OSCA), uma empresa de petróleo especializada em manutenção e administração de poços petrolíferos em águas profundas, em um local distante no golfo do México. A OSCA estava tentando lançar uma oferta pública de ações. Na condição de especialista e consultor de recursos humanos, Bruce precisava elaborar minuciosos planos de saúde e pacotes de benefícios que atendessem às diretrizes federais para que a OSCA pudesse ser registrada em uma Bolsa de Valores de grande porte — o que não era uma façanha pequena, já que o próprio Bruce estava recebendo treinamento na ocasião. Ele estava passando por um momento frenético, que lhe demandava lidar com os confusos detalhes das grandes transações corporativas e as necessidades de várias centenas de operários que trabalhavam nas plataformas de petróleo.

Em meio a tudo isso, os pesadelos pareciam menos urgentes.

— Escute — disse ele a Andrea, subestimando a importância dos acessos —, a casa é velha, e casas velhas costumam vir com rangidos e chiados. Isso tudo tem a ver com o fato de termos vindo morar aqui. Vai parar, você vai ver.

Mas os pesadelos não pararam. Um terceiro aconteceu na noite seguinte. James pulava uma noite, às vezes duas, mas os pesadelos continuaram com uma regularidade aterrorizante e um frenesi cada vez maior. Houve épocas em que ocorreram cinco vezes por semana. E cada um deles era simplesmente horripilante.

E assim, na primeira primavera do milênio, em uma pequena casa perto da costa da Louisiana, quatro ou cinco vezes por semana seus moradores tinham a impressão de que as vigas balançavam com os violentos gritos de um menininho. No início, Andrea fez todo o possível, mas nada acalmava James nesses momentos de fúria. Por causa do parto prematuro do filho e dos consequentes problemas de peso, Andrea era muito zelosa com relação aos check-ups médicos. Logo que se mudaram para Lafayette, ela conheceu um jovem pediatra, o dr. Doug Gonzales, que não conseguiu encontrar qualquer anormalidade ao examinar James. Quando os pesadelos começaram, Andrea telefonou para o médico. Este lhe disse que eram pesadelos normais e que logo sua frequência diminuiria. Não estava preocupado. Nesse meio-tempo, confirmando o que ela lera nos livros de puericultura, o pediatra aconselhou-a a não acordar o menino de repente nem assustá-lo quando estivesse no meio de um pesadelo.

A essa altura, Andrea começara a dormir perto do quarto de James para poder ouvir mais rapidamente os gritos. Ela passou a ter um sono leve, pois dormia pensando em ouvir o primeiro grito. Além disso, disse ela a Bruce, James dormia tão profundamente durante os pesadelos que ela precisava abraçá-lo com muita força para conseguir interrompê-los.

Bruce conversou com o filho: "Ouça", disse ele, "você precisa parar com isso. É bom você tratar de superar o que quer que esteja causando essas coisas." Entretanto, como constataram mais tarde, não estavam lidando com uma situação que um menino de 2 anos pudesse controlar, por mais que o pai ficasse zangado.

Quase dois meses depois do início dos pesadelos, James ainda estava se debatendo e berrando, mas agora Andrea decidiu tentar descobrir o que ele estava dizendo. Ela se deu conta de que os gritos não eram apenas sons incompreensíveis; eram também palavras. Quando conseguiu decifrar algumas delas, Andrea voltou rapidamente pelo corredor e sacudiu o marido, para acordá-lo.

— Bruce, você precisa ouvir o que ele está dizendo.

Bruce estava grogue.

— O que você quer dizer com isso?

— Bruce, *você precisa ouvir o que James está dizendo.*

Bruce ficou irritado, mas saiu da cama, resmungando:

— Que diabos está acontecendo aqui?!

Em seguida, parado na porta do quarto do filho, ele também começou a reconhecer as palavras, e sua indignação dissipou-se.

> *Ele estava deitado de costas, chutando e arranhando as cobertas... como se estivesse tentando escapar de um caixão. O que vi se parecia com uma cena de* O exorcista *— eu, de certa forma, esperava que a cabeça dele girasse como a da menina no filme. Cheguei até a pensar que talvez precisasse sair para buscar um padre. Mas em seguida ouvi o que James estava dizendo...*
>
> *"O avião caiu! O avião está pegando fogo! O rapaz não consegue sair!"*

Essas eram exatamente as palavras, o texto por trás dos gritos de James. A criança jogava a cabeça para frente e para trás e gritava repetidamente a mesma coisa: "O avião caiu! O avião está pegando fogo! O rapaz não consegue sair!"

Isso aconteceu pouco depois de James completar 2 anos; ele estava começando a aprender a se expressar por meio de frases complexas, tentando encontrar uma linguagem condizente com seus pensamentos. No entanto, o que ele estava gritando enquanto se debatia na cama naquela primavera eram palavras tão ricas em detalhes, tão plausivelmente oferecidas, tão pouco infantis em seu desespero, que Bruce Leininger emudeceu. A vida inteira ele fora aquele que resolvia os problemas, o cara dinâmico, pronto para o que desse e viesse, o homem capaz de corrigir quase todas as coisas, porque compreendia a natureza de praticamente qualquer problema, captava sua configuração e conseguia encontrar uma solução. Entretanto, de pé na porta do quarto do filho, ele estava paralisado — e um pouco assustado. Essas frases de pânico não poderiam ter surgido do nada, disso ele tinha certeza.

CAPÍTULO DOIS

HAVIA UM GRANDE número de indícios a respeito do que estava acontecendo com o jovem James Leininger. Se Bruce e Andrea não estivessem tão ocupados com os próprios dramas — uma carga de trabalho exaustiva e mais uma reorganização familiar —, talvez tivessem adivinhado mais cedo que tudo aquilo tinha algo a ver com aviões.

Mas um número excessivo de distrações impediu-os de seguir o rastro, uma omissão que eles compensariam nos meses seguintes. O mais importante agora era se estabelecerem em seu novo lar, a cidade de Lafayette, na Louisiana.

O início do novo milênio fora duro. Primeiro, foi o medo do bug do milênio, o qual, felizmente, não aconteceu, embora tenha deixado todo mundo com os nervos à flor da pele. Em seguida, houve a mudança de Dallas para Lafayette, um reposicionamento histérico e complicado do círculo familiar e do lar.

A logística por si só foi acidentada, e Andrea ficou ainda mais triste pelo fato de se separar novamente das irmãs e da mãe, agora por uma distância de mais de 600 quilômetros. Mesmo assim, ela era uma boa companheira, compreendia que a vida profissional do marido estava passando por um momento crítico e que seu papel era apoiá-lo. Assim, na quinta-feira, dia 1º de março de 2000, Bruce e Andrea fecharam a compra da casa acadiana septuagenária no sofisticado e arborizado bairro de White Oak.

Mas, enquanto ela tentava assumir o estado de espírito adequado (era início da primavera, e as azaleias estavam em flor — a cidade era uma emocionante aquarela de rosa, branco e vermelho), foi pega de surpresa por um jato frio de realidade. Antes que pudessem se mudar para a encantadora casa na West St. Mary Boulevard, a família Leininger teria de passar um longo fim de semana em um pequeno quarto decadente a 6 quilômetros de distância, na Edie Ann Drive, na bacia industrial de Lafayette.

Era apenas uma parada temporária até a chegada do caminhão de mudança no sábado, quando Andrea teria tempo suficiente para ir até a casa nova e torná-la habitável – o que, no caso dela, significava impecável. Porque dessa vez, disse a Bruce com firme determinação, ela tinha a intenção de se estabelecer naquele lugar. "Não vou me mudar de novo", foram suas palavras.

Apesar da firmeza da declaração, ela ainda precisava passar aquele longo fim de semana no imundo Oakwood Bend Apartments, que era o local onde a OSCA abrigava temporariamente os operários sujos e cansados que voltavam dos turnos de um mês nas plataformas em águas profundas, situadas em um ponto bem distante do golfo do México.

Andrea mal pôde acreditar que Bruce estivera morando naquele lugar sórdido desde novembro.

Quando acendeu a luz, ela teve a impressão de que a imundície estava subindo lentamente pelas suas pernas. As camadas de sujeira e de poeira, incrustadas ao longo dos anos por camadas de petróleo bruto, haviam se tornado uma nova e assustadora variedade de lama.

Até mesmo os tetos estavam espessos com o resultado de todo esse ir e vir de pessoas sem asseio. O lado de dentro da cortina do chuveiro estava enegrecido pelo mofo e pelo bolor. Quando Andrea ligou o ventilador, a poeira voou em grandes pedaços compactos. A primeira ideia que lhe passou pela cabeça foi que um gato havia saltado das pás.

— Não deixe James tocar em nada — disse ela a Bruce. — Vou sair para comprar um estoque de produtos de limpeza.

Primeiro, ela limpou a casa temporária o suficiente para que pudessem respirar e, quem sabe, tornar o lugar um pouco confortável. Depois, no meio disso tudo, o pessoal da mudança telefonou dizendo que o caminhão tinha enguiçado na estrada interestadual e eles só conseguiriam chegar a Lafayette na segunda-feira.

Bem, não havia nada que pudessem fazer a não ser procurar tirar o melhor partido possível da situação — um dar de ombros da família que se tornou semelhante a um tique nervoso, um gesto que a família Leininger usava para superar os aborrecimentos da vida.

Finalmente, eles pegaram o carro e se dirigiram para a casa nova. Enquanto tentavam percorrer o trajeto que os levaria até lá, o trânsito ficou extremamente lento. As duas ruas principais, Johnston e West Congress Street, tinham se reduzido a uma única pista. Elas estavam tomadas por obstáculos e pela construção de espalhafatosas barracas de comida. Era o Mardi Gras.

Bruce e Andrea sabiam que Lafayette estava situada na "Cajun Heartland" — território originalmente povoado pelos franceses acadianos que foram expulsos da Nova Escócia em 1755, quando se recusaram a jurar lealdade aos britânicos. Mas

Bruce e Andrea não tinham a menor ideia de que a cultura cajun, intensamente francesa e católica, ainda estava tão profundamente entranhada na região. Os descendentes dos cajuns levavam muito a sério as festas ruidosas que antecediam a Quaresma. Nova Orleans era mundialmente famosa por seu festival da Terça-feira Gorda, mas Lafayette tinha a própria ostentação turbulenta. Lá, ninguém entrega a correspondência na Terça-feira Gorda. As escolas ficam fechadas durante uma semana, e durante cinco dias as ruas principais são fechadas ao trânsito duas ou três vezes por dia para dar passagem aos sofisticados desfiles.

Depois da faxina pesada, do trânsito engarrafado e das complicações de horário, o casal estava exausto quando o caminhão de mudança chegou cedo na segunda-feira, dia 5 de março. Ainda assim, Andrea despachou Bruce para o trabalho; ela lidaria sozinha com o descarregamento e a colocação da mobília. Não precisava ter nem Bruce nem James por perto, atrapalhando. Planejara exatamente onde cada coisa deveria ser colocada.

Mas mesmo sua energia com carga reforçada teria de se esgotar. Andrea não podia simplesmente estar em todos os lugares ao mesmo tempo. Perdia o filho de vista o tempo todo. Dissera a James que ficasse dentro de casa enquanto ela orientava os homens da mudança, mas o menino de 1 ano e 11 meses de idade, que ainda usava fralda, escapuliu para o lado de fora enquanto os homens carregavam as caixas e a mobília; alguém deixara a porta aberta.

Andrea era como um jogador atuando em duas posições no campo; ao mesmo tempo em que orientava os homens da mudança, ela arrastava James para fora dos arbustos, da grama e, por fim, do caminhão de mudança. Quando começou a imaginar seu filhinho esmagado e sangrando debaixo das botas de um homem ou de um sofá que alguém deixara cair, Andrea finalmente se conscientizou de que aquilo estava além de sua capacidade. Foi quando telefonou para o celular de Bruce e pediu que ele viesse imediatamente para casa.

O chefe de Bruce, que também estava sob pressão por causa da imensa quantidade de trabalho vinculada à abertura de capital da empresa, concordou, relutante, que o lugar de seu funcionário era ao lado da esposa.

De certa forma, a situação acomodou-se nos dias seguintes. Vizinhos apareceram com vasilhas de comida de boas-vindas, cestas de flores, listas com os melhores endereços de compras e das farmácias que ficavam abertas à noite e nos fins de semana. Foi um momento alegre depois de uma entrada turbulenta na casa nova.

E a vida continuou. Andrea mantinha-se intensamente ocupada, dando os últimos toques na casa. Bruce trabalhava 15, 16, 17 horas por dia.

Foi somente na quarta-feira, dia 14 de março, nove dias depois da mudança, e alguns dias depois de a febre do Mardi Gras ter passado, que Andrea arranjou tempo para sair para comprar os conjuntos de toalhas que precisava para os banheiros. Ela se dirigiu à loja que escolhera, achando que James ficaria bem no carrinho e que eles poderiam começar a conhecer a vida normal do centro da cidade de Lafayette, sem os desfiles, os vendedores de comida e a loucura dos turistas.

O dia estava bonito, Andrea estava de bom humor e a sensação de ser uma estranha em uma nova cidade começava a se amenizar. Enquanto caminhavam para a loja de artigos para banheiro, passaram por uma loja que colocara do lado de fora caixas cheias de brinquedos e barcos de plástico.

— Veja só — disse Andrea, tirando da caixa um pequeno modelo de um avião com hélice e entregando-o a James, que o examinou. — E ele tem até uma bomba embaixo! — exclamou, esperando que o brinquedo distraísse James o suficiente para permitir que ela ficasse à vontade para procurar as toalhas.

Mas o que James, o menininho de fraldas, disse deixou Andrea paralisada. James olhou para o aviãozinho, virou-o de cabeça para baixo e declarou: "Isso não é uma bomba, mamãe. É um tanque 'decatável'."

Andrea não tinha a menor ideia do que era um tanque descartável. Foi somente quando chegou em casa à noite e conversou com Bruce sobre o assunto que soube que se tratava de um tanque extra de gasolina, que os aviões usavam para estender a autonomia de voo.

— Como ele poderia saber isso? – perguntou a Bruce.

Ele balançou a cabeça. Talvez James tivesse reparado que o tanque não tinha estabilizadores; uma bomba teria estabilizadores.

Mas, mesmo assim, como ele poderia saber disso?

— Ele não consegue nem mesmo pronunciar direito "tanque descartável", ele diz "tanque 'decatável'". Como ele poderia conhecer um tanque descartável? *Eu* nunca ouvi falar nisso.

Era perturbador, mas nada com que precisassem se preocupar. Ainda não; não antes de os pesadelos começarem.

CAPÍTULO TRÊS

NO PERÍODO QUE se seguiu à tumultuada mudança, enquanto os pesadelos sacudiam as noites na West St. Mary Boulevard naquela primavera, ninguém no lar da família Leininger estava conseguindo pensar com muita clareza. O excesso de trabalho e de preocupações, aliado a noites maldormidas, estavam deixando Bruce e Andrea completamente atordoados.

No final de maio decidiram que precisavam de um descanso — longe da "casa mal-assombrada" no bairro de White Oaks. Planejaram percorrer de carro os quase 650 quilômetros até Dallas, onde o restante da família estava se reunindo para comemorar o Memorial Day e um aniversário. Hunter, o primeiro filho de Becky Kyle, a irmã mais nova de Andrea, completaria 4 anos na segunda-feira, dia 28 de maio. Andrea e Bruce também estavam ansiosos para ver a filha mais nova de Becky, Kathryn, conhecida como K. K., que era três semanas mais velha do que James. As duas crianças, que ainda usavam fraldas e tomavam mamadeira, estranhavam um pouco toda aquela gente.

A casa de Becky ficava em Carrollton, uma área residencial elegante na extremidade nordeste de Dallas, mas era pequena demais para acomodar todos os visitantes das famílias Leininger e Kyle, de modo que Bruce e Andrea decidiram se hospedar em um hotel nas proximidades. (Sem dúvida, outro fator pesou nessa decisão — uma ideia vaga que não foi abertamente expressa: a possibilidade de que James pudesse ter outro acesso à meia-noite, o que tornaria aquele feriado desagradavelmente inesquecível.) Hospedaram-se em uma suíte no Amerisuites, onde teriam uma quitinete e uma piscina particulares e não seriam um estorvo na casa movimentada da família Kyle.

Ainda assim, precisavam cuidar primeiro das coisas mais importantes: tinham de sair de Lafayette e ir para Dallas. A logística de um deslocamento Leininger é estritamente militar. O estágio de planejamento inclui tabela rígida de horários, forte disciplina e diagramas de fase inabaláveis — isso se tudo fosse deixado a cargo de Bruce.

No dia anterior, todas as malas teriam de estar arrumadas e inspecionadas. Os pneus do Volvo 850 Turbo 1994 com a pressão exata. O tanque de gasolina cheio até a borda, como se a família estivesse indo para uma área descampada e inexplorada. Os relógios sincronizados para a partida, que seria bem cedo. Reuniões para trocas de informações realizadas para que cada membro do grupo falasse a mesma língua.

Entretanto, como sempre acontece nessas operações complexas, a vida atrapalha. O plano cuidadoso de Bruce começou a degringolar nas primeiras horas da manhã de sábado, dia 26 de maio. Entre outras coisas, o banho matinal de Andrea demorou mais do que o permitido no plano operacional. E, depois, ela precisou tomar café. Em seguida, teve de trocar a fralda de James e lhe dar uma mamadeira. Tudo isso ao som da voz de Bruce, que informava a hora em alto e bom som a cada cinco minutos, e batia com o pé de leve no chão. Finalmente conseguiram pegar a estrada às 9h, e não às 8h, como estava previsto.

Isso não é motivo de estresse, disse Andrea.

A viagem em si, que havia sido avaliada e cronometrada para durar, no máximo, sete horas, tinha paradas de descanso. Em Shreveport, a família Leininger parou em um Burger King, famoso pela demora do serviço. A demora fez com que Bruce começasse a resmungar sem parar até chegarem ao Texas.

A passagem pelo Texas exerceu um efeito estranhamente reconfortante na família, e um dos motivos foi a enorme placa de boas-vindas: uma estrela vazada de 6 metros que parecia um grande cortador de massa de biscoito. Logo que a viram, começaram a cantar: "Welcome to the lonely star state!" Chamar a estrela de "the lonely star" já se tornara um ritual. É claro que eles deveriam cantar "Welcome to the Lone Star State", o apelido do Texas, mas, por algum motivo, James se confundiu na primeira vez em que viu a estrela, e Andrea achou o erro tão engraçadinho que eles mantiveram a versão.* A grande placa sempre faria a família Leininger exclamar: "Welcome to the lonely star!"

Quando a família finalmente chegou a Dallas, Bruce sugeriu que Andrea fosse visitar a irmã (para colocar em dia o papo da família Scoggin; não que elas não se falassem todos os dias

---

* Em português, "Welcome to the Lone Star State" seria traduzido por "Bem-vindo ao Estado da Estrela Solitária". O apelido do Texas é Lone Star State porque a bandeira do estado exibe uma única estrela. A palavra *lone*, em inglês, significa sozinho, isolado. A palavra *lonely* encerra esses mesmos significados, mas contém a conotação adicional de abandono – ou seja, a pessoa ou, no caso, a estrela, estaria sozinha, mas preferiria não estar, daí o aspecto engraçado do engano. (*N. da T.*)

por telefone), enquanto ele levaria James ao Cavanaugh Flight Museum. Afinal de contas, era o fim de semana do Memorial Day, uma ocasião apropriada para dar uma olhada em antigos aviões de caça. Ele levara James lá uma vez, e o menino adorara a visita.

Na realidade, quando Bruce se virou e olhou para o banco de trás do carro, confirmou que tivera uma boa ideia. Lá estava James, em sua cadeirinha, com um de seus brinquedos favoritos na mão: um avião.

Alguns meses antes, James era maluco por grandes caminhões e brincava com eles o tempo todo. No entanto, desde o primeiro momento em que olhou pela janela do carro e avistou um avião voando, seu coração elevou-se ao céu. Os aviões tornaram-se sua nova obsessão. Por causa disso, Bruce chegou à conclusão de que uma visita ao Cavanaugh Flight Museum seria o passeio perfeito para pai e filho. Comprou para o menino um vídeo promocional dos Blue Angels, a equipe de voo acrobático da Marinha americana, ao qual James assistiu até quase estragar a fita. Ele nunca se cansava de assistir ao vídeo ou de brincar com seus aviões. Depois daquela primeira visita, James não quis mais saber de caminhões; somente de aviões.

A primeira viagem ao museu em fevereiro fora maravilhosa. Na ocasião, a família ainda estava (mal e mal) morando no Texas; Bruce viajava muito de avião entre seu emprego em Lafayette e sua casa em Dallas. Em fins de semana alternados, ele fazia a viagem de ida e volta de quase 1.300 quilômetros. Andrea, que na ocasião estava morando sozinha com James, precisava desesperadamente de uma folga. Estava esgotada, pois ainda não se recuperara de um acidente doméstico recente. Acontecera em meados de janeiro. James havia subido para o banheiro do andar de cima, onde ligou a água quente da banheira. Andrea ouviu o barulho, correu pelas escadas e se atirou sobre a privada para agarrar o filho antes que ele se queimasse, torcendo, nesse movimento, um dos músculos das costas, o que agravou uma antiga lesão.

A coisa foi feia. Para início de conversa, a ex-bailarina já tinha um problema na coluna, mas agora nem mesmo conseguia manter-se ereta ou andar. E não poderia nem pensar em descer a escada carregando James. Bruce estava em Lafayette, e Andrea telefonou para a mãe, Bobbi, que morava a uns dez minutos de sua casa. Ela chegou com uma bolsa de água quente e alguns comprimidos de Vicodin (sobras dos que ela tomara quando fez um implante de dente), disse à filha que ficasse calma e foi embora em seguida.

Mas Andrea precisava ficar de olho em James e alimentá-lo. Subiu a escada engatinhando, com um sanduíche de manteiga de amendoim e geleia entre os dentes. Como praticamente não conseguia ficar de pé ou andar, essa foi a única maneira que encontrou de ir até o quarto de brinquedos no andar de cima. Foram necessárias muitas sessões com um quiroprático para consertar suas costas. Mas Andrea era bailarina e estava acostumada a sentir dor, além de ser muito corajosa.

Ela continuou a se virar sozinha, com Bruce indo para casa em fins de semanas alternados para ajudar. No entanto, sonhava com uma longa e prazerosa tarde em um salão de beleza, onde seria paparicada e enfeitada, teria as unhas cortadas e pintadas, os cabelos lavados e penteados — sem ter de ficar o tempo todo de olho no filho para protegê-lo.

E assim, um mês depois, quando Bruce veio passar o último fim de semana em casa antes que todos se mudassem para Lafayette, ele se ofereceu para passar o dia inteiro cuidando sozinho de James. Andrea, animada, aceitou a oferta.

Bruce queria que o dia fosse especial. Achou que o pequeno James deveria ter uma recordação mais intensa de Dallas, algo que o fizesse relembrar a beleza e o fascínio da cidade. Passariam uma hora no museu dos aviões, em seguida iriam almoçar e mais tarde talvez dessem uma volta pela cidade para guardar uma última impressão de Dallas. Depois, voltariam finalmente para casa. Esse era o plano de Bruce.

Bruce fora muitas vezes ao museu de Cavanaugh. Sempre que recebiam convidados em Dallas, ele os levava para ver os antigos aviões da Segunda Guerra Mundial, da Guerra da Coreia e da Guerra do Vietnã. Todos os aviões brilhavam como se fossem novos — reluzindo no chão do hangar, estavam em perfeitas condições de voo, esperando por um piloto.

James estava ansioso para chegar ao museu. Bruce tagarelou o trajeto inteiro, falando sobre as coisas incríveis que ele iria ver, mas James não precisava ser convencido de nada, porque estava silenciosamente ansioso. E então, em meio a um aglomerado industrial, surgiu o museu. A primeira coisa que James avistou foi um velho Thunderchief F-104, atrás de uma barreira de cordas. Ele era fascinante, parado ali na pista de decolagem, como se alguém tivesse acabado de estacionar um caça a jato e ido comprar cigarros.

James soltou um grito agudo quando viu o avião.

A bilheteria ficava ao lado da loja de presentes do museu, e James passou bastante tempo examinando os aviões de brinquedo. Bruce precisou comprar o vídeo dos Blue Angels "It's a Kind of Magic" e um avião de brinquedo para conduzi-lo aos hangares onde ficavam os aviões de verdade.

Os aviões estavam suspensos, majestosos atrás das cordas, e os olhos de James faiscaram de prazer. A segurança nunca foi um problema no museu, que raramente estava cheio, portanto não havia guardas. E Bruce teve dificuldade para não deixar James se aproximar. O menino se esforçou para chegar mais perto dos velhos Mustangs, Spitfires e Wildcats da Segunda Guerra Mundial.

— É proibido entrar aí — avisou Bruce.

No entanto, James estava visivelmente impressionado com algo que vira no chão do hangar, e ficou parado, boquiaberto e admirado. Bruce começou a caminhar em direção ao hangar seguinte, onde estavam expostos os jatos mais modernos, mas quando olhou para baixo percebeu que James não estava com ele. O menino voltara e estava olhando para os aviões da Segunda Guerra Mundial, como se estivesse hipnotizado.

— Vamos lá, James — disse Bruce, pegando a mão do filho.

Nesse momento, James gritou. Foi o grito pungente de uma criança enraivecida. Não, na verdade algo ainda mais potente. De uma criança contrariada. De uma criança que estava sentindo alguma forma de angústia desconhecida. Não era o grito de uma criança mimada que não estava conseguindo o que queria, e sim de um menino que desejava desesperadamente se expressar com clareza, mas não estava conseguindo fazê-lo.

Bruce, que, em geral, não dava atenção a essas esquisitices, ficou perplexo. Finalmente, tentou arrastar James para outro setor da exposição, mas a criança continuou a resistir. A situação encerrava algo sinistro, algo que Bruce não conseguia compreender.

Para encurtar a história, eles visitaram duas ou três vezes os aviões da Segunda Guerra, e a ida ao museu, que deveria durar uma hora, se transformou em um passeio de três horas.

— Não quero ir embora — resmungou James.

— Eu sei, mas não podemos ficar aqui para sempre — retrucou Bruce. — Você não quer almoçar?

James sacudiu a cabeça.

— Quer um sorvete?

A única maneira pela qual Bruce conseguiu fazer com que o filho saísse do hangar foi prometendo que o levaria a um campo de aviação em atividade, no qual poderiam observar os aviões decolando.

— Vamos ao Aeroporto Addison — disse Bruce.

O aeroporto estava situado no terreno do museu, e James poderia ver os Cessnas e os aviões corporativos que pousavam e decolavam o tempo todo. Nenhuma comida ou guloseima fora capaz de convencer o menino a arredar pé do hangar. Somente a promessa de decolagens ao vivo.

Quando voltaram para casa, Bruce conversou com Andrea sobre o ocorrido, tentou explicar por que a situação fora perturbadora, mas só conseguiu dar a impressão de que estava se queixando da dificuldade de tomar conta de James. É claro que essa não era a questão, mas Bruce não sabia exatamente qual era.

Agora, três meses depois, no Memorial Day, eles voltavam ao museu dos aviões. Uma vez mais, James estava transbordando de entusiasmo. Puxava o pai como um cachorrinho. Do lado de fora, toparam com um senhor que disse: "Esse menino está realmente animado. Bem, eu também fico animado todas as vezes que venho aqui. Na Segunda Guerra, pilotei um avião igualzinho a um dos que eles têm lá dentro."

Bruce descobriu que o senhor era Charles R. Bond Jr., que pilotara um P-40 com os Flying Tigers. Ele deu um presente a James, um broche dos Angels, e partiu para outro compromisso. Foi um encontro bizarro; Charles claramente reconheceu em James um espírito afim.

Dessa vez, Bruce tinha levado uma câmera, como se pudesse captar no filme um fragmento do que quer que James estivesse sentindo, e tirou fotos do filho de pé apontando para a aeronave da Segunda Guerra Mundial. Entretanto, a intensidade da experiência para aquela criança não era algo que pudesse ser captado em um filme, uma empolgação tão ardorosa que a pessoa teria de estar presente para senti-la.

Voltaram depois para a casa de Becky, onde todo mundo estava ocupado arrumando as coisas para a festa. O tema era "Thomas the Tank Engine".* As crianças estavam brincando em uma piscina inflável, e havia uma *piñata*** na frente da casa. Andrea estava atenta para garantir que ninguém quebrasse a cabeça dos outros. A estranha experiência no museu incorporou-se silenciosamente às felizes lembranças da viagem.

E a viagem foi esplêndida; teve o poder de revigorar Bruce e Andrea. Na última manhã, antes de iniciar a jornada de volta para Lafayette, Bruce, James e Andrea ficaram deitados ao sol na piscina do Amerisuite, e naquele momento, com a família reunida e sossegada, a sensação foi de que haviam tirado umas férias de curta duração.

Na viagem de volta para Louisiana, pararam novamente para almoçar em Shreveport, mas dessa vez foram ao McDonald's. Havia um espaço com brinquedos do lado de dentro, e deixaram que James brincasse lá durante cinco minutos. Bruce precisou passar por cima do cercado para tirá-lo de lá dez minutos depois.

---

* Thomas the Tank Engine (Thomas, a locomotiva-tanque) é um brinquedo que se tornou um fenômeno de vendas e hoje tem o acréscimo de pequenos conjuntos de trens de madeira, fitas de vídeo, livros, roupas e um site exclusivo, além de vários sites de fãs. (*N. da T.*)

** A *piñata* ("pinhata" em português) é uma tradição ibérica bastante difundida em certos países do continente americano, porém rara nos países em que surgiu (Portugal e Espanha). A brincadeira consiste em uma panela de barro recheada de doces, coberta por papel crepom e suspensa no ar a uma altura média de 2 metros. O participante, com uma venda nos olhos, tenta quebrá-la para que os doces caiam. (*N. da T.*)

Quando pegaram novamente a estrada, Bruce refletiu sobre a diferença daquela experiência e a do museu. O trepa-trepa era um brinquedo, e James comportou-se como uma criança com um brinquedo. O museu de Cavanaugh fora diferente; a atmosfera, certamente, não era de brincadeira.

Até aquele instante, nem Bruce nem Andrea haviam estabelecido uma ligação entre o fascínio obsessivo de James por aviões e seus pesadelos. Um grande contraste claramente se impunha. James gostava imensamente de aviões, sentia por eles um entusiasmo inesgotável, de modo que não parecia possível que os terríveis pesadelos tivessem algo a ver com seu amor pelos aviões. Seus pesadelos eram profundamente perturbadores, até mesmo aterrorizantes. Seu amor pelos aviões era um prazer saudável. Não parecia possível que algo tão agradável pudesse ter alguma relação com algo tão assustador.

É claro que, posteriormente, eles perceberiam que os pontos estavam presentes o tempo todo para estabelecer a ligação (a emoção profunda no museu, a obsessão por aviões), mas nesse momento, a caminho de Lafayette, depois da festa na casa de Becky, embalados pelos calorosos sentimentos dos dias de descanso, ninguém na família Leininger poderia associar as duas coisas.

CAPÍTULO QUATRO

O DIA 1º DE junho foi luminoso e ensolarado, mas não para Andrea Leininger. Fazia dois dias que tinham voltado de Dallas. James não tivera pesadelos no Amerisuite, mas lá James dormira entre eles em uma cama king-size. Tanto Bruce quanto Andrea estavam envoltos em uma atmosfera de felicidade e otimismo graças aos momentos serenos e tranquilos do fim de semana. No entanto, esse período acabou se revelando uma longa pausa entre soluços.

Agora, de volta à sua cama, James estava novamente gritando durante o sono. Os pesadelos haviam recomeçado.

Mas esse não era o único motivo pelo qual Andrea estava tão aborrecida nessa quinta-feira, uma manhã agradável, de temperatura amena, com o sopro do verão no ar. O que a estava perturbando era algo muito mais prosaico, que toda mãe enfrenta mais cedo ou mais tarde: ela teria de abrir mão de seu precioso James, afastar-se e deixá-lo entregue a pessoas totalmente desconhecidas. Tudo parecera tão inocente, tão rotineiro quando ela concordou com a ideia. Andrea havia matriculado James no Dia de Lazer da Mãe, um programa pré-escolar para crianças de 1 a 3 anos promovido pela Asbury United Methodist Church, da qual a família Leininger acabara de se tornar membro. O que poderia ser mais tranquilo? Era um programa pré-escolar administrado pela igreja e acompanhado por uma equipe cuidadosamente selecionada.

O programa possibilitava que mães muito estressadas tivessem três horas livres para fazer compras ou relaxar em um almoço tranquilo e demorado, deixando os filhos em mãos confiáveis. A finalidade do programa não era levar as mães a ter um ataque histérico de três horas de duração, que foi a maneira como Andrea passou sua primeira folga da maternidade.

Ela havia preparado o almoço de James e sua bolsa de fraldas, deixando-o na turma de "Anjos" com outras dez crianças mais ou menos da idade dele. James parecia feliz e animado enquanto caminhavam pelo corredor, ficando ainda mais alegre quando avistou a pequena academia infantil e o pequeno escorrega na sala de aula. Ele correu em direção ao local de recreação, e Andrea entregou a bolsa do almoço e as fraldas para a tia Lisa, fazendo questão de mencionar o estado de saúde completo de James: as últimas vacinas que ele tinha tomado, as coisas a que era alérgico, o nome do pediatra, seu telefone celular e as ocasiões e a maneira como as fraldas tinham de ser trocadas.

Em seguida, corajosamente exclamou:

— Tchau, filho, divirta-se. Seja um bom menino. Na hora do almoço eu volto para buscar você!

James nem mesmo ouviu o que ela disse, pois estava extremamente ocupado com os novos colegas e com os brinquedos. *Ótimo*, pensou Andrea, nada de lágrimas e de despedidas dolorosas. Ele não a ficou puxando, tampouco ela precisou arrancar à força os dedinhos do filho de sua perna. Tudo foi simples e harmonioso. Agora, tudo o que ela tinha de fazer era matar o tempo, três horas inteiras sem o filho. Três horas felizes e despreocupadas. Ela ia fazer compras e...

Mas, quando saiu do estacionamento e entrou na Johnston Street, ela caiu em si. Estava deixando o seu bebê... com...

quem?! Andrea não conhecia aquelas pessoas. Não de verdade. Poderiam ser molestadoras de crianças em liberdade condicional! Assassinas que matam as pessoas com machados! O que exatamente ela sabia a respeito dessas supostas professoras que se diziam chamar tia Lisa e tia Cheryl? E mesmo que elas fossem boazinhas, será que saberiam o que fazer em uma crise? E se James engasgasse? E se as outras crianças fizessem alguma maldade com ele? E se ele sentisse falta dela?

Eram receios altamente operísticos cujas escalas Andrea alcançava como uma soprano lírica.

E o que James pensaria a respeito de ter sido deixado lá? Ele poderia achar que a mãe o tinha abandonado. Não seria essa a suposição de uma criança de 2 anos? Olhar em volta e se dar conta de que sua mãe não está ali, que foi embora... para sempre.

É claro que Andrea tentara prepará-lo. Ela havia conversado com ele a respeito da escola, disse que seria apenas por pouco tempo e que logo depois ela estaria de volta. Mas será que ele realmente tinha entendido? Ele era tão pequenininho...

Ela não entendia!

Nesse sombrio momento de aflição, Andrea recorreu à mãe. Telefonou para o celular de Bobbi, tentando disfarçar as lágrimas. Diante de qualquer demonstração de emoção, Bobbi entrava em seu modo durão de amar, de modo que Andrea tentou parecer corajosa, mas a mãe conseguiu discernir a quase histeria da filha por trás da falsa coragem e alimentou-a com o conforto gelado que Andrea deveria ter esperado: James vai sobreviver. Ele ficará bem. Pelo amor de Deus, ele vai ficar apenas algumas horas na creche. Seja mais corajosa!

Era exatamente o tipo de conselho sensato que ela deveria ter esperado de um ser humano racional, só que nesse momento ela não queria falar com um ser humano racional. Precisava de uma alma irmã.

E foi exatamente para quem ela telefonou em seguida: suas irmãs, Becky e Jenny, que compreenderam perfeitamente o pânico irracional de Andrea. Elas tinham crescido sob aquele mesmo teto emocionalmente carregado, onde também aprenderam a subestimar suas explosões teatrais devido às impiedosas críticas de Bobbi. E, como boas irmãs, Becky e Jenny emitiram aqueles suaves murmúrios que demonstravam que elas compreendiam e eram solidárias com a mulher insana que estava se desesperando por causa do filho que fora arrancado de seus braços amorosos para passar uma manhã brincando com os amiguinhos.

Como sempre, conversar com as irmãs foi reconfortante, mas Andrea estava um lixo enquanto empurrava o carrinho de compras no supermercado, pegando rolos de papel-toalha, biscoitos, bifes e produtos de limpeza — soluçando e se debulhando em lágrimas no celular.

De algum modo, as três horas se passaram, e Andrea voltou para a igreja cedo, para pegar James. Um pouco cedo demais. Ela tentou não dar a impressão de estar espreitando o filho, espiando através dos arbustos enquanto aguardava.

Finalmente, era meio-dia, e Andrea caminhou até a sala de aula, tendo o cuidado de não desmoronar na frente das outras mães, que não pareciam ter se debrulhado nem se lamentado por toda a cidade de Lafayette.

Andrea achou que ela era a imagem do controle e da respeitabilidade quando sorriu alegremente para tia Lisa e tia Cheryl, como se esse período de três horas tivesse corrido suavemente.

E — graças a Deus! — James começou a chorar quando avistou a mãe.

James vivia dentro de um mundo amoroso, cuidadosamente acolchoado; o que dificilmente era uma surpresa, se levarmos em conta o fato de que ele era quase um temporão, nascera em circunstâncias difíceis e era filho de pais exageradamente superprotetores. Bruce era apenas um pouco menos obsessivo. Acordava cedo para poder dar a James a primeira mamadeira do dia e mantinha o filho acordado até tarde para poder dar a ele a última mamadeira da noite.

Quando chegou a hora de James largar a mamadeira, foi Bruce quem teve um problema emocional. Com frequência, Andrea saía do quarto de manhã e encontrava Bruce embalando o filho nos braços e alimentando-o com a mamadeira proibida.

O menino estava indo bem com sua nova caneca e Andrea tinha certeza de que ele não estava tendo dificuldade alguma para largar a mamadeira. Mas Bruce era outra questão. Ele dava muito valor ao momento de privacidade em que podia abraçar o filho e sussurrar uma espécie de canção de amor; era uma intimidade à qual ele se agarrava pelo maior tempo possível.

No Natal, quando faltavam menos de quatro meses para James completar 3 anos, Andrea adotou uma solução drástica. Recolheu todas as mamadeiras da casa e colocou-as dentro de um saco lacrado. Explicou a James que ia deixar todas as mamadeiras para o Papai Noel distribuir para as crianças que não tinham mamadeiras. Bruce nada poderia argumentar, a não ser que quisesse enfrentar Papai Noel.

Certo dia, no início de junho, logo que as escolas fecharam para as férias de verão, um longo comboio de carretas parou no estacionamento do Lafayette Convention Center — a Cajun

Dome — e delas desembarcou um grupo animado de biscateiros musculosos, ardilosos vendedores ambulantes, camelôs loquazes e um grupo decaído de ciganos carnavalescos em todo o seu extravagante esplendor tatuado. A Feira Estadual Cajun Heartland chegara à cidade. Era como se uma frota de navios piratas tivesse aportado. Começaram a armar as barracas sujas e descarregar as atrações grandes e deselegantes; montaram as tendas exóticas para abrigar os eternos jogos de azar fraudulentos que bloqueariam o meio do caminho com seus prêmios empoeirados de brinquedos baratos e artefatos inúteis. Em seguida vieram o helicóptero rodopiante, o atordoante bate-bate, a sacolejante roda-gigante, o desbotado carrossel, todos parecendo fracos e remendados, como se só estivessem inteiros por estar seguros com silver tape e arame. Era nesses frágeis brinquedos que se divertiam as crianças de Lafayette.

A Cajun Dome está situada a menos de 2 quilômetros da West St. Mary Boulevard, de modo que era impossível para Bruce e Andrea evitá-la, porque eram obrigados a trafegar pela West Congress Street. Os olhos de James arregalavam-se, e ele implorava para que o levassem à feira.

Armados de lenços de papel antibacterianos, com o coração na mão, Andrea e Bruce levaram James à feira. Simplesmente não havia como serem mais cuidadosos. Bruce e James foram se divertir no Supertobogã, que funcionava apenas com a força da gravidade, sem peças em movimento. Bruce manteve James entre as pernas enquanto Andrea observava e tirava fotos, a distância. O suave carrossel não fez o sangue de James correr mais rápido nas veias. Ele queria ir nos brinquedos arriscados. Eles o deixaram andar no Urso Rodopiante e na elevada montanha-russa, mas seu brinquedo preferido era o pequeno helicóptero que subia e descia. James insistiu em andar nele seis ou sete vezes. Nada parecia seguro.

James tomou sorvete e comeu seu primeiro algodão-doce. Estava feliz e dançava no ritmo do jingle "Bem-vindos à Feira Estadual de Cajun Heartland. Venham todos! Divirtam-se!". Era uma unanimidade entre o público presente que o parque precisava de um novo jingle.

Pouco depois, em meados de junho, algo novo aconteceu durante o pesadelo. Foi mais ou menos uma semana após a feira. Quando James começou a gritar, Andrea fez o que geralmente fazia: foi correndo ao quarto dele, esfregou-lhe as costas e andou lentamente ao redor do berço. Em seguida, pegou o filho no colo e carregou-o até a cadeira de balanço. A essa altura, James já havia acordado, e Andrea murmurou sons reconfortantes. Depois, quase de um modo casual, ela perguntou se ele se lembrava do sonho.

James respondeu:

— O avião caiu! O avião está pegando fogo! O rapaz não consegue sair.

Ela não acordou Bruce, porque ele ficaria irritado e não se interessaria pelo ocorrido. Ela conversaria com o marido pela manhã.

Andrea estava confusa com relação à importância do que James havia deixado escapar; na realidade, ele não deixara escapar nada; ele pronunciara a frase de maneira calma e enfática.

Ela hesitou em recorrer às sábias da família — sua mãe e suas irmãs, coletivamente conhecidas como "o conselho" — porque achava que já tinha esgotado sua cota com elas.

Essa história de estourar cota era longa. Vinha dos problemas que Andrea teve durante a gravidez, com todos os tipos de especialistas e clínicos gerais, além de uma porção de preocupações que não terminaram com o nascimento de James. Quando o bebê estava com 3 meses e não flexionava os braços se Andrea o colocava de bruços, ela ficou convencida de que havia algo terrivelmente errado com ele. Quando ele estava com 6 meses, suas irmãs e sua mãe não aguentavam mais seus constantes alarmes; Andrea estava *sempre* preocupada.

Durante aqueles primeiros meses, Andrea perdeu peso; estava uma pilha de nervos e não conseguia parar de tagarelar a respeito deste ou daquele indício, de observar James sob um microscópio em busca de algum sinal de que havia um problema. Falava incessantemente a respeito de tudo com o conselho, até que seus membros finalmente lhe deram um conselho útil.

— Pelo amor de Deus, vá ao médico e peça para lhe receitar um remédio! Você está nos levando à loucura. James está bem; *você* é que está com algum problema.

Foi o poder da exasperação coletiva da família que acabou por convencê-la.

O médico de Andrea prescreveu Paxil, o que foi uma dádiva para ela e para James.

Como resultado, Andrea fez uma coisa que nunca tinha feito antes: tornou-se mais reservada com a família. Absteve-se de descrever o horror dos pesadelos de James e procurou limitar as conversas às dificuldades rotineiras de uma criança pequena. No entanto, depois dessa noite, Andrea mencionou para a mãe, quase *en passant*, que James não andava dormindo bem.

Bobbi assumiu uma posição conservadora e racional sobre os pesadelos. Afirmou que, certamente, a causa era a nova casa e o novo ambiente. Andrea conversou em seguida com uma das irmãs, Becky, que perguntou se o sobrinho andava excessivamente cansado à noite. Explicou que, se ele não estivesse cochilando devidamente à tarde, estaria sujeito a ter pesadelos à noite. Disse a Andrea que seguisse os horários à risca e fizesse o menino descansar durante o dia. Mas nem isso funcionara.

Andrea estivera correndo de um lado para o outro durante o dia, consertando e arrumando a casa, e James não tirara seus cochilos habituais. Ele pegava no sono no carro, mas não era a mesma coisa. Andrea organizou então as coisas de maneira que, na hora da sesta, ele estivesse em casa, no berço, para cochilar adequadamente. Isso funcionou durante alguns dias, mas depois os pesadelos voltaram. Mesmo com os cochilos.

Andrea ainda não se sentia à vontade para convocar o conselho. Entre outras razões, naquele momento, um dos membros estava precisando mais da solidariedade de todos. Jenny e o marido, Greg, não podiam ter filhos, e estavam tentando adotar uma criança. Além disso, tinham sido obrigados a se mudar de Dallas para Trumbull, em Connecticut, depois que Greg mudara de emprego. E, como se isso não bastasse, Jenny ainda tinha um problema de saúde, uma condição pré-cancerosa que exigia cuidados.

Andrea achou que trazer novamente à tona o assunto dos pesadelos seria uma atitude egoísta, até cruel. Afinal, ela já tinha seu bebê, embora com alguns problemas de sono; Jenny necessitava bem mais de atenção.

No meio de tudo isso, ainda precisavam vender a casa de Dallas. Ela era nova, mas Andrea redecorou-a para torná-la mais atraente ao mercado. Estava ansiosa esperando que aparecessem compradores. A casa finalmente foi vendida, no final de maio, e a família Leininger teve um lucro modesto, mas o processo deixara os nervos deles em frangalhos.

Ao mesmo tempo, Bruce estava sendo pressionado para atualizar todos os programas de recursos humanos da OSCA e adequá-la às diretrizes da legislação trabalhista federal para que a empresa pudesse abrir o capital, aumentar a disponibilidade financeira e, depois, ser vendida. Não era muito diferente do que ele fizera com a casa de Dallas: redecorá-la para que pudesse ser vendida.

Essa era uma prática comercial comum. Uma grande corporação, a Great Lakes Chemical, estava cortando um pequeno pedaço de si mesma para fazer dinheiro.

Não que Bruce soubesse muita coisa a respeito da indústria de petróleo e gás; ele era especialista em recursos humanos. Isso significava que ele estava voando o tempo todo entre Lafayette, Louisiana e a sede da alta administração da Great Lakes Chemical, em Indiana, para fornecer informações sobre o andamento das coisas.

Em junho, a empresa estava a poucos dias de fazer a oferta pública de ações, e todo mundo estava com os nervos à flor da pele. O mais agitado de todos era Bruce, já que estava configurando pacotes de benefícios em uma indústria com a qual não estava nem um pouco familiarizado. Ele estava determinado a encontrar uma remuneração justa para os homens que estavam nas plataformas em águas profundas, trabalhando 21 dias ininterruptos com apenas sete de folga.

Algumas semanas mais tarde a família estava a caminho do Lafayette Regional Airport. Bruce estava indo para Indiana em uma viagem de negócios. James estava no banco de trás do carro, brincando com um dos aviões de brinquedo que escolhera no Texas, e Bruce pensava com seus botões se teria colocado na mala um número suficiente de agasalhos. De repente, quando entraram na estrada do aeroporto e os grandes jatos ficaram à vista, uma vozinha exclamou no banco de trás:

— O avião do papai caiu. Grande incêndio!

Por um momento os pais de James ficaram aturdidos dentro do carro e, em seguida, trocaram olhares alarmados.

O quê?

— O avião do papai caiu. Grande incêndio!

Bruce explodiu, aos gritos:

— Não! James, não diga isso. Aviões não caem! Nunca mais diga isso! Está entendendo?

O aviãozinho que James tinha nas mãos não tinha mais hélice. Ele jogara repetidamente o avião de brinquedo contra uma mesa de centro na sala de estar, quebrando as hélices. Na realidade, ele fizera a mesma coisa com todos os aviões que Bruce comprara para ele em Dallas, ou seja, atirara todos eles contra a mesa, repetidamente, quebrando os acessórios.

— O avião do papai caiu. Grande incêndio!

Bruce não levou o comentário na brincadeira. Afinal, era ele que estava prestes a embarcar em um avião, algo que nunca fazia sem ansiedade ou sem rezar, e ali estava seu filho fazendo esse sinistro prognóstico. Ele achou que James havia deliberadamente escolhido esse momento e calculado seu impacto para dizer uma coisa terrível. Não era nada disso. James tinha 2 anos. E o que saiu de sua boca não era maldade ou perversidade; era o relato espontâneo de outra pessoa.

Na ocasião, não foi essa a interpretação de Bruce. Ele achou que James estava sendo malicioso. Achou que o menino, consciente do estado tenso do pai, estava tentando deixá-lo ainda mais nervoso. Como se uma criança de 2 anos pudesse formular um plano tão complexo para irritar o pai.

CAPÍTULO CINCO

À MEDIDA QUE SUAS vidas avançavam, cada um dos membros da família envolvia-se ainda mais com as próprias dificuldades: James estava tendo de quatro a cinco pesadelos por semana e, durante o dia, provocava acidentes com seus aviões de brinquedo, quebrando as hélices e transformando a mesinha de centro em uma antiga peça de mobiliário; Andrea, arrumando a casa enquanto assistia a James avançar de pesadelo em pesadelo. Contava tudo para sua família, que se tornara insensível à história toda, tendo em vista sua tendência para o melodrama. Enquanto isso, Bruce trabalhava até tarde da noite para ajudar a OSCA a abrir o capital.

O prazo final para a primeira oferta pública de ações era 14 de junho, e a apresentação dos documentos à Securities and Exchange Commission tinha de estar completa e perfeita.

Eu estava trabalhando duro — muito duro —, e havia aquela mistura agradável e palpitante de exaustão e euforia que sentimos quando sabemos ter feito um bom trabalho. Orgulho. Acertando em cheio. Vou te contar, eu levava horas e horas para acertar em cheio. O plano de saúde e aposentadoria, o seguro e os complicados pacotes de benefícios; tudo isso tomou um tempo enorme e exigiu muito de mim. Eu voltava para casa exatamente como disse — eufórico e exausto, com aquela incrível sensação de... realização... e estava apenas procurando um lugar sossegado, um momento tranquilo, para absorver tudo, para saborear o que eu tinha feito. E depois cair naquele sono profundo, profundo e virtuoso... interrompido por gritos estridentes no meio da noite.

Na noite de 14 de junho, depois de concluir todo o seu trabalho para a empresa, Bruce foi para casa, para outro pesadelo, só que esse nada tinha a ver com James.

Bruce esperava um descanso feliz, a recompensa e o alívio depois que a companhia finalmente abrira o capital. Essa era a compensação por todo o árduo trabalho. Agora, enfim, a pressão acabara. Ele e seus colegas poderiam relaxar e saborear o prêmio. Bruce saiu do escritório às 18h30 e comprou uma garrafa de Cabernet Sauvignon antes de seguir para casa. Estava planejando um agradável jantar à luz de velas.

Mas, quando Bruce entrou em casa, o telefone estava tocando. Ele pressupôs que fosse alguém ligando para parabenizá-lo pelo trabalho benfeito, para cumprimentá-lo. Entretanto, Robert Hollier, seu chefe, estava telefonando de um aeroporto para convocá-lo de volta à ação. "Houve um acidente em uma das plataformas. Volte imediatamente para o escritório (...). Estou pegando um avião agora e me encontro com você lá."

Andrea ficou desconcertada. O que estava acontecendo? Ela estava fazendo sinais com as mãos pedindo uma explicação enquanto Bruce fazia sinais para ela ficar quieta. Ele desligou o telefone, e seu rosto tinha assumido aquela tonalidade austera e cinzenta que indicava problemas.

— O que foi? — perguntou ela.

As velas e o jantar teriam de esperar, retrucou Bruce. Andrea estava andando de um lado para o outro, tentando obter alguma informação, e tudo o que Bruce podia dizer era que houvera "um acidente... ligo para você assim que souber de mais detalhes".

E, então, ele saiu.

Um dos homens que trabalhavam em uma plataforma do golfo tinha caído na água. Era um jovem, com mais ou menos 35 anos, que tinha sido derrubado da plataforma por uma mangueira de alta pressão durante uma fraturação hidráulica, uma técnica delicada e perigosa destinada a aliviar a pressão. A rocha debaixo da plataforma precisa ser "fraturada" para que o gás ou o petróleo possa escapar para o poço, subir e sair através do solo. Se um operário se aproximar demais e a mangueira se soltar, ele pode ser cortado ao meio. No caso em questão, o operário, um operador de equipamento sênior, foi jogado no golfo quando a mangueira se desprendeu.

A Guarda Costeira havia sido chamada; um helicóptero dava voltas no local; navios de várias companhias estavam a postos, realizando uma busca noturna ao redor da plataforma. Mas não havia muita esperança. Quando alguém caía na água, naquele local, no escuro, no meio das correntes e ondas encrespadas do mar, a não ser que fosse retirado de lá rapidamente, as chances de sobreviver eram mínimas.

E fazia cinco horas que Mike havia caído no mar.

O operário tinha esposa e dois filhos, que moravam a 50 quilômetros dali, em um estacionamento de trailers em Rayne, e ninguém queria que a esposa e os filhos dele soubessem do ocorrido pela televisão. Coube a Bruce dar a notícia. Ele chegou em Rayne por volta das 23h. Quando a esposa de Mike chegou à porta e viu o grupo lúgubre de homens, soube de imediato que algo terrível tinha acontecido. Ela não quis se sentar e ficou andando freneticamente de um lado para o outro, e em seguida começou a tremer. Perguntou se o marido estava morto, e Bruce respondeu que só sabiam que houvera um acidente e que estavam fazendo todo o possível para encontrá-lo.

Bruce lembra que ela tentou ser corajosa. Ele pôde ver e sentir o esforço que ela estava fazendo. Estendeu a mão para tocar na dela, mas ela recuou, ficou andando em círculos e começou a chorar. Havia uma expressão assombrada e vazia no rosto dela, e Bruce sabia que o olhar dela permaneceria para sempre com ele.

Quando voltaram ao escritório, receberam a informação de que uma lancha da Guarda Costeira chegara à plataforma à meia-noite, mas recusara fazer um mergulhador entrar na água. Não no escuro, não na água traiçoeira ao redor de uma plataforma de petróleo, onde o mergulhador poderia ficar preso e morrer.

Bruce ficou furioso. Pegou o telefone e começou a gritar com um funcionário da Guarda Costeira. "Se fosse um Kennedy que tivesse caído dentro d'água, vocês teriam mandado uma esquadra para lá!", esbravejou, desligando em seguida.

A empresa organizou a própria equipe de mergulho e colocou-a na água à tarde, mas era tarde demais. Os mergulhadores levaram menos de 20 minutos para encontrar o operário perdido; ele estava pendurado na superestrutura submersa. Quando foi derrubado, a corrente levou-o de volta para debaixo da plataforma, onde ele se afogou.

Havia sido a única fatalidade que a OSCA tivera em toda sua existência, mas seus efeitos perduraram. Não apenas porque o acidente tinha ocorrido em uma ocasião auspiciosa e trouxera tristeza ao que deveria ter sido um momento radiante, mas também porque era um lembrete marcante de que a atividade deles era perigosa e traiçoeira. A partir de então, a empresa sempre manteve psicólogos de sobreaviso para lidar com a dor da perda.

Depois disso, Bruce tornou-se distante, prestando pouca atenção aos pesadelos e à obsessão do filho por aviões, ou mesmo à voz suave e incômoda da esposa, que o alertava para o fato de que os pesadelos não estavam melhorando e de que um novo componente havia sido introduzido — a conversa a respeito do avião que caíra, o fogo e o rapaz preso dentro dele. Além disso, os sonhos tinham começado a interferir na vida de James quando estava acordado.

Mas para Bruce essas notícias eram vagas e irreais, e se ele as levasse a sério, seriam inquietantes. Assim, ele se recolheu, o que era compreensível. Estava lidando com complicações relacionadas ao operário que se afogara, à viúva e aos filhos. Ele tinha questões de seguro para resolver e uma família que sofrera um grande trauma para ser tranquilizada e orientada.

Andrea sabia que precisava lidar com as questões domésticas. Bruce tinha seu próprio pesadelo. Cabia a ela chegar ao fundo do sono perturbado de James.

CAPÍTULO SEIS

A PRIORIDADE PARA DECIFRAR o mistério dos pesadelos de James precisou ser repensada diante das dificuldades que choviam torrencialmente naquele momento sobre a West St. Mary Boulevard. Bem no início da lista de afazeres de Andrea estava adaptar a casa nova às suas necessidades.

Tecnicamente, era uma casa antiga, septuagenária, no estilo acadiano, com banheiras, pias, vasos sanitários e armários velhos. Aquela era uma experiência nova para a família Leininger. Pela primeira vez em oito anos de casamento, Andrea e Bruce tinham se mudado para um lugar que não cheirava a tinta fresca e madeira nova. Era a primeira vez em que não eram os primeiros donos do lugar.

A casa estava vazia havia quatro meses quando eles se mudaram, e tinha acumulado uma camada de sujeira, além de ter um estilo antiquado, pomposo, que não combinava com o gosto alegre de Andrea. Seriam necessários meses para que a casa estivesse à altura de seus padrões de Mary Poppins, mas Andrea vicejava na presença do trabalho árduo. Na realidade, seria uma ótima distração diante do horror que se haviam tornado suas noites.

Andrea arregaçou as mangas e pôs mãos à obra. Forrou novamente os armários e as gavetas, limpou as marcas de pés das velhas banheiras, esfregou as manchas de água das antigas pias e substituiu o assento dos vasos sanitários — mas deixou as grandes caixas-d'água dos vasos porque fazia questão que a descarga fosse forte.

A casa era resistente e firme, mas Andrea também era. Paredes sólidas e cores incompatíveis tiveram de se submeter à sua vontade.

A primeira coisa que a impressionou foi a repugnante tonalidade de rosa pálido nos corredores — uma ofensa aos olhos.

Ela não podia contar com a ajuda de Bruce. Pelo menos não nisso. Ele passara por uma verdadeira crise no trabalho, e, se precisasse escolher entre isso e os pesadelos, simplesmente não estaria disponível no que dissesse respeito à decoração da casa nova.

Todos os dias, enquanto James tirava o cochilo da manhã, Andrea entrava em ação. Surgiam a escada de 3 metros, a tinta e o balde de mistura, os pincéis, os rolos e a fita azul dos pintores. Rapidamente, ela misturava a tinta e, depois, subia na escada. Colocava a fita sobre as cornijas e depois descia da escada, para colocar a fita nos rodapés. Ela trabalhava como um demônio para passar pelo menos uma camada de tinta antes que James acordasse e começasse a atrapalhá-la.

O papel de parede da cozinha era outro grande desafio. O guingão azul e branco formava um contraste gritante com o magnífico azulejo português pintado à mão que cobria a área em cima da pia e do fogão. Para essa tarefa, ela precisou da ajuda de James. E o menino executou com competência o trabalho que lhe fora designado: arrancar o papel de parede velho. Seu talento de destruição estava à altura dos seus 2 anos de idade.

No entanto, Andrea não conseguiu explicar claramente para o filho a visão geral do trabalho. Sem dúvida, eles se divertiram puxando e arrancando a camada superior do papel de parede velho. No entanto, o problema surgiu depois que ela colou o novo papel de parede azul com acabamento de linho, deu um passo atrás para admirá-lo e, em seguida, parou para uma ida não programada ao banheiro, sem modificar as ordens de marcha de James. Ela só ficou ausente por um momento, mas, quando voltou, encontrou seu filhinho cheio de iniciativa arrancando o novo papel de parede. Bastou uma única explosão estridente da mamãe para convencer James de que ela queria manter no lugar o novo revestimento da parede. Ele também aprendia rápido.

O quarto de James também implorava por uma remodelação. As venezianas verde-escuras de madeira maciça e o papel de parede florido conferiam ao quarto uma atmosfera sombria e sufocante. Entretanto, o papel parecia incorporado às paredes. Andrea levou várias semanas para removê-lo, com um instrumento cortante e solvente. Ela substituiu o antigo revestimento por um padrão texturizado cinza-amarronzado, tom sobre tom, com uma borda de aviões antigos sobrevoando um campo aberto. Em seguida, encheu o quarto de luz, removendo as venezianas fixas e substituindo-as por persianas móveis.

O quarto ficou mais luminoso e mais claro, com duas janelas dando para o sul e duas para o leste, e toda a mobília com a qual James estava acostumado no devido lugar.

Andrea tornaria a casa um lugar aberto, cordial e acolhedor, que refletiria as grandes esperanças da família. Estava determinada a alcançar seu objetivo. Quando declarara que a mudança para a casa de Lafayette seria a última, Andrea estava realmente falando sério, por isso arregaçou as mangas para consertá-la e arrumá-la com tanta energia.

"Você gosta deste, James?", perguntava Andrea, mostrando as cores e os tecidos que pretendia usar. O menino sorria e fazia que sim com a cabeça, e juntos, cantarolando, eles arregaçavam as mangas e se punham a trabalhar, desnudando as paredes, arrancando as venezianas e deixando a luz entrar — não que isso ajudasse a aliviar os pesadelos.

A essa altura, os pesadelos de James haviam se tornado pesadelos de Andrea; ela não dormia, não com os dois olhos fechados. Uma parte dela estava sempre alerta, sempre atenta ao primeiro grito. Durante meses ela foi incapaz de entrar em um estado profundo e revigorante de repouso total.

No entanto, mesmo na presença de toda essa tensão e pressão, Andrea conseguiu criar um local de perfeita paz. Todas as noites, enquanto Bruce e James liam juntos ou ficavam conversando sossegadamente, ela corria para a banheira e tomava um banho bem demorado. Acendia velas, colocava um CD para tocar, bebericava uma taça de vinho e ficava de molho durante duas horas. Ela ficava na banheira até se transformar em uma uva-passa, até sentir a tensão se dissolver na água cheia de espuma. Até sua cabeça parar de martelar e ela ficar pronta para enfrentar os terríveis pesadelos. Esse era seu jardim secreto.

No fim de junho, Bruce precisou viajar durante uma semana para Nova Jersey a fim de comparecer a eventos de sua família. No dia 19, Gregory, seu filho de 15 anos, do primeiro casamento, ia se formar no nono ano. No dia seguinte, teria lugar a cerimônia de formatura de suas filhas gêmeas, Andrea e Valerie, que haviam concluído o ensino médio na Bridgewater Raritan High School, a mesma escola em que Bruce se formara 33 anos antes. Ele não poderia faltar às cerimônias de jeito nenhum.

Bruce recordou a sensação de vazio que tivera durante suas formaturas. Seu pai, um operário que tinha imenso orgulho de sua profissão, nunca foi além da primeira série do ensino médio, tampouco superou sua antipatia pela escola e pela educação. Depois de servir no Corpo de Fuzileiros Navais, Ted Leininger se esforçara para sair das minas de carvão e se tornar um operário qualificado. Ele considerava todos aqueles títulos sofisticados completamente desnecessários, por isso nunca esteve presente nos momentos importantes da vida de Bruce.

Isso deixou Bruce marcado e, quando ele cresceu, jurou que jamais perderia uma única entrega de diploma de seus filhos.

Nada iria impedi-lo de voar para Nova Jersey para comparecer à formatura de três de seus quatro filhos daquele primeiro e fracassado casamento. Andrea planejara acompanhá-lo ao aeroporto naquela manhã de segunda-feira de junho e depois levar o carro para casa.

Quando a família Leininger se dirigiu ao estacionamento do Lafayette Regional Airport, Andrea estava no assento do passageiro, e James, no banco de trás, preso na cadeirinha, segurando seu avião de brinquedo. Bruce estava ao volante, irritado com algumas coisas, meio preocupado, como de costume, porque ia viajar de avião. Estava prestando atenção apenas às suas apreensões, até que ouviu uma vozinha vinda do banco de trás:

— O avião do papai caiu. Fogo!

Bruce já ouvira aquela frase, mas, mesmo assim, ela era chocante. Precisou lembrar a si mesmo que James só tinha 2 anos e 2 meses, que era incapaz de avaliar a força do que estava dizendo. O menino ainda usava fralda, e ainda resistia ao treinamento para aprender a usar o troninho. Ele podia parecer mais crescido, ter momentos de maior maturidade, mas era apenas um menininho.

Além disso, o relacionamento dos dois não era um relacionamento comum entre pai e filho. Bruce e James já haviam formado vínculos de titânio. Quando Bruce chegava do trabalho, à noite, James corria até o carro para recebê-lo, sem nem mesmo deixar que ele soltasse o cinto de segurança. James pulava no colo do pai e brincava de dirigir, mexendo em cada botão do painel de instrumentos. Ele era um encanto, e, como toda criança, adorava fast-food, doces e travessuras inofensivas.

Bruce tinha uma grande paciência com o filho. Em um sábado à tarde, por exemplo, Andrea saiu para fazer compras e Bruce cochilou na cadeira. Quando ela voltou para casa, Bruce correu para ajudá-la com as sacolas.

— Onde está James? — perguntou Andrea.

Bruce não sabia. Foi o maior alvoroço enquanto ele e Andrea percorriam a casa, cômodo por cômodo. Finalmente, Bruce virou à esquerda no quarto principal e, quando se encaminhou para o banheiro, ouviu barulho de água. Lá estava James, triunfante, de pé sobre a bancada, rindo enquanto a água transbordava sobre a pia e descia em cascata pelas encantadoras plataformas que ele criara com as gavetas da bancada.

Bruce teria toda razão de ficar furioso. James fizera uma bagunça terrível. Mas, quando notou o quanto James tinha sido inventivo — usando as gavetas como degraus para chegar à pia, em seguida fazendo a pia transbordar para que a água derramasse em cada gaveta, as quais, por sua vez, também transbordaram, com tudo se transformando em uma perfeita cascata —, ele ficou mais impressionado do que zangado.

E por causa da culpa que já carregava, Bruce jurara que James nunca deixaria de ter o que seus outros quatro filhos haviam perdido: a presença constante de um pai amoroso. Todas as manhãs de sábado ele colocava James no *baby bag* e, juntos, faziam panquecas. Depois, assistiam a *Looney Tunes* ou ao *Bob Esponja,* até que Andrea acordasse e definisse as atividades do dia.

Mesmo quando esse seu mal-estar primitivo a respeito de voar era despertado, mesmo debaixo de uma grande provocação, Bruce não conseguia ser bruto com o filho.

— O avião do papai caiu! Fogo!

As mãos de Bruce se contraíram no volante, e ele disse entredentes:

— Você não deve dizer isso, James! Aviões não caem! O avião do papai não vai cair!

Ele achara que tinha deixado claro para James que ele não podia falar a respeito de aviões caindo. Pensara que James havia entendido que isso aborrecia o papai. Por que o menino estava dizendo aquilo de novo? Talvez ele simplesmente não entendesse que aquilo era extremamente perturbador.

Mas as palavras de James não saíram de sua boca com má intenção. Foi uma coisa espontânea; ele poderia muito bem ter dito que vira uma nuvem bonita no céu.

No voo para Nova Jersey, Bruce pensou mais a respeito do assunto e acabou produzindo uma espécie de explicação. As crianças tinham medo do escuro, mas cresciam, e o medo ia embora. Um dia, seu filho pararia de dizer aquilo.

Isso logo passaria. Era a esperança de Bruce. Era uma coisa frágil na qual se agarrar — esperança —, mas ele não tinha qualquer outro plano. A esperança era sua única estratégia.

Andrea também tentou elaborar uma estratégia. Os pesadelos de James não estavam diminuindo, e estavam se infiltrando cada vez mais na luz do dia. Ela viu o rosto de Bruce se contrair quando James previu um acidente. Ela sentiu a própria fadiga. Tinha chegado ao limite. Alguma coisa precisava ser feita.

Talvez estivesse na hora de convocar o conselho.

CAPÍTULO SETE

AS MULHERES SCOGGIN formavam um grupo unido e alegre. Sua união era peculiar, estranha e intensa. Falavam umas com as outras todos os dias por telefone e, quando o faziam, falavam a respeito de tudo, avaliando cada medida, cada encontro, cada aquisição, cada decisão. É a casa certa? É o emprego adequado? A criança está apenas se comportando mal ou é um problema de alimentação? Elas viravam pelo avesso e estudavam os mais ínfimos detalhes da vida de cada uma como se estivessem analisando textos sagrados.

Entretanto, quando se tratava de realmente resolver problemas, elas não eram muito práticas. Mesmo assim, era inegavelmente um grande conforto para todas ter umas as outras disponíveis a qualquer hora por telefone.

Eram três no total: Becky, de 34 anos, a mais jovem, a mediadora descontraída; Jenny, de 36, a do meio, a ousada e petulante, sempre pronta para uma discussão; e Andrea, de 38, a irmã mais velha, que tentava ser a melhor amiga de todo mundo enquanto explicava cada opção.

A mãe, Bobbi, de 65 anos, com frequência gostava de se considerar apenas mais uma das meninas. E havia motivo para isso. Ela era mignon, atraente, muito jovial e levemente excêntrica, e seu modo de agir era compatível com uma geração abaixo de sua idade cronológica. Bruce frequentemente dizia que, se não tivesse visto Andrea primeiro, teria namorado Bobbi.

Ela, decididamente, não era uma mãe comum. Na realidade, as diretrizes de criação que ela adotava com os filhos jamais seriam encontradas em um livro do dr. Spock.*

Pense na famosa festa do pijama. Corria o dia 17 de abril de 1975, Andrea estava completando 13 anos e obtivera permissão para convidar cinco meninas de sua turma do sétimo ano para uma festa em que todas dormiriam em sua casa. Elas comeram biscoitos de chocolate recheados, batata frita, beberam refrigerante, ficaram acordadas até tarde e tentaram pensar em uma travessura de adolescentes — o que, afinal de contas, era o principal objetivo de uma festa do pijama. Durante essa breve noite, elas eram adolescentes fora da lei. Pregaram trotes por telefone ("É o sr. Lobo? Estão esperando o senhor no zoológico!"). Realizaram uma sessão espírita e tentaram fazer uma das meninas levitar por meio de fórmulas mágicas: "Leve como uma pena, rígida como uma tábua!" O tempo passou rápido, e já passava da meia-noite, e como a levitação não tinha se concretizado, estava na hora de fazer algo realmente provocador.

A supervisão dos pais havia sido suspensa, ou seja, tanto Bobbi quanto Jerry, o pai de Andrea, estavam dormindo no quarto deles, mais adiante no corredor. Uma das meninas tomou a decisão de comando de "embrulhar" a casa de um dos vizinhos em papel higiênico. Todas concordaram que a ideia era perfeita. Foram então à loja de conveniência mais próxima e compraram

---

* Pediatra americano, cujo livro *Baby and Child Care*, publicado nos Estados Unidos em 1946, foi um dos maiores best sellers de todos os tempos e influenciou muitas gerações. O livro foi publicado no Brasil com o título *Meu filho, meu tesouro*. (*N. da T.*)

um estoque de papel higiênico suficiente para pessoas que estivessem pretendendo não sair de casa o inverno inteiro.

Quando voltaram para casa para pôr o plano em prática, as meninas foram flagradas. Esperando por elas, de pijama, estava a mãe de Andrea, acordada e plenamente consciente do que um bando de meninas dando risadinhas pretendia fazer com o papel higiênico.

— Vocês não vão vandalizar a propriedade de ninguém — declarou Bobbi com firmeza; era a ordem de um adulto.

Entretanto, ela estava disposta a permitir que as superagitadas adolescentes enrolassem o papel higiênico nas árvores de alguém, porque isso seria suficientemente irritante para satisfazer o fator travessura, mas não seria um vandalismo em si.

As meninas concordaram com a ideia, mas quiseram fazer mais uma sugestão. Para garantir que tinham feito a coisa direito — para assegurar que nenhuma propriedade particular seria destruída —, as meninas pediram a Bobbi que as acompanhasse. "Claro!", respondeu a adulta da sala.

Escolheram a casa que seria o alvo, as árvores, o local de encontro de emergência e desembrulharam o papel. O ataque estava indo às mil maravilhas até que Bobbi avistou o trailer no caminho de acesso de veículos. O alvo era tentador demais para que deixassem passar a oportunidade, e como qualquer comandante competente, Bobbi se ofereceu para liderar o ataque.

No entanto, sua primeira tentativa de levantar um rolo de papel higiênico sobre o trailer não foi bem-sucedida. O rolo ficou preso no teto, então Bobbi subiu para recuperá-lo. Mas naquele exato momento, quando ela estava no teto do trailer, com o papel incriminador na mão, a luz da varanda se acendeu e o dono da casa saiu cambaleando para o lado de fora, aos gritos: "Que diabos está acontecendo aqui?!"

Executar o plano B de emergência! As meninas se espalharam aos quatro ventos. Quando chegaram, esbaforidas e agitadas, ao lugar predeterminado do encontro, fizeram a chamada, por assim dizer. Todas haviam chegado em segurança, exceto Bobbi. Aguardaram, nervosas, durante dez minutos, especulando que o dono a teria pego em flagrante e chamado a polícia. Chegaram a visualizar a mãe de 37 anos sendo algemada, interrogada e autuada por ter cometido um ato criminoso, quando avistaram Bobbi caminhando pela rua com um sorriso encabulado.

Ela explicou que o dono da casa saiu furioso, praguejando e examinando os danos, mas estava tão ocupado balançando a cabeça diante do triste espetáculo que era sua árvore que não deu a menor atenção ao trailer. Simplesmente não viu Bobbi. Ela se deitara colada no teto do trailer e ficou esperando que ele fosse embora. Em seguida, cautelosamente, desceu da capota e se dirigiu em silêncio ao ponto de encontro. Mas, mesmo assim, ela escapou por pouco.

As meninas passaram o restante da noite na cozinha, rindo e acabando com os biscoitos, enquanto Bobbi voltou para a cama, exausta.

Esses, portanto, eram os membros do famoso conselho que Andrea consultaria a respeito de sua preocupação que aumentava continuamente em relação aos pesadelos de James:

- Jenny (tia G. J.), que traria as tochas e as lanças se a coisa chegasse a esse ponto;
- Becky, que ofereceria sugestões sensatas e diplomáticas e, com bastante frequência, ideias brilhantes;

- Andrea, que exigiria união e um plano, e tentaria reparar as emoções feridas quando os membros entrassem em conflito;
- Bobbi, que era dogmática, enlouquecedoramente cautelosa e, em última análise, completamente imprevisível.

Com esse poderoso exército pronto para entrar em ação, Andrea chegou à conclusão de que sua única escolha legítima seria enviar o bat-sinal. Até então, ninguém mais tivera realmente boas ideias a respeito de James. Médicos, educadores, amigos — todos afirmavam que os pesadelos eram um estágio normal da infância. E o fato era que tanto Andrea quanto Bruce aceitaram o diagnóstico, mesmo depois da primeira angustiante previsão no aeroporto. Entretanto, houve um evento depois do qual essa previsão não pôde mais ser levianamente descartada. Certa noite, no final de junho, James estava chutando e se debatendo, e Andrea finalmente conseguiu ouvir e entender precisamente o que seu filhinho estava dizendo.

— O avião caiu! O avião está pegando fogo! O rapaz não consegue sair!

Mas ela reparou em algo realmente desconcertante: ele estava chutando e se debatendo exatamente como uma pessoa que estivesse de fato presa dentro de um avião em chamas!

Foi então que Andrea acordou Bruce. "Você precisa ouvir isso. Você tem de ouvir o que ele está dizendo!"

Essa foi a noite em que Bruce ficou na entrada do quarto de James, aturdido com o que viu e ouviu.

Não se tratava, como os leitores casuais dos livros de puericultura sugeriram, de uma coisa "relacionada ao desenvolvimento". Não tinha nada a ver com a mudança geográfica de Dallas para Lafayette. Não era um capricho passageiro de uma criança reprimida.

Eles não conseguiam imaginar o que poderia ser.

Bruce balançou a cabeça, perplexo, mas Andrea — a eterna defensora da ação — convocou o conselho.

O conselho funcionava de vários modos. Havia o modo diário, no qual as fofocas do dia a dia eram substituídas por um assunto definido, que necessitava de um intenso debate: uma ou mais gestações, táticas para o uso do troninho, a escolha entre a escola pública e a particular, como e por que os maridos as estavam levando à loucura. Depois, elas tinham o modo de alerta simples, no qual uma ansiedade específica era aliviada — estamos tendo um jantar de Ação de Graças; por favor, traga bastante recheio para evitar uma repetição do ano em que Derald, o marido de Becky, explodiu quando o recheio acabou.

O modo de emergência, ou alerta vermelho, era usado somente nos casos de verdadeiro perigo, como quando alguém perdia o emprego, um dos maridos talvez estivesse sendo infiel ou tinham de lidar com uma doença grave.

Até então, Andrea ainda estava operando no modo de alerta.

A rotina para convocar o conselho era estabelecida com bastante firmeza. Todos os dias Andrea preparava um café da manhã reforçado para James — ovos mexidos, torrada com açúcar e canela, panquecas ou French toast — e depois o colocava no troninho (ao qual ele resistia com a determinação de uma rocha) enquanto ela lavava a louça e dava os telefonemas do dia. O telefone ficava encaixado entre o ombro e o ouvido, e ela destruiu mais de um telefone sem fio quando o fone caiu dentro da lava-louça.

Andrea telefonou para Bobbi, contou a história a ela e pediu sua opinião. Em seguida, ligou para Becky e repetiu a história, acrescentando a opinião da mãe. Finalmente, telefonou para Jen e repetiu uma vez mais a história, acrescida da reação de Bobbi e de Becky. Ela ainda não sabia como fazer uma teleconferência. No terceiro telefonema, ela estava ficando um pouco tonta por ter de repetir a história e lidar com a resposta de cada uma das pessoas. No entanto, Andrea estava determinada a contar com todas as meninas no caso.

No início, todas se mostraram bastante indiferentes. Já tinham ouvido a história antes. Sentiam que havia assuntos mais importantes na ordem do dia: a tentativa de Jen de adotar uma criança, a casa que Becky estava procurando e as queixas de Bobbi a respeito de seu chefe (ela era assistente jurídica de um escritório de advocacia).

Mas Andrea puxou-as de volta. — Temos de conversar a respeito disso — insistiu. — Acontece quatro ou cinco vezes por semana e é muito, muito alto.

A providência seguinte foi enviar para as três o texto a respeito de pesadelos extraído de um livro sobre puericultura. — Primeiro leiam isto — disse ela. — É o dever de casa. Depois conversaremos.

O consenso foi que não se tratava de uma verdadeira crise. Era algo relacionado com o desenvolvimento, normal, que se extinguiria sozinho com o tempo. Tudo o que ela tinha de fazer era ser paciente e lidar com a situação, ir até o berço e acalmá-lo. Seria difícil, mas não era mais difícil do que levantar três vezes por noite por causa de um bebê. De modo geral, o conselho não estava muito interessado.

O grupo teve uma resposta imediata: James estava envolvido demais com aviões. Andrea deveria distraí-lo com outros brinquedos. Bobbi enviou caixas com vagões de Thomas the Tank Engine com todos os acessórios possíveis e imaginários, inclusive estações e trilhos.

Becky achou que James, provavelmente, ouvira alguma coisa no noticiário a respeito de um desastre de avião. Ele estava exibindo apenas uma ansiedade normal. Afinal, o pai dele voava com frequência.

Jenny foi a única que levou o problema para um nível mais elevado. "Ai, meu Deus!", disse ela. "O que você pensou? O que você fez? Você está descontrolada?" Mas, por outro lado, Jenny era a irmã que tinha uma atração sensacionalista por situações altamente dramáticas.

Assim, Andrea levou a sério o conselho coletivo das três. Escondeu o vídeo dos Blue Angels — dizendo a James que ele tinha quebrado — e tentou desviar sua atenção dos aviões. Tomou medidas para garantir que ele não perderia qualquer um de seus cochilos, eliminou todos os noticiários violentos e se esforçou ao máximo para não demonstrar ansiedade.

E assim o verão avançou, aos trancos e barrancos, com James chorando à noite e Andrea ficando sem dormir, com alguns agradáveis intervalos ocasionais que vieram, por sorte, interromper a angustiante rotina. Depois que concluiu o ensino fundamental, em junho, o filho mais novo de Bruce, Gregory, de 15 anos, foi visitar o pai e passar uns tempos com ele. Ele fora o mais distante dos quatro filhos de Bruce, tomando o partido de sua mãe biológica, incapaz de demonstrar qualquer afeição pela madrasta por não querer parecer desleal.

No entanto, o encanto e o calor humano de Andrea quebraram o gelo, e eles descobriram que gostavam um do outro.

No mesmo período, Andrea decidiu ser dura com James a respeito do troninho. Colocou-o no meio da sala de estar e despiu as calças do menino. Ele teria de passar pela humilhação de correr de um lado para o outro o dia inteiro, sem calça na frente do meio-irmão, se não aprendesse a usar o troninho.

Funcionou. Houve alguns acidentes, mas depois ele aprendeu a usar o troninho. Todos tiveram uma sensação de triunfo.

Houve noites em que James teve os pesadelos, mas Gregory tinha sido avisado. As crises eram barulhentas, e o rapaz acordava bruscamente, mas seu quarto ficava bem longe para que ele pudesse cobrir a cabeça com a coberta e voltar a dormir.

Era uma tática não muito diferente da recusa obstinada do pai dele em enfrentar a seriedade da questão. Mas, desde que chegara à Louisiana, Greg formara um forte vínculo com o meio-irmão.

No final de junho, a família foi para Nova Orleans e fez uma excursão pela cidade. Foram dar um passeio no *Natchez** pelo Mississipi e visitaram grandes plantações. Bruce ficou grato por Gregory ter carregado James no *baby-bag*, o que lhe proporcionou um bem-vindo descanso.

A visita de Greg se revelou encantadora e revigorante; um intervalo agradável dos pesadelos.

Pouco tempo depois de Greg ter ido embora, Jenny, que estava morando em uma casa nova em Trumbull, Connecticut, anunciou que estava precisando de umas férias e que iria para Lafayette. Estava cansada do árduo e dispendioso processo de adoção, de modo que desejava uma folga.

— Você não vai conseguir descansar muito — advertiu Andrea. — Este é o auge da temporada dos pesadelos.

— Eles não podem ser tão terríveis assim — replicou Jenny, que era madrinha de James. — Quero dizer, o menino ainda usa fralda e toma mamadeira.

Até então, Jenny apenas ouvira boatos sobre os pesadelos. Ela ainda não havia presenciado um deles de fato.

---

* *Natchez* é o nome de vários barcos a vapor que receberam esse nome em homenagem à cidade de Natchez, no Mississipi, ou ao povo indígena Natchez. O barco atual está em operação desde 1975. Todos os *Natchez* anteriores estiveram em operação no século XIX. (*N. da T.*)

CAPÍTULO OITO

ALGUMAS LEMBRANÇAS PERMANECEM para sempre; coisas pequenas como um suspiro ou grandes como Pearl Harbor. E, para a família Leininger, os eventos da noite de 11 de agosto se encaixam nessa categoria — cada momento, cada som, cada visão, cada solavanco —, como se estivessem solidificados em âmbar.

Andrea acordou para tomar o café que Bruce sempre levava para ela antes de sair para o trabalho. Ele se inclinava sobre a cama em que dormiam, entregava a xícara para ela e lhe dava um beijo de despedida. Andrea resmungava um agradecimento. Não gostava de acordar cedo e precisava do incentivo da cafeína para fazer seu motor funcionar.

Como sempre, James esperava que ela tomasse o café para entrar em atividade. Em seguida, como um reloginho, ele acordava. Ouvia Andrea andando de um lado para o outro e começava a balbuciar, chamando pela mãe. Como de hábito, ele acordava alegre, sem que qualquer vestígio dos pesadelos anuviasse sua manhã.

Em seguida, ela entrou no quarto de James, trocou sua fralda, levou-o para a cozinha e preparou seu café da manhã.

Ela cantarolou, e ele disse coisas sem sentido, o que era o jeito deles de dizerem que estavam se sentindo bem.

James assistiu a *Vila Sésamo* enquanto Andrea preparava ovos mexidos. Em seguida, ela se sentou com o filho e tomou outra xícara de café, enquanto ele comia. Ela não comia nada de manhã, porque isso sempre despertava seu apetite e a deixava faminta demais para esperar pelo almoço. Mas gostava da companhia de James, e eles conversavam sobre o que iriam fazer durante o dia. Hoje era sexta-feira, dia de supermercado.

Depois, enquanto Andrea lavava a louça, James ficou brincando com seus caminhões, aviões e blocos na sala da televisão. E Andrea ligou para Bobbi, Jen, Becky e Bruce (que estava sempre muito ocupado e tinha de desligar o telefone).

Quando a louça estava lavada e os telefonemas, concluídos, entraram no carro e foram para o supermercado, tagarelando pelo caminho: "Você viu aquele caminhão enorme? Quantas rodas ele tinha?" E os outros motoristas davam uma olhada e ficavam estupefatos com a conversa ininterrupta entre aquela adulta e o menino no banco de trás.

A visão que Andrea tinha da maternidade encerrava uma dedicada eficiência, resultante de uma espécie de vigilância funcional vitalícia. Desde que Andrea era bem jovem e emancipada — uma bailarina que tinha três empregos para conseguir sobreviver em cidades grandes e dispendiosas —, nunca houvera dinheiro ou tempo suficientes, de modo que aprendera a ser econômica com seus recursos e a extrair o máximo de cada centavo e de cada minuto. Com James, isso significava que ela interligava as lições e o significado em todas as atividades. Nada era desperdiçado.

— Quando vamos ao supermercado, o que compramos primeiro? Compramos os congelados por último porque não queremos que eles descongelem. Muito bem, eis o cereal; não vamos comprar este, porque tem açúcar demais. Precisamos de seis latas de atum. Vamos contar as latas.

Lá iam eles pelos corredores, James sentado no compartimento para crianças pequenas do carrinho e Andrea ministrando um seminário de doutorado sobre compras no supermercado — "Que legume é este? Meio quilo de tomates equivale, em média, a quantas unidades?" —, deixando para trás um rastro de clientes admirados: "Não consigo acreditar que você fale dessa maneira com seu filho."

Até mesmo do lado de fora, onde o bom comportamento de James lhe rendeu um agrado, este veio acompanhado de uma aula. Andrea deu a James uma moeda de 25 centavos para ir brincar no pequeno carrossel. Quando entregou a moeda ao filho, perguntou: "Quem é o presidente na moeda?"

Até chegarem em casa, separarem os alimentos e verificarem se tinham comprado todos os artigos da lista, já era hora de fazer o jantar.

Jen estava sendo esperada no dia seguinte, sábado, e Andrea queria que aquela noite corresse tranquilamente. O fim de semana seria agitado. Jen sempre causava rebuliço, e haveria muita coisa para fazer.

Ninguém pensou nos pesadelos, porque eles já haviam se tornado parte da rotina da família. Era considerada apenas mais uma noite. O quarto de James fora redecorado, seu berço transformado em um sofá-cama, e não foi com apreensão, e sim com uma espécie de aceitação filosófica, que Andrea conduziu o filho pelo corredor naquela noite de sexta-feira para colocá-lo na cama.

— Só três livros — disse James, como fazia todas as noites, levantando três dedinhos rechonchudos.

Três livros na hora de cochilar e três na hora de dormir, esse era o trato. Andrea lia livros do dr. Seuss, *Os ursos Berenstain*, *Os três carneirinhos*, e, é claro, clássicos como *Rumpelstilskin* e *João e o pé de feijão.*

Ela se deitava com James no sofá-cama e lia para ele três livros edificantes, um para cada dedinho, e em seguida ele pegava no sono.

Nessa noite, contudo, o sofá-cama estava um pouco desconfortável, e havia também o problema das costas de Andrea, de modo que foram para o quarto do casal — a cama do papai —, para que ela pudesse estender as pernas e ler com conforto.

Andrea começou a ler um livro do dr. Seuss, *Ten Apples Up On Top!* (Dez maçãs em cima!), e James ficou sentado, ouvindo.

Uma maçã
Em cima!
Duas maçãs
Em cima!

Obviamente, aquele era um livro que ensinava a contar. Ajudaria James a aprender a lidar com os números. Os animais empilham maçãs na cabeça em uma progressão, até que finalmente totalizam dez.

Veja!
Dez maçãs
Em cima de todos nós!
Que divertido
Não deixaremos
Que elas caiam.

Havia ursos, tigres e cachorros no livro, mas nada alarmante ou que sugerisse violência, apenas um inofensivo livro infantil ritmado. E no meio da história James se deitou de costas ao lado de Andrea e disse: "Mamãe, o rapaz faz assim", chutando em seguida os pés na direção do teto, como se estivesse de cabeça para baixo em uma caixa, tentando sair por meio dos chutes. "O rapaz faz assim." E chutou de novo. Era o mesmo tipo de chute dos pesadelos, mas agora James estava completamente acordado.

E, enquanto chutava, ele dizia: "Ohhh! Ohhh! Ohhh! Não consigo sair!"

Ele reencenou o filme quase sem emoção.

Andrea ficou trêmula. Teve a impressão de que seus cabelos estavam em pé. Decidiu ser muito cautelosa. Pôs o livro em cima da cama, e algo a fez insistir:

— Eu sei que você falou sobre isso antes, meu querido, quando teve aqueles pesadelos. Quem é o rapaz?

E enquanto estava deitado com os pés para cima, ele respondeu em uma voz estranhamente comedida e serena:

— Eu.

Sem fazer muito alvoroço, Andrea entregou o livro a James e disse:

— Sabe o que mais? Acho que vou chamar o papai para você poder contar isso a ele também.

Bruce estava na sala de estar, mais adiante no corredor em forma de L, assistindo à tevê. Andrea caminhou lentamente pelo corredor até chegar à curva no L; em seguida, quando saiu da linha de visão de James, ela percorreu correndo o último trecho até a sala de estar. Ela estava diante de Bruce, tentando sussurrar, mas agitada demais para fazer qualquer coisa além de cuspir uma névoa fina e incompreensível.

Bruce enxugou o rosto com a mão, incapaz de distinguir entre a tentativa da mulher de agir com tato e serenidade e o ataque psicótico que ela aparentemente estava tendo.

— Bruce, você precisa ouvir isso!

— O quê?

— James está falando sobre o rapaz.

— O quê?!

Bruce saltou da poltrona, e agora ambos estavam correndo pelo corredor em forma de L.

James estava folheando o livro do dr. Seuss.

Bruce e Andrea se aproximaram do filho como se estivessem pisando em ovos.

Eles se sentaram na cama, e Andrea falou em um sussurro rouco.

— Meu bem, conte para o papai o que você me disse antes.

Obedientemente, James se deitou de costas, exatamente como fizera pouco antes, e disse:

— O rapaz está fazendo isto — dando chutes para cima, da mesma maneira como fizera anteriormente, e repetiu, enquanto chutava: Ohhh! Ohhh! Ohhh! Não consigo sair!

Andrea perguntou suavemente:

— James, você fala sobre o rapaz quando tem os sonhos. Quem é o rapaz?

Sem rodeios, ele repetiu:

— Eu.

O rosto de Bruce ficou pálido. Mais tarde ele diria que teve a impressão de que seu cérebro tinha ficado do tamanho de uma ervilha.

Durante meses Andrea estivera tentando chamar a atenção de Bruce. Ele sempre escutara, mas não encontrava significado algum nos sonhos. "As crianças têm pesadelos", dizia. "Vai passar. Não vamos entrar em pânico." Mas agora, na sua própria cama conjugal, seu filho estava completamente acordado e calmamente reencenando algo tão estranho, tão além da capacidade de criação da imaginação de uma criança daquela idade, que Bruce momentaneamente emudeceu.

Ele olhou para Andrea, como se ela talvez pudesse ter algum tipo de explicação, e em seguida se curvou sobre o filho, que se sentou na cama.

— Filho, o que aconteceu com seu avião?

— Ele caiu, pegando fogo.

— Por que seu avião caiu?

— Ele levou um tiro.

— Quem atirou no seu avião?

James fez uma careta de enfado. A resposta era tão óbvia! Ele reagira às outras perguntas com certa inocência tolerante, mas essa pareceu impressioná-lo como sendo de tal maneira absurda que ele revirou os olhos.

— Os japoneses! — respondeu o menino, com o tom desdenhoso de um adolescente impaciente.

Bruce e Andrea tiveram a impressão de que o ar tinha sido sugado do quarto. Nenhum dos dois se lembrava de ter respirado depois de ter entrado ali. Ambos estavam em um estado de choque brando. Mais tarde diriam que as respostas que saíram da boca de seu filho de 2 anos foram como novocaína. Eles ficaram entorpecidos.

Talvez tenha sido apenas por um momento, mas pareceu uma hora. Em seguida, o treinamento de Andrea entrou em ação.

— Ok, meu querido, vamos escovar os dentes e vamos para a sua cama.

CAPÍTULO NOVE

JAMES SE SENTIU traído com relação a *Ten Apples Up On Top!*, já que só ouvira a metade dela, e fez Andrea prometer que terminaria a história no dia seguinte. Ela concordou, mas disse que estava na hora de ele ir para a cama.

Andrea estava apressada, pois precisava conversar com Bruce a respeito do que acabara de acontecer. Deu no filho os "cem beijos" que ele estava esperando (a longa rotina de boa-noite incluía acender a luzinha fraca que ficava acesa a noite toda, ler "só os três livros", uma música — invariavelmente "Walking After Midnight", de Patsy Cline — e uma rápida sucessão de beijos no rosto e no pescoço de James).

Em seguida, teve lugar a segunda parte da cerimônia, que tinha um roteiro:

> Andrea disse: "Boa-noite, durma bem."
> James disse: "Não deixe os percevejos picarem você."
> Ela disse: "Vejo você à luz da manhã."
> Ele disse: "Sonhe com os Blue Angels."

Andrea fechou então a porta do quarto e caminhou apressada pelo corredor em direção à sala de estar. Havia muito tempo ela e Bruce tinham concordado em nunca discutir os pesadelos na frente de James, e agora os dois estavam quase explodindo. Falaram em sussurros altos e intensos.

— *Eu ouvi mesmo o que acabo de ouvir?* — *perguntou Bruce.*

— *Também não consigo acreditar.*

— *Bem, não vamos ficar nervosos demais.*

— *Você ficou* maluco? *Estou uma pilha de nervos. De onde surgiram aquelas coisas?*

— *De uma coisa, estou certo: de onde quer que tenha vindo, tenho certeza de que foi do seu lado da família.*

— *E se ele...*

— *E se ele o quê?*

— *Como ele ouviu falar nos japoneses?*

— *Não tenho a menor ideia. E como diabos ele conhecia um tanque descartável?*

— *Estou assustada.*

— *Relaxe, meu bem. Tem de haver uma explicação razoável.*

— *Qual? Eu realmente gostaria de ouvir uma explicação* razoável.

— *Não sei. Isso é uma loucura. Vamos falar com Bobbi.*

— *É muito tarde para ligar agora.*

— *Converse com Jen amanhã. A que horas é o voo dela?*

— *À tarde.*

Enquanto sussurravam, preocupados, estavam parcialmente atentos a um possível novo pesadelo. Passava da meia-noite — a hora do pesadelo — e eles rodearam o assunto das novas afirmações explícitas do filho, conseguindo evitar as assustadoras implicações. A improbabilidade ou ameaça em seus pensamentos foi censurada por ser perigosa demais para ser levada em conta. Poderia ser alguma coisa que James viu, algo que ouviu por acaso, alguém que se aproximou dele e colocou uma ideia em sua cabeça? Ridículo demais.

E depois ficaram cansados e nervosos demais para permanecer vigilantes, para examinar de novo os mesmos elementos.

Andrea ficou acordada a noite inteira, revendo as conversas. Bruce também ficou acordado, mas James dormiu como... bem, como um bebê.

O dia seguinte passou devagar. O avião da tia G. J. deveria chegar às 15h, e Andrea e James foram cedo para o aeroporto.

Tia G. J. saiu pelo portão 1A, e as duas irmãs correram para se abraçar, pularam e gritaram — o jeito suave que tinham de se encontrar — e em oito minutos estavam na West St. Mary Boulevard. Dez minutos depois, cada uma delas estava tomando um hurricane, o tradicional drinque de Nova Orleans à base de rum, que conquistara um lugar no lar da família Leininger.

James estava na sala de estar, assistindo a um vídeo, e Andrea e Jen se acomodaram no solário, onde Andrea descreveu para a irmã o novo capítulo da véspera da história dos pesadelos. A reação da tia G. J. nunca era neutra ou contida. "Puta merda!", exclamou. A história pelo menos afastara da sua cabeça as preocupações com a adoção.

Jenny bebericou lentamente seu hurricane e se serviu de outro.

— O que você fez? O que você disse? O que você pensou? O que Bruce disse? Você está assustada? Meu Deus, que loucura! De onde ele pode ter tirado isso?

Essa era a maneira como tia G. J. se conduzia em situações complicadas: bebendo e fazendo um monte de perguntas, uma atrás da outra.

Jen se levantou, levou o segundo drinque para a sala de estar e se sentou ao lado de James. Eles sempre tinham sido grandes amigos.

— James, sua mãe me contou o que você disse ontem à noite. Isso é *muito* interessante. Eu só queria perguntar uma coisa: como você soube que foram os japoneses que derrubaram seu avião?

James parou de assistir ao vídeo, olhou para a tia e declarou simplesmente:

— Por causa do sol vermelho.

Jenny girou nos calcanhares, agarrou o braço da irmã e marchou de volta para o solário, onde cada uma se serviu de outro hurricane. Elas não precisavam discutir nada. Ambas sabiam que James estava descrevendo o símbolo japonês do sol vermelho pintado nos aviões de caça — símbolo que era grosseiramente traduzido por *meatballs*.* Era assim que os pilotos americanos chamavam os aviões japoneses na Segunda Guerra Mundial: *meatballs*.

E, então, elas fizeram o que sempre faziam durante uma crise em família: telefonaram para Bobbi. Para as meninas Scoggin, isso equivalia a ligar para o 190. Mas Bobbi não soube bem o que fazer e disse que iria pensar no assunto.

Jenny estava cansada e foi se deitar cedo, esperando ter uma boa noite de descanso, já que tivera de assimilar muitas coisas. Ela dormiu no quarto de hóspedes e, embora tivesse sido avisada dos pesadelos, não imaginou que fossem incomodá-la. Afinal de contas, ela tinha o sono pesado e a quantidade de rum que bebera era suficiente para derrubá-la. Se James tivesse um pesadelo, ela nem mesmo acordaria.

* Almôndegas. (*N. da T.*)

Entretanto, pouco depois da meia-noite, Jenny acordou sobressaltada. Os gritos horripilantes que vinham do quarto de James praticamente a jogaram no chão. Ela ficou parada por alguns instantes, com a camiseta e o short grande demais dançando no corpo, e em seguida saiu cambaleando pelo corredor e entrou no quarto de James. O menino estava se debatendo e gritando, e mesmo tendo sido avisada, nada poderia tê-la preparado para a visão de seu afilhado lutando pela vida. Sem se dar conta do que estava dizendo, ela exclamou:

— Que diabos está acontecendo!?

Andrea simplesmente se virou e olhou para a irmã. Jenny sequer havia reparado que Andrea chegara antes dela ao quarto e estava debruçada sobre a cama. Carinhosamente, Andrea pegou o filho nos braços e murmurou palavras tranquilizadoras em seu ouvido, tentando não acordá-lo. James estava berrando e se debatendo, fazendo força para se soltar dos braços da mãe, debatendo-se para escapar de onde estava preso. Jenny ficou simplesmente embasbacada.

Mesmo depois de James ter se acalmado e parado de gritar e se debater, Jenny ainda estava abalada, porém disposta. Ela fez o que sempre fazia: tentou tornar o momento mais leve. Olhou diretamente para Andrea e disse:

— Eu vejo gente morta.

Isso quebrou o clima, e as duas caíram na gargalhada.

Elas se abraçaram e foram embora pelo corredor, tentando não acordar o resto da casa. Andrea abriu uma garrafa de vinho, e as irmãs se sentaram à mesa da cozinha, conversando horas a fio durante a madrugada.

Finalmente, voltaram para suas camas, para dormir — ou para uma espécie de descanso vigilante.

Pela manhã, Andrea telefonou para a mãe para relatar os novos acontecimentos, revelando inclusive que Jenny testemunhara um pesadelo. De repente, Jenny agarrou o telefone.

"Quero falar com ela. Mamãe? Mamãe? Ouça, você não vai acreditar no que aconteceu ontem à noite. James estava gritando e berrando desesperado. *Berrando desesperado*!"

Em seguida, Andrea pegou o telefone de volta e friamente contou para Bobbi que Jenny realmente presenciara um pesadelo e não estava exagerando, que não se tratava de uma encenação. Logo depois Jenny agarrou novamente o telefone e disse que James estava se debatendo e chutando, que as histórias que Andrea contara eram todas verdadeiras e que, se sua irmã era culpada de alguma coisa, era de ter subestimado a importância do que estava acontecendo. Andrea então pegou de novo o telefone. "Está vendo? Eu disse a você. Está vendo?" E, em seguida, Jenny agarrou novamente o telefone. "Quero falar com ela..."

Foi uma típica conversa histérica no telefone entre as mulheres Scoggin.

Andrea estava com James nos braços e, mesmo com toda essa falação acontecendo, ela estava trocando a fralda do filho e tentando fazer com que ele tomasse o café da manhã.

Bruce já saíra há muito tempo para o trabalho — fugira, na verdade —, feliz por se afastar do drama. Ele era capaz de lidar muito bem com o trabalho, até mesmo nos fins de semana, mas aquilo era demais. Estava além de sua compreensão.

Depois de o drama no telefone ter se atenuado, e de os detalhes terem sido compartilhados, avaliados e até interpretados filosoficamente, Andrea, Jenny e Bobbi se acalmaram. Foi então que Bobbi apresentou uma nova ideia. Ela estivera pensando muito sobre o assunto. Afinal, o surreal era sua praia. Ela lera e fizera muitas pesquisas a respeito de fenômenos sobrenaturais, paranormais e superestranhos. Talvez estivesse na hora de as meninas pensarem de maneira não convencional.

Bobbi tivera uma educação católica e continuava a desempenhar um papel muito ativo na igreja. Suas raízes religiosas eram tão profundas e sinceras quanto as de Bruce. No entanto, ela sempre tivera interesse por outras culturas, outras religiões. Bobbi não era fechada aos conceitos new age. Além disso, tinha uma curiosidade natural e insaciável. Quando ouvia falar em alguma novidade, fazia uma intensa pesquisa a respeito do assunto. Os sonhos do neto tinham feito com que Bobbi fosse imediatamente a uma livraria, e ela passara semanas lendo a respeito da interpretação dos sonhos e dos pesadelos. Andara lendo também a respeito de algo que não previra: a possibilidade de uma vida passada.

Havia pistas irresistíveis: o grande sol vermelho, o envolvimento dos japoneses, o fato de James achar que ele próprio era o homem preso no avião em chamas.

Tudo isso estava fora da esfera do que estavam acostumados a esperar — era uma ideia extremamente não convencional.

CAPÍTULO DEZ

— ABSURDO!

Bruce Leininger não era um homem com papas na língua. Na realidade, ele era invariavelmente direto e franco em seus pontos de vista. As opiniões que expressava em público eram expostas de maneira rude, sem disfarces ou prudência. Por isso, quando ouviu o conselho discutir a possibilidade de uma "vida passada", sua reação foi rápida e direta:

— Absurdo!

Esse foi o reflexo de suas sinceras convicções cristãs. De acordo com Bruce, um verdadeiro cristão não poderia acreditar na reencarnação. A promessa de sua religião era a vida eterna, não um reaparecimento periódico da alma imortal em uma encarnação futura aleatória. A alma não fazia "participações especiais".

Ele não tinha certeza do que estava acontecendo com seu filho James, mas se esforçara bastante — empenho que o conduziu ao livro *Mere Christianity*, de C. S. Lewis, no qual ele seguiu o doloroso trajeto do autor de questionar e duvidar para finalmente chegar a uma base de fé sólida e inabalável. A Bíblia também era repleta de mistérios, mas seria impensável agora desperdiçar toda essa convicção arduamente conquistada em um salto excêntrico de especulação.

Enquanto a crença cristã de Bruce era sólida como uma rocha, a fé de Andrea era de um tipo mais flexível. Ela fora a vida inteira uma cristã e sentia grande conforto por frequentar regularmente a igreja. No entanto, o fato de ter sido criada no frenético lar da família Scoggin (além de ter experimentado a vida liberal de uma bailarina profissional, o que incluíra dividir um apartamento com três dançarinos gays) a impregnara de um flexível respeito condescendente pelas possibilidades do livre-pensamento. Uma solução prática, mesmo que estivesse em desacordo com a versão da verdade litúrgica — era preferível a ficar no escuro com relação à situação de seu filho.

Assim, o conselho sussurrou, trocou ideias e apresentou possibilidades e palpites de vanguarda enquanto Bruce permanecia trancado atrás da porta de sua implacável hostilidade diante de qualquer coisa que cheirasse a heresia.

— Nunca, jamais, em tempo algum — repetia. — Não na minha casa. Aqui não haverá nada parecido com uma vida passada. Nunca!

Mas, mesmo assim, as noites na West St. Mary Boulevard eram interrompidas pelos gritos frenéticos e movimentos desesperados que podiam ser ouvidos ao longo de todo o corredor da casa. Na semana em que passou lá, Jen pôde ouvir a comoção noturna, embora tivesse parado de pular da cama e correr para oferecer qualquer ajuda que pudesse — ou seja, nenhuma. Ela simplesmente se mantinha a distância, uma mera espectadora, engolindo qualquer comentário inadequado que lhe viesse à cabeça.

Jenny relatou os fatos de seu jeito aos outros membros do conselho — "Cruzes!" —, mas não conseguiu aprender a lidar com os pesadelos sem ficar angustiada. Não, ela se manteve a certa distância, mas a verdade é que a magnitude dos pesadelos a deixara praticamente paralisada. Ela simplesmente não entendia o que estava saindo da boca de seu pequeno afilhado. O assunto era sério, sem dúvida, e sempre que se via diante de assuntos sérios Jen só se sentia à vontade se pudesse tratá-los como se não fossem muito importantes.

Foi um período horrível. Toda a região estava debaixo de um rígido racionamento de água durante aquele verão excessivamente quente e seco. A temperatura permaneceu durante dias em quase 40 graus, mas a família Leininger era engenhosa no que dizia respeito a salvar suas plantas. Quando James acabava de tomar banho, usavam a água para regar as plantas dos vasos — um jeito lento porém inocente de contornar as restrições. Deixavam um balde no chuveiro para aparar os respingos e a água excedente, e a usavam no gramado e na descarga. Tinham aprendido esses truques quando moraram em São Francisco, onde frequentemente havia algum tipo de racionamento de água.

Foi também um período tenso, pouco antes do Dia do Trabalho, quando a histórica campanha presidencial de 2000 estava prestes a começar para valer. Não que houvesse alguma dúvida quanto à opinião política de Lafayette Parish — aliás, do próprio estado de Louisiana. Bastava dar uma olhada nos adesivos dos carros. Se você encontrasse algum que apoiasse Al Gore, ou era uma pegadinha ou o carro era de outro estado. Os gramados podiam estar crestados por causa da seca, mas floresciam com pôsteres de George W. Bush. Aquele lugar abrigava o coração palpitante de um estado republicano.

Desse modo, durante aquele primeiro agosto efervescente do novo milênio, enquanto a raiva se acumulava em Bruce, um consenso deliberado estava se formando entre os membros do conselho. James estava vivenciando algo além de sua idade, e talvez além de seu tempo de vida. O que era exatamente ainda não estava determinado.

No fim de sua permanência de uma semana, Jenny estava pronta para voltar para Connecticut, para seu marido, Greg, e sua frustrante tentativa de adoção. Ela tivera sua cota de gritos misteriosos. Jen não encontrara o alívio e o descanso que fora buscar em Louisiana. Ela e Andrea tinham passado noites em claro sentadas na sala de estar embebedando-se de vinho, sem chegar a qualquer conclusão a respeito dos pesadelos. Como disse sarcasticamente Andrea, ambas estavam estabelecendo "um excelente exemplo de como criar os filhos".

Mas as duas concordavam quando o quesito era James: estavam perplexas. E assim, na manhã de sábado, 19 de agosto, Jen se preparou para voltar para casa. A família pegou o carro e se dirigiu ao aeroporto regional. Quando estavam se aproximando e puderam avistar os aviões na pista de decolagem, James declarou, naquela voz calma e monótona: "O avião da tia G. J. caiu. Fogo!"

Jen ficou paralisada no banco de trás do carro. "Espero que não seja uma premonição."

Andrea e Bruce tentaram tranquilizá-la. James já tinha dito aquilo antes quando Bruce estava prestes a embarcar em um avião, e ele ainda estava ali, não estava?

Bruce então virou-se parcialmente para trás e disse novamente ao filho:

— Aviões NÃO caem e pegam fogo! Eles chegam sãos e salvos ao seu destino. As pessoas ficam assustadas quando você diz essas coisas. Você precisa tomar cuidado e não falar coisas que deixam as pessoas com medo.

No banco de trás, Jen comentou, em uma voz tímida:

— Talvez eu deva trocar a passagem para amanhã.

— Não, de jeito nenhum. Não é uma premonição. É apenas uma coisa que ele diz. São esses malditos aviões com que ele brinca!

Bruce parecia zangado, como se James tivesse feito uma grosseria na frente de convidados. "Droga", pensou ele, "isso precisa ter um fim!"

Jen ainda estava transtornada, e Bruce e Andrea tentaram minimizar a importância do ocorrido, fazendo pouco-caso do que James dissera e aliviando as preocupações de Jenny.

O avião decolou e aterrissou sem qualquer incidente, mas aquele instante assustador e paralisante permaneceu, quando ninguém pôde jurar com segurança de onde estava vindo aquela vozinha preocupada.

Pouco mais de uma semana depois de Jen ter voltado para a Nova Inglaterra, o dia prometia ser apenas outro domingo normal, um último sopro preguiçoso de um fim de semana de verão. Bobbi e Becky, no Texas, ficaram entregues à elaboração de suas teorias favoritas sobre James e os pesadelos. Ninguém poderia adivinhar que o mundo da família Leininger estava prestes a sair completamente dos eixos. Sua vida diária era muito comum.

Naquele domingo, 27 de agosto, a família Leininger não foi à igreja, porque havia muitas coisas a fazer. Precisavam cuidar do jardim, antes que ficasse quente demais. Todos acordaram por volta das 8h, e Bruce se demorou tomando café e lendo o jornal antes de atacar o gramado, enquanto Andrea lavava a louça, fazia as camas, dedicava-se aos afazeres domésticos e cuidava de James, preparando suas refeições e organizando seus cochilos e brincadeiras.

O número da casa era ímpar, de modo que naquele dia tinham permissão para regar a grama. Por volta das 18h, ligaram o regador automático no jardim da frente, e James correu de um lado para o outro no meio dos borrifos vestindo a fralda azul de nadar. Ele brincou na grama molhada enquanto Bruce e Andrea observavam, sentados nas cadeiras de balanço da varanda, tomando chá gelado com hortelã e admirando os arco-íris formados pela névoa e o sol poente da Louisiana. De vez em quando, um dos dois pegava a jarra e enchia novamente os copos. Andrea fizera o original chá sulista enchendo a jarra com água e saquinhos de chá e deixando o líquido em infusão no sol durante quatro horas, retirando depois os saquinhos e colocando a jarra na geladeira.

No jantar comeram salada fria de macarrão — outra coisa que não precisou de forno. Acabaram de comer por volta das 19h, e a família assistiu à televisão durante algum tempo. Em seguida, Andrea começou a preparar James para dormir. Um dia rotineiro.

Andrea não deu banho em James, pois ele tinha brincado na água do regador. Às 21h, o menino estava na cama do papai, pronto para ouvir as histórias. Andrea mal começara a contar *Oh, the Places You'll Go!*, do dr. Seuss, quando James começou a falar a respeito de certos detalhes do pesadelo.

— Mamãe, o avião do rapaz caiu pegando fogo...

O tom era coloquial, mas Andrea estivera esperando por essa abertura. Ela e Bruce tinham um monte de perguntas para fazer a James, mas sempre que tentavam trazer o assunto à tona o menino mostrava-se evasivo. Ele só falava em suas condições quando estava disposto e preparado, ou seja, quando *ele* puxava o assunto.

Assim, Bruce e Andrea haviam se preparado para esse momento.

— Vou chamar o papai, ok?

Andrea disparou pelo corredor em L.

— James está falando sobre o rapaz.

Bruce saltou da cadeira e segundos depois ambos estavam sentados na cama, tentando não deixar transparecer na voz a tensão que estavam sentindo.

— James, fale com o papai sobre o rapaz.

— O avião do rapaz caiu pegando fogo.

Andrea perguntou:

— Quem é o rapaz?

— Eu.

Não houve qualquer hesitação, pausa ou floreio dramático. Ele estava falando a respeito de uma coisa que não exigia emoção.

Andrea perguntou:

— Você se lembra do nome do rapaz?

E ele respondeu:

— James.

Ele não entendeu, pensou ela. Ele estava repetindo o próprio nome, como faria um menino de 2 anos se perguntassem seu nome. Andrea estava ficando frustrada porque não sabia como pressioná-lo sem causar algum dano. Ela estava desesperada para conseguir algumas respostas, mas não queria que isso o perturbasse.

Bruce assumiu o interrogatório.

— Você se lembra do tipo de avião que o rapaz pilotava?

— Um Corsair — respondeu James, sem hesitar.

Bruce se encolheu como se tivesse levado um soco. Ele conhecia o avião. Era um avião de caça da Segunda Guerra Mundial. Como poderia James saber o nome de uma aeronave da Segunda Guerra e, muito menos, afirmar com segurança que era ela a aeronave do sonho?

— Você se lembra de onde seu avião decolava?

James disse:

— De um navio.

Outra resposta que deixou Bruce atônito. Ele tinha um vago conhecimento sobre os Corsairs e como eles eram lançados de porta-aviões na Segunda Guerra, mas como James sabia disso? Como era possível que ele tivesse elaborado um pesadelo tão complicado e verossímil? Nada que Bruce jamais vira, lera ou ouvira poderia ter influenciado James a ter essa lembrança com todos os fatos complexos que ele repetia sem parar.

Bruce estava agora convencido de que, de alguma maneira, precisava preparar uma armadilha para o filho e descobrir as falhas e os defeitos da história.

— Você se lembra do nome do seu navio?

— *Natoma.*

Bruce pediu a Andrea que pegasse papel e uma caneta. Ele queria uma coisa sólida, no papel, uma prova de que o que estava acontecendo era algum tipo de fantasia.

Nesse ponto, Bruce se sentiu um pouco justificado. Nada de vidas passadas. Nenhuma história avançando ao longo de diferentes séculos. Apenas uma criança confusa que, de algum modo, tinha uma história estranha na cabeça.

— *Natoma,* hein?

— *Natoma.*

— Esse parece um nome bastante japonês.

James ficou aborrecido.

— Não, é americano — retrucou, lançando na direção do pai um daqueles olhares irritadiços de uma pessoa que está chegando ao limite de sua paciência.

Andrea tentou suavizar o clima.

— Qual era mesmo o nome do rapaz?

— James.

Agora o menino parecia inquieto, entediado e cansado de todo aquele interrogatório. Porém, mais do que isso, parecia zangado — zangado com Bruce por estar duvidando de sua palavra!

Esse pingo de gente de 2 anos estava enfrentando o pai por causa do nome *Natoma*! Andrea estava um pouco chocada, de modo que interrompeu o interrogatório e pôs James na cama. Leu os três livros para ele, deu-lhe os cem beijos, cantou a música que o filho gostava e o abençoou para que tivesse uma tranquila noite de sono.

Bruce não estava na sala de estar, e sim em seu escritório, fazendo uma busca no Google. Ele digitara *Natoma* e encontrara algo.

— Você não vai acreditar nisto — disse Bruce em voz baixa.

Andrea olhou para a tela do monitor por cima do ombro do marido e viu uma fotografia em preto e branco de um pequeno porta-aviões de escolta.

Bruce se levantou. Com a voz repleta de surpresa, ele acrescentou:

— *Natoma Bay* foi na realidade um porta-aviões dos Estados Unidos que combateu no oceano Pacífico na Segunda Guerra Mundial.

Os dois ficaram paralisados, de cabelo em pé.

CAPÍTULO ONZE

QUANDO JAMES NOS forneceu o nome Natoma, *eu fiquei zangado de maneira engraçada. Não com uma pessoa específica, apenas com a situação. Ele nem mesmo tinha deixado de usar fraldas e estava me dizendo uma coisa que abalou meu mundo. Eu precisava ter certeza do que estava acontecendo. Gosto de ser capaz de resolver as coisas. Consertar a pia. Montar a bicicleta. Fazer com que a gerência enxergue as vantagens de melhorar os benefícios dos trabalhadores. Gosto de chegar a uma conclusão, de encontrar soluções lógicas para problemas difíceis e avançar para o desafio seguinte.*

Havia uma coisa importante que era preciso compreender a respeito de Bruce Leininger: quando ele se aventurava em um território realmente desconhecido, quando se via diante de qualquer coisa que não estivesse escrita em um manual ou programada em um disco rígido, ele começava a entrar em pânico. Você nunca conseguiria ver o pânico, apenas a severa fortaleza de silêncio resignado que ele exibia para o mundo.

Era o mesmo mecanismo que muitos homens modernos usam para lidar com os problemas. Sua formação era convencionalmente treinada e sistematicamente orientada. Seu lado espiritual estava coberto pela sua fé cristã; e ponto final. Mas, quando se tratava do mundo secular, os pinos tinham de se encaixar nos buracos certos. Se lhe dissessem que um operário tinha sido derrubado de uma plataforma de petróleo por um tubo de alta pressão, ele seria perfeitamente capaz de lidar com a situação, pois esta teria uma causa e um efeito racionais. Agora, quando lhe diziam que um menino de 2 anos, seu próprio filho, estava sonhando com uma batalha da Segunda Guerra Mundial, não sabia o que pensar.

Devo dizer que, quando Andrea saiu do quarto declarando que o "rapaz" era James, bem, digamos que eu quis obter pessoalmente essa informação. Voltamos para o quarto, e ela o induziu a me dizer o que estava acontecendo. "Quem é o rapaz?" E ele respondeu: "Eu", e depois ele disse que o nome do homem era "James", e eu achei que ele estava apenas confuso com relação a quem ele era. Só Deus sabe como eu estava confuso.

E depois, quando ele disse o nome do avião, afirmando que era um Corsair, fiquei absolutamente impressionado. Foi uma informação muito específica sobre um equipamento muito específico. Como ele poderia saber aquilo? Mas depois, quando perguntamos a ele o nome do navio de onde o avião decolava, ele respondeu Natoma*; parecia, decididamente, uma palavra japonesa. Quando eu disse isso a James, ele olhou para mim como se eu fosse um completo idiota, manteve a história e afirmou que o navio era americano. Eu estava bastante confiante de que ele estava* *errado.* Natoma *tinha de ser um nome japonês. Eu estava insistindo com uma criança que usava fralda como se estivesse interrogando um suspeito de um crime.*

Mesmo assim, eu ainda tinha de provar que estava certo. Então, quando Dre foi colocar James na cama, fui para o escritório e comecei a fazer uma busca no Google com a palavra "Natoma". E aí, bem, fiquei perplexo de novo. A busca apresentou mil resultados. Havia um Lake Natoma Hotel na Califórnia, um restaurante Natoma em Ohio e até mesmo uma cidade no Kansas chamada Natoma. Depois de muitos outros Natomas, encontrei uma referência a um navio chamado Natoma. *Isso realmente me preocupou. Tive de me obrigar a entrar no site, mas acabei constatando que era um navio de Pesquisas Geodésicas, e não um porta-aviões. Ok! Era apenas uma coincidência. Era tudo bobagem!*

Quase interrompi a busca naquele momento, mas não queria ser preguiçoso. Havia um site a respeito de Natoma Bay *no Alasca, e eu achei que deveria dar uma olhada nele. Ali estava o navio, o USS* Natoma Bay *CVE-62. Era um porta-aviões de escolta que estivera em serviço durante a Segunda Guerra no Pacífico. O site mostrava até uma foto em preto e branco do navio.*

Foi nesse momento que Dre entrou no escritório e viu a expressão no meu rosto.

Agosto terminou, e a vida continuou, porém com um ar de suspense e incompletude pairando sobre a questão de James e seus pesadelos. Andrea e o conselho estavam se inclinando na direção de uma explicação sobrenatural, embora de maneira passiva e relaxada. Quer dizer, ninguém estava telefonando para especialistas em paranormalidade — ainda. Uma espécie de aceitação estava se acomodando sobre os fatos — os pesadelos e uma explicação absurda.

O mesmo não estava acontecendo com Bruce, que encarava toda a abordagem das mulheres Scoggin como pura heresia — nada mais do que uma superstição, e ele não ia ficar sentado sem fazer nada. Nada relacionado a vidas passadas ou reencarnação iria acontecer debaixo de seu teto. Sua raiva estava associada à sua incapacidade de definir com precisão a verdade. Tudo o que ele precisava fazer — para reafirmar sua natural liderança da família, e para reforçar suas obrigações para com sua crença religiosa — era estabelecer uma causa natural para a angústia noturna de James.

O problema era que suas ideias haviam se esgotado. A questão do *Natoma* o deixara sem palavras. Precisava se recompor, repensar tudo aquilo. Ele resolveria a charada, mas precisava de um pouco de tempo e, talvez, de alguma ajuda.

Eu estava trabalhando arduamente durante muitas horas. Fiquei estressado de tal modo que finalmente cedi às súplicas de Dre e me matriculei na Red's Gym. Eu passava uma hora no aparelho de step e depois fazia musculação, de modo que estava bem menos tenso quando chegava em casa.

Andrea descobrira primeiro a academia de Red Lerille. Era uma dessas academias de última geração, do tamanho de um campo de futebol americano. Foi um presente de Deus para Andrea, que se descuidara um pouco da aparência depois que deixara de ser bailarina em tempo integral. Andrea se dera conta de que seu peso tinha quase atingido a marca dos 60 quilos. Isso era o máximo que as meninas Scoggin achavam que Andrea poderia pesar com a flacidez e as gordurinhas que se haviam acumulado ao longo dos anos. Foi então que ela resolveu levar o assunto a sério. Tivera um filho, cuidava da casa e envelhecera alguns anos, mas agora iria emagrecer.

Ela não precisaria fazer um grande esforço para voltar aos 48 quilos que tinha quando dançava; não seria obrigada a enfrentar os brutais testes eliminatórios nos quais os diretores que distribuíam os papéis decidiam seu destino com um mero passar de olhos. Nem mesmo precisaria suportar uma dieta de cubos de caldo de carne e refrigerantes diet para ser aprovada em seus testes diários diante do espelho. Talvez nunca mais fosse ter 22 anos, mas poderia ser uma mulher de 38 com ótima aparência.

E foi o que ela fez. Foi na Red's Gym que ela atingiu sua meta principal: livrou-se dos quilinhos a mais.

Mas também estava faltando outra coisa. Desde que a família Leininger se mudara para Lafayette, Andrea estivera tão ocupada com a casa, com as diversas crises de James e Bruce, que não fizera amizade alguma.

A vizinhança estava repleta de pessoas que caminhavam e corriam, de modo que Andrea decidiu se juntar a elas. Com seu jeito prático e dedicado, Andrea conseguiu fazer amigas.

A academia a fez voltar ao peso saudável de 55 quilos, ela tinha agora um grupo de amigas, James passava feliz o Dia de Lazer da Mãe e Bruce estava ocupado com seus desconcertantes enigmas. No fim do verão, a família Leininger estava realmente instalada. Estavam começando a se sentir em casa em Lafayette.

CAPÍTULO DOZE

NO DIA 5 de outubro, com um profundo suspiro de alívio, Andrea abriu, animada, todas as janelas, para que a agradável brisa entrasse em sua casa. A sufocante temperatura tropical finalmente cedera. James seguia atrás, imitando a mãe, saboreando o primeiro sinal do outono. Parecia que o ar de suspense, criado pelos novos detalhes que James revelara a respeito de seus sonhos, tinha sido suavizado pela temperatura mais amena e a redução da umidade.

Naquela quinta-feira, o otimismo inato de Andrea entrou em cena. Havia energia no ar, faltavam apenas dois dias para o aniversário de 51 anos de Bruce (ela aproveitava qualquer desculpa para comemorar) e, como suas roupas estavam folgadas, ela sabia que estava entrando em forma, perdendo as gordurinhas. Como ela fora bailarina, sua meta tornava-se inatingível quando ela ficava diante do espelho vestindo apenas uma malha de ginástica. Por mais em forma que ficasse, ela sempre sentiria uma pontada de decepção; de alguma maneira, sempre esperava ver a bailarina de 22 anos olhando para ela do espelho.

Mas a disciplina feroz também fazia parte de sua história, de modo que pegou James, prendeu-o na cadeirinha do carro, colocou a sacola com as fraldas no piso e, em seguida, sentou-se no banco do motorista. Colocou o cinto de segurança e saiu em direção à academia.

Ao olhar pelo retrovisor, Andrea sorriu. James tinha criado uma nova e cômica sequência de movimentos; era um ritual que ele fazia no carro. Depois que estava seguro na cadeirinha, ele estendia a mão para cima e puxava uma coisa imaginária sobre as orelhas, como se estivesse colocando protetores de ouvido; em seguida, levantava ainda mais o braço e puxava outra coisa imaginária, pondo-a na frente da boca, como um jogador de futebol americano que estivesse colocando a viseira de proteção. Ela não tinha a menor ideia do que aquilo significava, mas era engraçadinho. Já vinha acontecendo havia algumas semanas. James agora repetia os movimentos sempre que entravam no carro, e Andrea tinha a intenção de mencionar o fato para Bruce e deixar que ele se preocupasse com o assunto. Ele era o especialista em preocupações da família.

Foram à academia, pararam para comprar cartões de aniversário melosos, compraram presentes para Bruce — várias roupas de exercício, um walkman e um carrinho de bebê para jogging, para que ele pudesse levar James quando fosse correr — e depois algumas garrafas de champanhe francês e um bolo inglês de chocolate em camadas, chamado *doberge*, na Poupart's Bakery.

Foram para casa e almoçaram coisas leves. Andrea colocou James na cama para tirar seu cochilo e começou a preparar o jantar. Ela gostava de cozinhar, tinha prazer em sujar as mãos com molhos e outros ingredientes. Apreciava o desafio mental de planejar cardápios — algo que fosse "adulto", mas com o qual um menino de 2 anos que ainda estava se familiarizando com os utensílios conseguisse lidar. A receita de frango *tetrazzini* de tia G. J. levava peito de frango, macarrão com manteiga, ervilhas e cogumelos, o que agradava a todo mundo.

Bruce chegou em casa do trabalho, e a família sentou-se para jantar. As refeições que faziam juntos eram sempre as melhores. Uma enorme agitação tinha lugar — arrumar a mesa, sincronizar os pratos (eles sempre tinham de ser servidos juntos para Bruce) — e depois vinha a calma da hora da oração, seguida de um bate-papo tranquilo.

Eles geralmente jogavam "altos e baixos", um jogo em que todo mundo tinha a oportunidade de reclamar ou falar bem de seu dia. James ainda estava aprendendo a usar o garfo, e Andrea o repreendia suavemente quando ele voltava a usar as mãos. Os modos à mesa eram importantes para Andrea, mas, ainda assim, de vez em quando, as mãozinhas se introduziam furtivamente no prato para agarrar aquele bocadinho que caía do garfo.

Após o jantar, iniciavam-se os rituais noturnos, entre eles o banho no qual James e Bruce compartilhavam a banheira e conversavam "de homem para homem". Depois Andrea assumia o comando, e lá vinham os três livros, os cem beijos e a rotina de boa-noite.

Mas Andrea inventara outro truque. Depois dos cem beijos, ela fazia com que James se deitasse de costas na cama e fechasse os olhos. Depois, ela deslizava a mão pelo cabelo dele como se estivesse puxando alguma coisa, e jogava em seguida essa coisa no chão, fosse o que fosse.

— Estou retirando tudo que assusta você — dizia ela. Estou retirando tudo que faz você chorar. E uma vez mais sua mão simulava o movimento de agarrar alguma coisa e atirá-la no chão. — Tudo que deixa você zangado ou assustado.

A seguir, ela invertia o processo, pegando uma coisa no ar e deslizando a mão sobre o rosto de James.

— Agora vamos pôr dentro de você tudo que o faz feliz, tudo que faz você sorrir e todo o amor de quem ama você.

Andrea corria então suavemente a mão sobre a testa do filho a cada pedido, ou talvez oração, e James chamava essa última parte do processo de "botar para dentro os sonhos bons".

Essa técnica pareceu ajudar, ou seja, a incidência dos pesadelos caiu de três ou quatro vezes por semana para duas ou três, mas eles não pararam totalmente nem diminuíram de intensidade. Foi uma pequena vitória.

Depois que Andrea tinha inserido o último sonho bom nessa primeira quinta-feira de outubro, Bruce entrou no quarto para dar boa-noite ao filho. Ele beijou James e disse:

— Nada de sonhar com o rapaz esta noite, ok, meu chapa?

James respondeu:

— O nome do rapaz é James, papai.

— Querido, *seu* nome é James — disse Andrea.

Mas James insistiu:

— O rapaz também se chama James.

Andrea ficou confusa.

— Você se lembra do sobrenome do rapaz?

— Não, não consigo me lembrar.

Bruce e Andrea estavam sentados na cama. Era um daqueles frágeis momentos em que James dava espontaneamente alguns detalhes, poucos e selecionados, como se estivesse deixando cair pérolas. Mas os pais sabiam que isso era apenas um breve vislumbre dos sonhos do filho e que poderia terminar se exercessem alguma pressão, por menor que fosse. James falava quando queria falar, e ficava silencioso e sombrio quando não queria conversar sobre o assunto. Bruce comparava a situação aos telescópios que funcionavam com moedas no alto do Empire State Building. Você colocava 25 centavos e conseguia enxergar bem longe, e depois, de repente, quando você estava bem envolvido com o cenário, na cúspide de uma perfeita clareza, o telescópio parava de funcionar. O tempo da moeda tinha acabado.

Mas Bruce e Andrea insistiram com James, mesmo sabendo que estavam vendo através de uma lente muito embaçada.

— Você consegue se lembrar do nome de mais alguém no sonho? — perguntou Andrea. — Algum amigo?

James se concentrou por um momento; em seguida, seu rosto se iluminou e ele disse:

— Jack!

Bem, era um nome, mas não era nada extraordinário. Havia milhões de homens chamados Jack. Ele poderia ter dito Frank, Tom ou Joe. Jack poderia até mesmo ser um apelido para James.

— Você se lembra do sobrenome de Jack? — perguntou Andrea.

E, então, James respondeu, com muita nitidez:

— Larsen. Era Jack Larsen.

— Vá buscar papel e caneta — disse Bruce, refreando sua agitação.

Andrea desceu até o escritório e pegou o bloco e uma caneta, e Bruce começou a fazer anotações, tentando se lembrar de tudo na sequência. Andrea percebeu que James estava sonolento, mas de qualquer modo fez mais uma pergunta.

— Jack era amigo de James?

Ao que James retrucou:

— Ele também era piloto.

Eram informações demais para assimilar. Não poderiam pressionar mais o filho. Ele estava bocejando e pronto para dormir, de modo que o beijaram na testa e se encaminharam para a sala de estar, onde se sentaram em silêncio, tentando digerir esse último acontecimento.

CAPÍTULO TREZE

"JACK LARSEN" LANÇOU o casal Leininger no centro da questão: crença ou ceticismo.

Andrea decidiu acreditar. Naquelas circunstâncias, isso lhe pareceu a coisa mais sensata a fazer. Ela não poderia viver indefinidamente em um estado de medo e nervosismo. (Até mesmo durante uma batalha os soldados atacados lidam com as particularidades da vida diária.) No fim, acreditar parecia a única solução prática.

Para ela, o nome Jack Larsen era uma prova suficiente da tal lembrança de uma "vida passada" que não deveria jamais ser mencionada. Andrea não precisava de um círculo perfeito. Ela era uma mãe que tinha determinadas tarefas a cumprir, como preparar refeições, manter a casa limpa e cuidar de uma criança. A vida precisava continuar. Essas necessidades enfadonhas do dia a dia prevaleciam sobre os mistérios da meia-noite.

No que dependesse de Andrea, a guerra tinha sido ganha, e as tropas podiam voltar para casa.

É claro que ela teve ajuda para chegar a essa nova conclusão. Sua mãe continuava a falar a respeito de uma solução paranormal new age para o problema. Ela mantinha viva a possibilidade de uma vida passada.

No lado oposto da situação estava Bruce, que fortalecera sua posição e era agora um firme incrédulo. Da maneira como ele percebia a questão, era sua missão provar à esposa (e a todo o clã Scoggin) que os pesadelos de seu filho eram apenas coincidências, e não a lembrança recuperada de... Bem, ele teria de obter informações a respeito de "Jack Larsen" para demonstrar que tinha razão.

Essa atitude não era apenas um capricho de Bruce. A integridade de sua fé cristã estava em jogo, bem como toda a história do pensamento racional que ele estudara na faculdade e na pós-graduação. Ele havia descartado a possibilidade de uma vida passada. Para ele, nada mais era que uma superstição. Bruce tivera uma formação convencional e sistematicamente orientada, estudara matemática, história e Descartes, e acreditava no método científico e em um universo racional.

Além disso, tinha outro incentivo: ser vitorioso em seu lar. Ele não poderia renunciar ao seu papel de zelador do bom senso e da capacidade de discernimento da família. Bruce se apresentava como a voz da razão na West St. Mary Boulevard.

"É impossível argumentar com as mulheres da família Scoggin", ele costumava declarar. "É preciso provar que elas estão erradas."

Enquanto Andrea cuidava dos afazeres domésticos, Bruce passava horas em seu escritório em casa refletindo sobre os pesadelos do filho. Na primeira noite depois que James revelou o nome de Jack Larsen, ele foi para o escritório e sentou-se diante da tela do computador, tentando imaginar como poderia associar esse nome aos pesadelos. Era tarde, passava das 22h — ele viu a hora brilhando na tela do computador — e teria um dia cheio no trabalho no dia seguinte. Bruce precisava descansar, mas sentia que tinha de lidar com o incômodo problema dos pesadelos. Mas como? Por onde deveria começar? Seria Jack

Larsen o rapaz no avião em chamas? Seria Jack Larsen outro nome para James? Afinal de contas, Jack era um apelido. O nome poderia ser John.

Ele virou e revirou o quebra-cabeça, examinando-o a partir de diversos ângulos, buscando a chave que revelaria o segredo.

A reflexão sobre os problemas na casa da família Leininger se transformou em uma intensa busca na internet. As palavras-chave eram digitadas, e o Google mostrava — no caso de Jack Larsen — becos sem saída. Bruce não sabia o que fazer nem tinha a menor ideia de por onde deveria começar. Era como se ele de repente ficasse paralisado diante do computador. Então, ele foi para a cama.

O tempo voltou a ficar terrivelmente abafado no sábado, e a busca por Jack Larsen foi colocada em banho-maria enquanto a família Leininger comemorava o aniversário de Bruce. Ele tomou o café da manhã, leu o jornal e depois foi trabalhar no jardim. Em seguida, recebeu os habituais abraços, beijos e presentes. Como sempre, ficou encantado com o que Andrea lhe deu; sua velha roupa de jogging estava surrada, e ele gostava de trajes novos. No entanto, o presente de que Bruce mais gostou foi o carrinho para jogging, porque agora poderia levar James consigo quando fosse correr.

Bruce levou o carrinho para um test drive. James refestelou-se no assento, balançando as mãos ao vento, enquanto o pai corria atrás, empurrando o carrinho. Depois, voltaram para casa, e ele foi submetido ao que chamava de "interrogatório Scoggin".

— Como foi?

— Bem.

— James se divertiu?

— Bastante.

— O que ele fez? O que disse? O que *você* fez? Até onde vocês foram? O que achou? Estava quente?

Andrea queria saber todos os detalhes do test drive; Bruce estava bastante seguro de que fizera um bom relato ao dizer que as coisas tinham ido "bem".

Essa era a principal diferença entre eles: a exigência aberta e audível dela de uma instantânea prestação de contas e a reserva contida e silenciosa dele. Andrea não era apenas curiosa, ela precisava pesquisar a essência de cada pequeno evento. Já Bruce queria saboreá-lo, pensar nele, encontrar o local exato para ele entre suas experiências e opiniões.

Essa era a característica que fazia com que ela se contentasse com uma solução rápida para os pesadelos e que levava Bruce a continuar procurando mais intensamente por uma prova.

À noite, eles desfrutaram um jantar de aniversário. Foram ao Blue Dog Café, um restaurante cajun que Andrea e James estavam ansiosos para experimentar. Andrea levou vários lápis de cera e brinquedos para manter James ocupado, mas o Blue Dog estava bem preparado para receber famílias, pois todas as mesas eram cobertas por papel parafinado e tinham em cima um copo cheio de lápis de cera. James pôde experimentar a sensação de desenhar em uma toalha de mesa, e Bruce e Andrea puderam provar os molhos à base de Tabasco que faziam os ajudantes de garçom correrem de um lado para o outro no salão de jantar, para encher de água os copos dos clientes.

Quando voltaram para casa e acenderam as velas no bolo de aniversário *doberge* de chocolate de oito camadas, Bruce deixou James apagá-las. Cantaram parabéns, beberam champanhe (leite para James) e depois voltaram a acender as velas, para que James pudesse soprá-las de novo... e de novo. Naquele agradável momento, ele era um menino de 2 anos sem problemas, que não conseguia se contentar com as velas e o bolo. E Bruce e Andrea tiveram sua cota de champanhe e chocolate.

Mais tarde, Bruce acabou indo novamente para seu escritório e ficou olhando para a tela vazia do computador. Em 2000, era praticamente impossível entrar na internet nas horas de maior movimento, ou seja, entre 19h e 23h. Mas já era 1h.

> *Se eu não conseguisse me conectar naquela hora, seria capaz de jogar aquele computador de merda pela janela. Liguei a máquina e cruzei os dedos. Ouvi o conhecido sinal de discagem que dava acesso à internet. Esperei... esperei e esperei, prendendo a respiração e cruzando os dedos. Meu sinal avançou até o meio dos três ícones da rede discada, e, em seguida, ouvi o som agudo familiar do computador buscando um sinal. Eu mal conseguia respirar. Olhei para a tela, torcendo para não receber novamente o sinal de que todas as linhas estavam ocupadas e que eu deveria tentar mais tarde, torcendo para que, quando Andrea acordasse de manhã, não encontrasse os restos fumegantes do computador na pilha de folhas do quintal. Por sorte, recebi o sinal de conexão e finalmente consegui respirar. Obtivera o direito de entrar na Cidade das Esmeraldas...**

Bruce digitou o nome Larsen, com todas as suas possíveis grafias e variações, inclusive do primeiro nome, Jack. Mas isso foi um tiro no escuro. O Google ainda estava em seu estado inicial, e a utilização desse poderoso mecanismo de bus-

* Menção à capital da Terra de Oz. (*N. da T.*)

ca era inevitavelmente caótica. Era impossível obter respostas rápidas.

Surgiram sites com Jack, com Larsen, e houve todas as variações, de LaMere a Lwoski. De Jack a Jake, John e Johann. Como o número de estrelas no céu. Ninguém, pensou ele, poderia encontrar algum significado nas centenas de nomes com inúmeras combinações. A questão era como refinar a busca.

No domingo de manhã, depois de alimentar James com uma mamadeira clandestina, Bruce voltou ao escritório, tentando encontrar Jack Larsen.

Dessa vez ele tinha um ponto de partida. Jack Larsen era um piloto da Marinha americana. Bruce partiu do princípio de que, mesmo que ele realmente tivesse existido, já estaria morto. No entanto, havia a possibilidade de Jack Larsen ser o nome do rapaz nos sonhos de James. Jack Larsen, piloto da Marinha — os links da busca conduziram Bruce aos mais diferentes lugares. Havia vários homens chamados Jack Larsen que ainda estavam vivos e eram pilotos da Marinha; havia outros que estavam aposentados — muitas centenas de possibilidades envolviam o nome de Jack Larsen e todas as suas variações fonéticas.

Ele estava fazendo a triagem de páginas e páginas de links, procurando uma agulha no palheiro. Mesmo que, por milagre, ele encontrasse a pessoa certa, como iria saber que era ela?

Bruce começou uma busca por mortos na guerra. Essa mudança resultou em mais um enigma a ser decifrado. As informações estavam, em sua maioria, relacionadas por estado, e as listas eram incompletas e desorganizadas.

Foi então para o solário e tomou um martíni. Aquilo não era algo que ele iria decifrar com facilidade. Era um quebra-cabeça com várias peças, estruturado, que ele teria de dominar e, depois, levar até o fim.

CAPÍTULO QUATORZE

ELE ERA INCESSANTEMENTE requisitado no trabalho. A empresa de petróleo que pagava o salário de Bruce precisava dele com muita frequência. A companhia estava envolvida com a difícil e complicada tarefa de fechar as portas. A OSCA sempre fora destinada a ser vendida para que houvesse injeção de dinheiro na empresa controladora. Isso significava uma espécie de maquiagem corporativa em que os livros contábeis precisavam estar equilibrados, os trabalhadores tinham de ser generosamente (porém não exageradamente) remunerados e os benefícios tinham de ser, ao mesmo tempo, sedutores e apresentar uma boa relação custo-benefício. A função de Bruce era ajudar a enfeitar a noiva (os resultados financeiros) para o noivo (o capital forte).

A tarefa de obter todos os códigos da folha de pagamento era simplesmente exaustiva — sessenta páginas de exigências e rotinas de procedimentos —, de forma que correspondessem a cada uma das posições dos trabalhadores. Bruce passava o dia inteiro envolvido com os infinitos e minúsculos detalhes dos códigos do governo e as exigências da direção; era um operário em uma indústria pesada.

À noite e nos fins de semana, Bruce se curvava sobre o computador de casa, tentando arrancar dele alguma informação sobre o mistério do filho.

A busca de Bruce tinha de ser realizada como uma atividade paralela, em tempo livre, ou seja, depois da meia-noite e nos fins de semana. De certa maneira, isso era bom, porque o afastava da obsessão por descobrir o que eram os pesadelos e possibilitava que ele abordasse o quebra-cabeça revigorado, voltasse a lidar com ele cada vez que deixava suas obrigações na OSCA e visse a situação sob uma luz limpa e clara. Além disso, Bruce também descobriu que, quando simplesmente esvaziava a cabeça e deixava que a mente vagasse para lhe trazer outras possibilidades, ideias proveitosas, que vinham do nada, lhe ocorriam. Por que não olhar aqui ou ali, ou se concentrar nos links militares?

Não era como se Bruce não tivesse treinamento algum em pesquisas em larga escala. Quando era aluno da graduação na Fairleigh-Dickinson University, em Nova Jersey, Bruce especializou-se em duas disciplinas: ciência política e assuntos russos.* Isso foi no início da década de 1970, e a especialização em Guerra Fria ainda era uma carreira que estava em alta. Sua tese de pós-graduação na Columbia University foi sobre Relações Internacionais, sob a orientação de Zbigniew Brzezinski, entre outros, e Bruce ficou animado com a perspectiva da ciência política em grande escala. Examinou todos os aspectos da trégua que ocorrera entre 1965 e 1975 (e descobriu que os russos interpretavam o mundo de maneira diferente e mais agressiva) e estudou o idioma russo, imaginando que, um dia, de alguma maneira, faria parte das altas esferas da diplomacia.

---

* *Russian studies,* em inglês. É uma área de estudos interdisciplinares desenvolvida durante a Guerra Fria que abrange a história e o estudo do idioma russo. Hoje ela é principalmente utilizada nos negócios. (*N. da T.*)

Nos tempos de estudo, Bruce aprendera a ser muito sistemático a respeito da resolução de problemas e da realização de pesquisas básicas. Eis os passos que ele seguia:

1. Definir o problema;
2. Desenvolver uma declaração de propósito;
3. Escolher um método de pesquisa;
4. Elaborar um projeto de pesquisa;
5. Definir os limites do projeto;
6. Explicar claramente a metodologia.

E foi assim que ele tentou abordar o "projeto" dos pesadelos de James. É importante lembrar que seus dias de estudante foram na era pré-computador. Os softwares modernos modificaram muitas técnicas de pesquisa, às vezes acelerando as coisas, porém, com frequência, saturando o sistema com excesso de informações. Em certas ocasiões, era simplesmente impossível lidar com elas.

Bruce também fortaleceu sua perseverança quando começou a pesquisar a genealogia da família. Seu tio Bill, o mais velho dos sete filhos dos avós de Bruce, sempre alimentara uma grande curiosidade a respeito da história deles. A lenda familiar era de que os Leininger tinham vindo para os Estados Unidos procedentes da Alsácia-Lorena, uma região entre a França e a Alemanha que por longo tempo foi alvo de disputa territorial, mas os detalhes da linhagem de Bruce estavam perdidos na névoa do mito e da lembrança.

Em meados da década de 1990, Bruce passara fins de semana inteiros examinando pilhas de livros empoeirados e abandonados em uma biblioteca do Texas, tentando encontrar o trajeto da migração de sua família do Palatinado para os Estados Unidos. Finalmente, em um lugar pouco visível, ele deparou com a *Collection of 30,000 Names 1727-1776*, de J. Daniel Rupp. Na página 238, em uma lista de 338 passageiros que chegaram à Filadélfia a bordo de um navio chamado *Phoenix*, no dia 28 de agosto de 1750, constava o nome de Johan Jacob Leininger — um de seus ancestrais. Mais tarde, Bruce encontrou uma comprovação desse fato nas pilhas empoeiradas dos arquivos do tribunal da Filadélfia.

A descoberta desse trajeto em direção ao seu passado conferiu a Bruce um sentimento de poder, a certeza de que, com empenho e imaginação, ele seria capaz de decifrar qualquer enigma.

Inclusive o mistério dos pesadelos de James.

Em meados de outubro, Bruce estava no site da American Battle Monuments Commission, que fornece o nome dos mortos e desaparecidos tanto na Segunda Guerra Mundial quanto na Guerra da Coreia. Ele se concentrou nas mortes em combate em porta-aviões na Segunda Guerra e descobriu um site com 87 páginas, com até duzentos nomes por página. Havia quase dez mil nomes. Ele levou quase dois dias para imprimir tudo.

Cento e vinte e uma pessoas com o nome Larson haviam sido mortas na Segunda Guerra, e outras 49 cuja grafia era "Larsen". Das 170 pessoas com o nome Larson/Larsen, somente dez cujo primeiro nome era Jack, James ou John tinham sido enterradas no exterior. Foi necessário um esforço heroico, que exigiu muitas pesquisas realizadas depois da meia-noite, para extrair essas informações do site.

Bruce ia dormir às 2h e entrava de novo na internet às 6h. Quatro horas de sono eram suficientes. Mas ele ainda estava tateando no escuro; não tinha um plano viável para rastrear os

Larson/Larsen mortos, nem sabia exatamente o que procurar quando encontrava um que parecia promissor.

Mas ele tinha em mãos outros fatos, e pôde pesquisar em diversas fontes.

Tinha a história do *Natoma Bay*, que ele carregava consigo por toda parte, levando-a inclusive para o trabalho, como se ela pudesse despertar alguma inspiração.

Ao examinar o livro em seu escritório, ele descobriu que o navio entrara em atividade no dia 14 de outubro de 1943, portanto os homens que tinham sobrenome Larson ou Larsen teriam que se encaixar nesse período — entre outubro de 1943 e o fim da guerra, no início de agosto de 1945.

Ele tinha a aeronave: um Corsair, que só começou a decolar dos porta-aviões em 1944, de modo que Bruce tinha uma outra janela, mais estreita, através da qual buscaria informações.

Três pistas confiáveis: *Natoma Bay*, Jack Larsen, o Corsair. Agora, tudo o que tinha a fazer era, de alguma maneira, ligá-las.

Às vezes, no meio da noite, quando todos os sites e hiperlinks o deixavam à beira de um colapso, Bruce ia para a varanda e se sentava na cadeira de balanço. Folhas que caíam das grandes bétulas à margem do rio eram levadas pelo vento até o jardim. Em algum lugar ao norte, nas distantes plantações, estavam queimando as cepas da cana-de-açúcar para preparar a terra para a plantação da primavera. Em alguns dias, cinzas flutuaram como neve sobre as ruas de Lafayette. Não era raro acordar pela manhã e encontrar resquícios de cana-de-açúcar no para-brisa.

Mas agora, sendo um ianque em território cajun, ele apenas ficava sentado na cadeira de balanço, bebericando seu drinque no outono de mais de 20°C e eliminando o estresse da mente.

Em meio a tantas preocupações, Bruce ainda precisava fazer uma limpeza no jardim. Seu pai, Ted, estava prestes a chegar para uma visita, e Bruce queria que o lugar passasse na inspeção. Ted era um fuzileiro naval de 73 anos que servira na China logo depois da Segunda Guerra Mundial e tinha um relacionamento distante e difícil com o filho. "Não me lembro de nenhuma vez em que ele tenha me feito uma pergunta pessoal", recorda Bruce.

Para chegar a Lafayette, Ted saiu de Pine Grove, na Pensilvânia, com sua segunda esposa, Mary Lou, e dirigiu mais de 2.400 quilômetros em uma minivan. Eles compraram o veículo com os 14 mil dólares da aposentadoria de Mary Lou. Bruce a chamava de "Irmã Mary Lou", pois ela aturava seu pai há mais de 30 anos.

De certa maneira, o fato de Ted ir vê-lo era uma vitória. Ele se recusara a visitar o filho quando Bruce morava em São Francisco, que ele chamava de "a terra dos gays e malucos". Ted também tinha ideias excêntricas e peculiares. Ele não andava de avião, porque acreditava que todos os mecânicos das companhias aéreas "fumavam maconha".

Ele nem mesmo queria visitar o novíssimo Museu do Dia D — a grande atração que Bruce recomendara com insistência — porque ficava em Nova Orleans. Ted considerava aquela cidade o epicentro das piores tentações do mundo. Bruce teve de garantir ao pai que evitariam os clubes de striptease da Bourbon Street e iriam diretamente ao museu, que estava localizado em uma área comercial da cidade.

Bruce e Ted fizeram o percurso de duas horas de carro até Nova Orleans, enquanto Mary Lou visitava o Super Wal-Mart.

Na ida, pai e filho ficaram em silêncio por boa parte do trajeto. No entanto, na volta, depois da visita, eles conversaram. Anteriormente, eles falavam um *para* o outro, sem jamais estabelecer contato emocional. Bruce descrevia sua interação com o pai "como dois âncoras no noticiário noturno falando sobre os acontecimentos". Ninguém jamais descreveria o diálogo entre eles como uma conversa, mas dessa vez foi diferente. Talvez tenha sido por causa das velhas lembranças da Segunda Guerra, ou, finalmente, por causa de um reconhecimento do elo entre ambos, mas o fato é que Ted ouviu respeitosamente, silencioso e impassível, a história dos pesadelos, sem ridicularizar, desacreditar nem fazer pouco-caso da preocupação do filho.

Alguns dias depois, Ted e Mary Lou foram embora, seguindo para St. Louis e para uma reunião dos fuzileiros navais da China, deixando Bruce com sua aflição. Engraçado, pensou ele, como seu pai se mostrara receptivo à ideia de o neto ter sonhos inexplicáveis. Ele pareceu aceitar o fato de que James poderia realmente ter conhecimento de coisas que ele, o avô, não teria como saber.

Se tivessem pedido a Bruce que previsse a reação do pai, ele teria achado que Ted faria algum comentário cruel e sarcástico. Mas não foi o que aconteceu.

Surpreendentemente, seu pai foi algo que quase nunca era: solidário, mostrando-se até mesmo *interessado.*

Bruce voltou para seu escritório em casa e trabalhou horas a fio no computador. Concentrando-se no nome dos pilotos falecidos, escolheu um ao acaso: Charles T. Larson. Foi uma tentativa aleatória entre as baixas do período de 1944 a 1945. Ele acessou o site dos National Archives e preencheu um formulário pedindo informações detalhadas sobre o piloto falecido. Ele deu o nome, o posto, o número de série e a data de nascimento do piloto, mas, como não era um parente, o National Archives informou que não poderia ajudá-lo; somente parentes consanguíneos tinham o direito de fazer tal consulta.

Os dias seguintes envolveram um emaranhado de preparativos para o Dia de Ação de Graças, pois Jen e o marido, Greg, iam passar novamente o feriado com eles. Bruce gostava muito de Greg, e estava ansioso para ter uma conversa informal em que poderiam se sentar e reclamar do caos da vida profissional.

No auge dos preparativos, receberam um livro de Bobbi. Ela o descobrira em uma biblioteca dedicada a assuntos sobrenaturais e paranormais, além de fenômenos new age. O livro se chamava *Crianças e suas vidas passadas: como as lembranças de vidas passadas afetam nossos filhos*, de autoria de Carol Bowman, renomada especialista no campo de investigação das vidas passadas, uma área extremamente delicada e não comprovada. O filho de Bowman teria supostamente vivido em um campo de batalha da Guerra Civil, em outra encarnação. Bobbi enviou o livro para Andrea, que o colocou numa pilha de livros não lidos. Ela tinha a intenção de lê-lo, mas estava ocupada demais com os preparativos para o Dia de Ação de Graças, e, além disso, não precisava ser convencida, pois já acreditava na palavra de sua mãe a respeito da explicação dos pesadelos de James; uma espécie de reforço de que seu filho estava passando pela experiência de uma vida anterior.

Naquela época festiva, também chegou outro livro: *The Battle for Iwo Jima.* Bruce o havia encomendado para dar de presente a Ted, que apreciava qualquer fonte de informação sobre a atuação do corpo de fuzileiros navais no oceano Pacífico na Segunda Guerra Mundial.

Na manhã de sábado, entediado com os desenhos animados, James pulou no colo de Bruce, e juntos folhearam o livro que dariam ao vovô no Natal. Em determinado momento, chegaram a uma página que continha uma foto de Iwo Jima. James apontou para ela e disse:

— Papai, foi aí que meu avião foi derrubado.

— O quê?

— Foi aí que meu avião foi derrubado.

— James, o que exatamente você está querendo dizer?

— Foi aí que acertaram meu avião e ele caiu.

Bruce correu para o escritório, onde tinha uma cópia do *Dictionary of American Naval Fighting Ships*. O *Natoma Bay* esteve em Iwo Jima, para combater e dar respaldo à invasão pelos fuzileiros navais norte-americanos em março de 1945.

Esse foi outro dos momentos surpreendentes em que Bruce ficou ao mesmo tempo perplexo e furioso diante desse mistério. Algo estava acontecendo, mas ele não sabia o que era. Bruce sentiu que procurava desesperadamente um caminho a seguir, guiado por pequenas informações dadas por seu filho de 2 anos.

Era algo completamente diferente do método de pesquisa convencional utilizado por Bruce. Para seguir em frente, ele precisaria muito de inovação, inspiração... e sorte.

Bruce ainda estava pensando na visita do pai. Ted partira para a reunião dos fuzileiros navais que serviram na China. Foi então que teve um estalo. Talvez houvesse uma reunião de veteranos da Segunda Guerra Mundial. Bruce digitou a frase

"Reuniões de Veteranos da Segunda Guerra Mundial" e recebeu como resposta um monte de sites. Um deles continha uma referência a um porta-aviões de escolta. Navegando no site, Bruce encontrou uma referência à reunião de uma tal de Natoma Bay Association.

Bingo!

SEGUNDA PARTE

O navio

CAPÍTULO QUINZE

SETEMBRO DE 2002

BRUCE LEININGER ESTAVA em um assento da janela do voo 1107 da Continental Airlines, que manobrava para decolar do Lindbergh Field, no San Diego International Airport. Ele preferia sentar na janela, e nesse voo havia muitos assentos desse tipo disponíveis. Não havia ninguém ao lado, na frente nem atrás dele. Na realidade, havia apenas cerca de quarenta passageiros no avião, cuja capacidade era de 150 lugares.

Ele se lembrou de que o aeroporto estava estranhamente deserto. Quarta-feira era sempre um dia muito movimentado, mas naquela quarta, especificamente, o aeroporto estava tão vazio que chegava a ser esquisito. No entanto, nada disso preocupava Bruce. Na realidade, era agradável ter o avião todo para ele no trajeto até Houston. Seriam três horas de silêncio e tranquilidade.

Bruce precisava de tempo. Acabara de comparecer à sua primeira reunião do grupo do *Natoma Bay*, e um amontoado de fatos novos e fragmentados passavam pela sua cabeça. Embora muito já tivesse sido esclarecido quando ele se encontrou com os veteranos, a história se tornara agora mais complicada e enigmática. Perguntas e respostas se sobrepunham, colidiam e não faziam sentido. Ele precisava organizar seus pensamentos, e um avião voando a 9 mil metros de altitude era um lugar excelente para fazer isso.

Era um voo matutino com café da manhã, mas, apesar de o avião ter decolado às 9h30, Bruce pediu um uísque.

"Senhoras e senhores, aqui é o capitão. Estamos voando a 9 mil metros, o céu está limpo e deveremos chegar a Houston um pouco antes do horário previsto. Gostaria de pedir um momento de silêncio, em respeito àqueles que morreram há exatamente um ano, nos atentados de 11 de Setembro..."

Então era isso! Bruce esquecera-se completamente do fato. Onze de Setembro! Isso explicava a fraca movimentação no terminal e as poltronas vazias no avião. Não se tratava apenas de uma anomalia no fluxo de tráfego: era a lembrança do World Trade Center!

Onze de Setembro; tanta coisa acontecera depois daquele dia...

Bruce estava no trabalho quando os aviões se chocaram contra o World Trade Center, o Pentágono e uma terceira aeronave caiu em um campo na Pensilvânia. Fora uma manhã rotineira, até ser violentamente interrompida. Andrea telefonou para alertá-lo; a conversa era um eco repetido em todas as partes dos Estados Unidos:

— Você já sabe?

— Estou assistindo.

Como todo mundo, eles ficaram atônitos, grudados no aparelho de tevê mais próximo (ele, no trabalho, ela, em casa), enquanto as notícias mais recentes eram transmitidas na tevê em edições extraordinárias. Uma enorme cobertura jornalística, mas pouco se entendia sobre o que estava acontecendo. Durante algum tempo, todos ficaram simplesmente assistindo, como se esperassem por alguma explicação. Entretanto, repetiam-se sempre as mesmas notícias, exibindo os mesmos aviões se chocando contra os mesmos prédios, que caíam inúmeras vezes... No final, todos acabaram ficando com a mesma raiva.

Soldados foram recrutados em Lafayette, como em todos os outros lugares, fitas amarelas foram colocadas ao redor do tronco das árvores e uma pergunta desconcertante, "O que virá a seguir?", deixava todo mundo em um estado de nervosa expectativa.

No caso do casal Leininger, envolvidos com o longo dilema do filho, seguir em frente tornou-se ainda mais urgente.

Bem, isso era outra coisa em que pensar enquanto o avião avançava para Houston. Não que a mente de Bruce estivesse inativa. A reunião colocou novas preocupações em sua mente. Havia a questão da mentira, que pesava fortemente sobre ele. Tudo começou de maneira inocente; ele só mentiu porque não conseguiu descobrir uma maneira de contornar a situação. Mas, como todas as mentiras, ela ficou fora de controle e se tornou algo enorme e ingovernável.

Tudo começou com os telefonemas, quase dois anos antes, no outono de 2000. Eles começaram após as inesquecíveis declarações de James no feriado de Ação de Graças a respeito de Iwo Jima e Jack Larsen. Bruce ficou um pouco fora de si na ocasião, desesperado para descobrir o mistério da identidade de Jack Larsen.

Depois das buscas exaustivas em inúmeros sites, ele encontrou o da Escort Carriers Sailors' and Airmen's Association, pegou quatro nomes no site e telefonou para eles. Um dos números tinha sido desligado. Outro membro do grupo estava à beira da morte no hospital. Um terceiro nunca atendeu o telefone. O quarto foi Leo Pyatt. Bruce precisou tentar várias vezes, mas o homem acabou atendendo.

Quando Leo atendeu o telefone, eu disse: você não sabe quem eu sou, mas estou interessado no Natoma Bay. *Ele perguntou se eu tinha servido no navio. Eu respondi que não. Ele, então, perguntou se meu pai tinha servido nele. Eu respondi que não. Em seguida, ele me fez uma pergunta para a qual eu estava completamente despreparado. Uma pergunta simples, na verdade, e fui um idiota por não tê-la previsto, por não estar preparado, por não ter uma resposta pronta.*

— Então, por que você está interessado no Natoma Bay*?*

Eu não sabia o que dizer, não estava preparado para uma pergunta tão óbvia, mas não podia simplesmente dizer a ele que meu filho de 2 anos falava sobre o navio, sobre Iwo Jima e tudo mais. Menti. Eu disse que havia um cara no meu bairro que falava muito sobre seu navio...

— Quem é ele?

— Um bom amigo... Ravon Guidry.

Esse é o problema das mentiras; seguimos por esse caminho e logo, logo, ficamos atolados...

— ... E ele tem um tio que falava muito sobre o navio. O tio tem Alzheimer, e fica bastante apático a maior parte do tempo... Mas descobrimos que o Natoma Bay *era um navio de verdade, de modo que comecei a*

fazer uma busca. Sou escritor e gostaria de fazer algo para imortalizar o Natoma Bay. *Estou pensando em escrever um livro...*

Daí a pouco eu estava tagarelando e falando de forma desconexa, como uma pessoa louca, mas Leo Pyatt deve ter ficado com pena de mim, porque disse: "Ok, eu lhe direi tudo o que você quer saber."

Foi assim que a mentira começou. Bruce ia escrever um livro a respeito do *Natoma Bay*. Apesar de suas preocupações a respeito de seu improviso, este se revelou brilhante, pois lhe proporcionou uma autorização para bisbilhotar e fuxicar sem precisar mencionar a fantástica possibilidade de que seu filho de 2 anos — de acordo com sua esposa e vários membros da família dela — tenha sido colega de bordo de Leo. Havia também o detalhe ainda mais improvável de que o piloto da Segunda Guerra sobre o qual estavam falando tivesse sido morto antes de Bruce ter nascido. E, como se tudo isso não bastasse, ele era o pai desequilibrado que estava do outro lado da linha. Não era a abordagem ideal para estabelecer um relacionamento de confiança com um veterano velho e ríspido.

Um livro foi o disfarce perfeito. Bruce conseguiu fazer suas perguntas sem precisar se submeter a uma avaliação psiquiátrica. E prosseguiu diretamente para o X da questão.

— Havia Corsairs no *Natoma Bay?*

— Não. Pelo menos não que eu saiba.

Isso! Bruce conseguira provar que estava certo. Não havia Corsairs. James estava errado. Bruce havia desmascarado toda a história, além da louca possibilidade de reencarnação. Bruce sentiu de imediato uma grande euforia e uma decepção. Ele provara que estava certo: nada de Corsairs ou de reencarnação. Ponto final. Mas isso o deixou, de qualquer modo, um pouco deprimido. Poderia ser tão fácil assim? Isso era tudo? Uma única pergunta? Chegou à conclusão de que era melhor explorar um pouco mais a questão. Um bom pesquisador não se desvia do caminho por conta da primeira contradição que encontra. Uma coisa era possível afirmar a respeito de Bruce: ele era meticuloso.

— Ok, que tipo de avião decolava do navio?

— O FM-2 e o TBM.

— Como eles eram?

— O FM-2 era um pequeno avião de caça, chamado de Wildcat. E o outro, um Avenger, com uma tripulação de três pessoas.

— Legal. Esses eram os únicos aviões?

— Eram os únicos aviões que eu vi decolar do navio.

— Você era piloto?

— Eu era técnico de aviação. Operador de rádio em um TBM Avenger. O meu esquadrão era o VC-81.

— O que quer dizer "VC?"

— "VC" significa "esquadrão misto"; mais de um tipo de aeronave era designado para ele.

— Você pode me contar algo a respeito do que aconteceu em Iwo Jima?

— Mais ou menos.

— Como assim?

— Participei de 36 missões de combate. Fazíamos um voo de reconhecimento atrás do outro como apoio à batalha...

Leo começou então a falar sobre o duro combate aéreo, com ataques terrestres e artilharia antiaérea, e quando ele estava realmente empenhado em descrever a ação, Bruce fez outra pergunta. Ele queria esclarecer completamente o assunto, e ainda havia a questão da identidade do piloto.

— Você sabe me dizer algo a respeito de um cara chamado Jack Larsen?

Leo nem mesmo fez uma pausa.

— Claro, eu me lembro de Jack. Nunca o vimos de novo.

— O que você quer dizer com isso?

— Ele decolou um dia e não voltamos a vê-lo.

Isso estava errado! Era uma prova que ratificava o que James dissera. Leo conhecia o nome. Como o menino poderia ter inventado o nome de um membro genuíno do grupamento aéreo? Essa foi outra revelação que o fez estremecer.

Para Bruce, a conversa efetivamente esclareceu, de maneira indireta, que Jack Larsen era uma pessoa real e, de fato, aquela com quem James vinha sonhando. Não que isso fizesse sentido. Bruce sentiu-se dolorosamente confuso, perplexo. Pelo menos o mistério relacionado apenas com quem James estava sonhando estava agora resolvido, embora o como e o porquê ainda permanecessem impenetráveis.

Ainda assim, era apenas um sonho, e o fato de James ter dado uma informação errada — a referência aos Corsairs — me tranquilizara de maneira estranha. Os Corsairs eram fundamentais para meu ceticismo. James insistia no Corsair, e eu insistia na coerência. Esse era meu elo mais forte com a realidade.

Conversamos um pouco mais, e finalmente, quando Leo começava a se sentir à vontade comigo, falou a respeito da reunião dos membros da tripulação do Natoma Bay, *que aconteceria em San Diego em 2002. Se eu realmente queria obter mais informações sobre o "Naty Maru" — era assim que os homens carinhosamente chamavam o* Natoma Bay *—, ele conseguiria um convite para mim. Esse seria o lugar para investigar mais sobre o* Natoma Bay.

Bruce, é claro, precisou esperar quase dois anos para que chegasse o dia da reunião, e muita coisa aconteceu antes de ele *ir* até lá. Para começar, leu o livro *Crianças e suas vidas passadas*, de Carol Bowman. Naquele inverno de 2000, ele retirou furtivamente o exemplar de casa sem que Andrea percebesse e leu-o, na hora do almoço, no trabalho. Bruce não acreditava nas histórias das crianças sobre as quais a autora escrevera — elas o faziam revirar os olhos —, mas leu o livro inteiro e não fez objeções quando Andrea entrou em contato com Carol Bowman. Andrea, na verdade, leu o livro *depois* de Bruce. O Natal de 2000 foi bastante agitado, pois Jen e Greg foram passar alguns dias com eles e Andrea deixava para ler o livro tarde da noite, quando não precisava ficar atenta aos pesadelos de James, durante os sensuais banhos de banheira regados a vinho. Ela se identificou com o livro, de modo que enviou um e-mail para a autora.

Prezada Carol Bowman:

Não sou maluca. Coordenei uma operação contábil em uma grande empresa, e meu marido é vice-presidente de uma companhia de petróleo. Minha mãe me deu seu livro de presente, e acredito que meu filho esteja passando pela experiência de uma vida anterior. Ele é obcecado por aviões da Segunda Guerra Mundial e é capaz de identificá-los, por exemplo, o Mustang P-51...

Bruce resmungou algumas palavras ríspidas a respeito daquela "tolice de reencarnação", mas, do seu jeito relutante, ele também estava curioso. Afinal, essa era a primeira vez que estavam consultando um "especialista", alguém que não fazia parte da família. Bowman era uma autoridade reconhecida na área de pesquisas sobre reencarnação. Ela tinha credenciais.

O e-mail de Andrea fez Carol Bowman pensar em algo familiar.

"Eles não eram malucos", concluiu Bowman, depois de uma série de e-mails nos quais tentara ajudar o casal Leininger a controlar os pesadelos de James, no inverno de 2001.

"Prestei atenção ao tom. Eles davam a impressão de ser pessoas lúcidas e equilibradas. E a história tinha um encadeamento comum: a idade em que os pesadelos começaram — 2 anos —, a violência, a lembrança da morte, toda a energia que cercava o trauma. Tudo isso é crucial e compatível com crianças que estão tendo a experiência de uma vida passada."

Carol aconselhou Andrea a dizer a James que ele estava vivendo situações que lhe haviam acontecido antes, que tudo já tinha terminado e que agora ele estava em segurança. Ela afirmou ter usado essa técnica antes, e que ela parecia ter um poderoso efeito curativo nas crianças. Carol também tinha outro conselho muito importante, algo que recomendava a todos os pais cujos filhos pudessem ter lembranças de uma vida passada: não faça perguntas que possam sugerir uma resposta. Por exemplo, não pergunte: "Você pilotou um Corsair?" Isso era algo que Andrea sabia instintivamente; ela nunca induzia James a nada. O que Andrea fazia, como Carol Bowman havia sugerido, era formular perguntas abertas, não específicas, às quais somente ele poderia responder com as informações verdadeiras. Perguntas como: "E depois, o que aconteceu?" Desse modo, Andrea nunca forneceria detalhes ao menino. A abordagem de

Carol, ou seja, dizer a James que o que estava acontecendo com ele era algo que ocorrera antes, mas que agora já tinha acabado, funcionou. Isso aliviou a tensão e, assim que Andrea conversou com James e lhe disse que ele estava dormindo em sua cama e que não estava em um avião em chamas, os pesadelos diminuíram gradualmente de várias vezes por semana para uma vez a cada 15 dias.

Durante as horas que passava acordado, James começou a falar racionalmente a respeito de suas supostas experiências de uma vida passada, fenômeno que Carol Bowman chamava de "associação da realidade".

Em março de 2001, Andrea enviou um e-mail de agradecimento a Carol, informando-a de que sua tática tinha funcionado. Em seguida, a vida seguiu seu rumo, e elas deixaram de se comunicar por mais ou menos um ano.

CAPÍTULO DEZESSEIS

JAMES COMPLETOU 3 anos em abril de 2001, e os pesadelos, graças aos conselhos de Carol Bowman, tornaram-se menos violentos e menos frequentes. Entretanto, a obsessão por aeronaves não arrefeceu. James assistiu a dois vídeos dos Blue Angels várias vezes naquele ano, destruindo-os com o uso. Ele até acabou indo a um encontro com alguns dos pilotos quando a equipe de demonstração de voo dos Blue Angels foi a Lafayette para o Sertoma Air Show.

Em determinado Halloween, uma das tarefas escolares de James foi decorar uma abóbora. Ao contrário de Cinderela, ele insistiu em transformar a abóbora em um avião. Assim, lá foram Andrea e James fazer compras em uma loja especializada em artigos para colecionadores, onde selecionaram um planador de espuma, prendendo as asas e a fuselagem com espetinhos de madeira na abóbora pintada. O produto final acabou se parecendo um pouco com um Thunderbird F-16. Na realidade, alguns dos pilotos de Thunderbird que por acaso estavam visitando Lafayette foram dar uma palestra na escola de James e viram o avião de abóbora. Eles o pediram emprestado para mostrar aos outros pilotos.

É claro que, como acontece na vida de qualquer criança, havia os habituais imprevistos e tribulações. James teve uma infecção aguda na garganta, um abscesso parafaríngeo, que o obrigou a ficar internado alguns dias. A situação foi mais difícil para a família do que para James; ele enfrentou os exames, as agulhas e uma pequena cirurgia como um veterano, e se recuperou vigorosamente. Bruce e Andrea é que ficaram abalados.

De modo geral, James era uma criança comum que levava uma vida comum, ou pelo menos era essa a impressão que ele transmitia. Havia intervalos calmos e sem ocorrências especiais, quando tudo parecia perfeitamente normal. Inevitavelmente, como acontece na vida de qualquer criança, também havia momentos de brincadeiras e travessuras. Ninguém na família se esqueceria da cena em que James, aos 3 anos, subiu no patamar da escada da casa de hóspedes, baixou as calças e fez xixi no quintal, marcando seu território. O vizinho, certamente, sempre se lembraria, pois imediatamente construiu uma cerca de madeira de quase 3 metros de altura, isolando aquele cenário particular.

Foi mais ou menos nessa mesma época que Bruce teve de suportar uma das travessuras mais criativas de James. Certo dia, ao entrar no carro, já atrasado para uma viagem de negócios a Houston, Bruce descobriu que James estivera brincando com as alavancas que ajustam a posição do encosto do banco do motorista, emperrando-as irremediavelmente. Bruce não tinha tempo para corrigir o problema, de modo que teve de dirigir até Houston e voltar com o encosto praticamente na horizontal.

Foi apenas uma traquinagem de criança, e nem Bruce nem Andrea puniam James com algo mais do que um breve castigo ou um olhar de desaprovação.

No entanto, todas as vezes que o casal Leininger baixava a guarda, sempre que os pesadelos diminuíam ou quando as arrepiantes observações de James pareciam apenas obra de uma criança hiperimaginativa — ou seja, sempre que as coisas se acalmavam e a vida parecia seguir adiante sem um momento sobrenatural e emocionante —, eles eram repentinamente lembrados de que o destino deles não era comum. E nunca sabiam o que desencadearia outra estranha revelação.

No meio disso tudo, situações enigmáticas continuaram a surgir de repente. Nessa época, por exemplo, James ganhara de presente dois bonecos GI Joe, e lhes deu nomes curiosos: Billy e Leon. Não os nomes glamorosos e heroicos que poderíamos esperar que um menino de 3 anos desse a seus soldados de linha de frente. O casal Leininger não considerou os nomes peculiares; James tinha uma inclinação para nomes esquisitos. Ele tinha um cachorro de pelúcia chamado Balthazar. Ninguém conseguiu fazer com que James fornecesse uma explicação, algo que ele provavelmente não tinha. Quando lhe perguntavam, ele simplesmente dava de ombros.

Houve outros momentos peculiares, como no dia em que James estava sozinho no solário e, enquanto Andrea observava a distância, ele assumiu a posição de sentido e bateu continência. Em seguida, disse: "Eu o saúdo e nunca me esquecerei. Agora, eis minha opinião."

Qual era o significado disso? Um jogo melodramático de uma criança? Algo relacionado com a queda do avião em chamas que se repetia? Eram muitos mistérios para uma criança que acabara de abandonar as fraldas.

E depois vieram os desenhos violentos. Em algum momento daquele verão de 2001, James começou a desenhar. As imagens eram invariavelmente cenas de combate, com balas e bombas explodindo pela página inteira. Uma batalha naval, sempre havia aeronaves no céu. Os desenhos eram claramente violentos, e os detalhes das armas e das táticas eram precisos e adequados a um estilo. Havia algo inexplicavelmente antigo nas batalhas — elas sugeriam um ambiente da Segunda Guerra Mundial. Nada de jatos ou mísseis. Aviões movidos a hélice combatendo em uma batalha naval.

E James era capaz de dizer o nome dos aviões nas figuras. Ele disse a Bruce e Andrea que tinha desenhado Wildcats e Corsairs, e até mesmo soube dizer o nome dos aviões japoneses com o sol vermelho na fuselagem: Zekes ou Bettys. Por que, perguntou Bruce, ele estava dando nomes de meninos e meninas aos aviões japoneses?

James respondeu que "os aviões dos meninos eram caças, e os das meninas, bombardeiros".

Bruce pesquisou na internet e viu que James tinha razão. De acordo com os integrantes da Marinha norte-americana daquela época, nomes masculinos designavam caças, e os femininos, bombardeiros.

Mas os desenhos continham algo ainda mais curioso: James assinava alguns deles como "James 3". Quando lhe perguntaram por que assinava dessa maneira, ele simplesmente disse: "Porque sou o terceiro James. Sou James 3." No entanto, uma vez mais, ele não tinha outras explicações a fornecer. E nenhum outro estímulo produziu uma resposta diferente. Era como se ele próprio não tivesse as respostas a essas perguntas inoportunas.

Em março de 2002, às vésperas do aniversário de 4 anos de James, Carol Bowman telefonou. Andrea atendeu o telefone.

Ela telefonou certa noite, mais ou menos na hora do jantar. Apresentou-se como Carol Bowman, mas na ocasião não liguei o nome à pessoa, e aconteceram pausas longas e constrangedoras enquanto eu vasculhava meu cérebro. Em seguida ela disse que era a autora de Crianças e suas vidas passadas, *e eu me senti uma completa idiota por não ter reconhecido o nome dela. Conversamos durante cerca de uma hora e ela disse que uma produtora do programa de televisão* 20/20 *a procurara para perguntar se ela gostaria de participar de um dos programas. A produtora era Shalini Sharma, uma mulher de tradição indiana interessada em mistérios espirituais. Ela também acreditava em reencarnação.*

Queriam fazer um programa sobre crianças que se lembravam de uma vida passada. Estavam particularmente interessadas em uma criança cuja lembrança de uma vida passada fosse de natureza militar. Eu podia compreender o motivo. Afinal, pouco mais de seis meses tinham se passado depois dos atentados ao World Trade Center, e fazia apenas cinco meses que as tropas norte-americanas tinham sido enviadas para o Afeganistão, no dia 7 de outubro de 2001 — dia do aniversário do Bruce e motivo pelo qual eu me lembro com tanta clareza. Portanto, os militares e a morte eram recentes na mente de todos.

Carol perguntou se estaríamos interessados, e eu respondi que não sabia. Teria de pensar a respeito. Eu nunca pensara na possibilidade de tornar a história de James pública. Francamente, estava preocupada a respeito do que os vizinhos pensariam. Moramos em uma pequena cidade sulista, fortemente católica. Eu não queria ser excluída. Não queria que pais dissessem aos filhos que não queriam que eles brincassem com James porque ele era esquisito. Eu não queria ser rejeitada por ser considerada idiota ou maluca.

Meu primeiro instinto foi dizer não. Mas eu tinha de falar com Bruce — e, é claro, com o conselho. Quando Bruce chegou em casa do trabalho, conversamos sobre o assunto durante um longo tempo, e, surpreendentemente, ele foi totalmente a favor de que participássemos. Bruce achou que os recursos que uma produtora do 20/20 *poderia utilizar inevitavelmente trariam à tona algumas respostas que não envolveriam a reencarnação. Essa sempre era a intenção de Bruce: jogar água fria na teoria da reencarnação.*

O conselho, contudo, por estar coletivamente à procura de aventuras, foi totalmente favorável à participação de James no programa, desde que sobrenomes não fossem usados e a cidade de Lafayette não fosse mencionada. Andrea temia a perda do anonimato, mas, acima de tudo, receava que seu precioso filho sofresse algum dano.

Mais tarde, Bobbi apresentou uma ideia que pareceu executável: "Por que você simplesmente não permanece receptiva e avalia como se sente em cada fase do processo? Se, em qualquer ocasião, você sentir que as coisas não estão funcionando a seu favor, pode optar por não seguir em frente. Apenas prossiga com um otimismo cauteloso, estabeleça os princípios básicos e faça avaliações à medida que seguir adiante."

Apesar de estar do seu lado, Bruce reclamou do fato de a opinião do conselho ter tanto peso na vida de sua família. Andrea explicou que o conselho era uma realidade da vida que não podia ser evitada. "É assim que funcionamos."

Andrea telefonou então para Carol e compartilhou suas apreensões. Carol foi compreensiva e mostrou-se neutra a respeito da decisão. Andrea se sentiu grata pelo fato de Carol não ter tomado partido, pois qualquer pressão só poderia trazer à tona a tendência excessivamente protetora de Andrea. (Seu medo de molestadores de crianças era tão grande que ela nunca deixava James ir sozinho a um banheiro público; quando Bruce perguntou a Andrea quando ela pretendia permitir isso, ela respondeu, brincando, que isso aconteceria quando ele se formasse no ensino médio ou conquistasse faixa preta no caratê.)

Carol lhe disse que três famílias estavam sendo cogitadas para o programa, que seria um piloto para um novo programa cujo nome provisório era *Unexplained Mysteries* (Mistérios inexplicados).

Haveria uma criança do Colorado e outra da Flórida, mas James era a única com uma história "militar".

Após muitos telefonemas nas semanas seguintes — de Carol para Andrea, de Andrea para Carol, de Shalini para Andrea —, todas as condições de Andrea foram aceitas. Não seriam usados sobrenomes no programa, e a cidade de Lafayette não seria mencionada.

Duas outras histórias talvez fossem usadas no programa, mas a de James seria a mais persuasiva.

No início de maio, depois de James completar 4 anos, Shalini, a produtora do programa, foi visitar a família Leininger. Ela estava fazendo um tour, visitando os meninos no Colorado, na Flórida e em Louisiana. Ela era jovem e bonita, e no contexto de uma decisão na qual os sentimentos e os impulsos desempenhavam um papel tão importante, as "impressões" tinham grande valor. Andrea, Bruce e, o mais importante, James gostaram dela.

O impacto total do que estava prestes a empreender ainda não havia atingido a família Leininger. Não era o fato de o caso ir a público ou mesmo de aparecer em cadeia nacional; era apenas essa mulher jovem e meiga que acreditava em reencarnação; ou seja, ela acreditava em James.

Passaram juntos uma única tarde, mas foram algumas horas plenas. Shalini fez perguntas a James a respeito de sua história, e ele falou sobre o Corsair. Ela pediu ao menino que lhe mostrasse a fotografia de um Corsair, então ele pegou um dos livros de Bruce e selecionou o Corsair.

— Este é um Corsair — disse ele. — Eles costumavam furar os pneus o tempo todo! E sempre queriam virar à esquerda quando decolavam!

James nunca dissera isso antes, nunca fornecera as características do avião. Andrea ficou muito agitada. James acabara de ter uma lembrança de uma vida passada diante de uma pessoa que não era membro da família. Ele as tivera na presença de Jenny e Bruce, mas isso era diferente, significativo, o que foi reconhecido por Shalini. As lembranças de James podiam ressurgir a qualquer momento, desde que tivessem o incentivo adequado. O ocorrido trouxe à tona um novo tema para a conversa da tarde. Naquela noite, quando Bruce chegou em casa, foram jantar no restaurante favorito de James, Tsunami, onde ele comeu seu prato predileto: sushi.

Shalini já tinha sua história principal para o programa. Em sua opinião, James era de fato autêntico.

Em seguida, ela pegou o avião para visitar outra família, na Flórida, outro menino, e verificar outra história.

Cortesia: Natoma Bay Association.

USS *Natoma Bay*, CVE-62.

Cortesia: Natoma Bay Association.

Oficiais do VC-81 em 7 de fevereiro de 1945. Foto que Bruce escaneou após a reunião da Natoma Bay Association em 2002. Primeira fileira, da esquerda para a direita: Jack Larsen (2º), James Huston (8º).

Segundo-tenente Leon Stevens Conner, VC-81, morto em combate em 25 de outubro de 1944.

Cortesia: Anne Huston Barron.

Segundo-tenente James McCready Huston Jr., VC-81, morto em combate em 3 de março de 1945.

Cortesia: Wallace Peeler.

Guarda-marinha Billie Rufus Peeler, VC-81, morto em combate em 17 de novembro de 1944.

Cortesia: Natoma Bay Association.

Guarda-marinha Walter John Devlin, VC-81, morto em 26 de outubro de 1944.

Cortesia: Anne Huston Barron.

James M. Huston Jr., VF-301, como piloto do Corsair, antes de entrar para o esquadrão VC-81.

Cortesia: família Leininger.

James impressionado com os aviões da Segunda Guerra Mundial no Cavanaugh Flight Museum, maio de 2000.

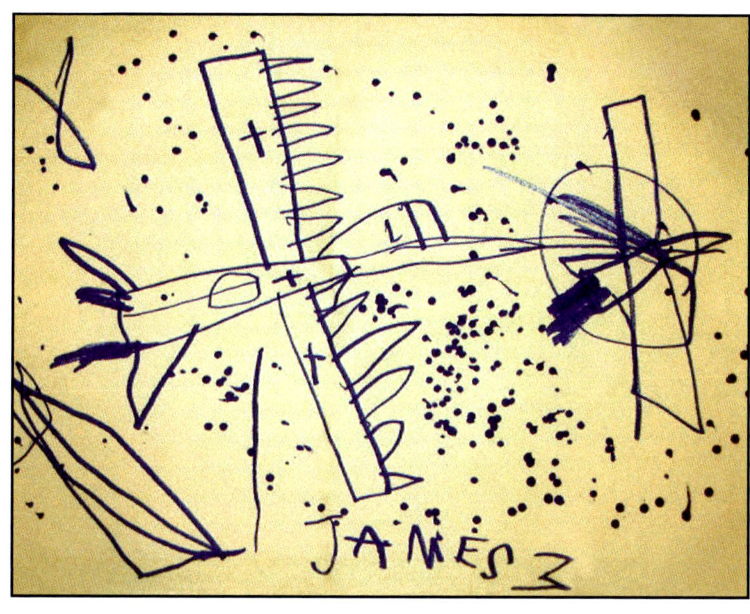

Cortesia: família Leininger.

Um dos primeiros desenhos assinados como James III, quando James tinha 3 anos.

Cortesia: família Leininger.

Desenho para Bruce feito em 2002, assinado como James III.

Cortesia: Anne Huston Barron.

Retrato em aquarela de Anne Barron sobre o qual James perguntou.

Da esquerda para a direita: James M. Huston Jr. com as irmãs Ruth e Anne – aproximadamente 1928.

Cortesia: família Leininger.

James Leininger e Jack Larsen se conhecem na reunião da Natoma Bay Association em San Antonio, em setembro de 2004.

Cortesia: família Leininger.

Anne Huston Barron e James Leininger se conhecem na reunião da Natoma Bay Association em San Antonio, em setembro de 2004.

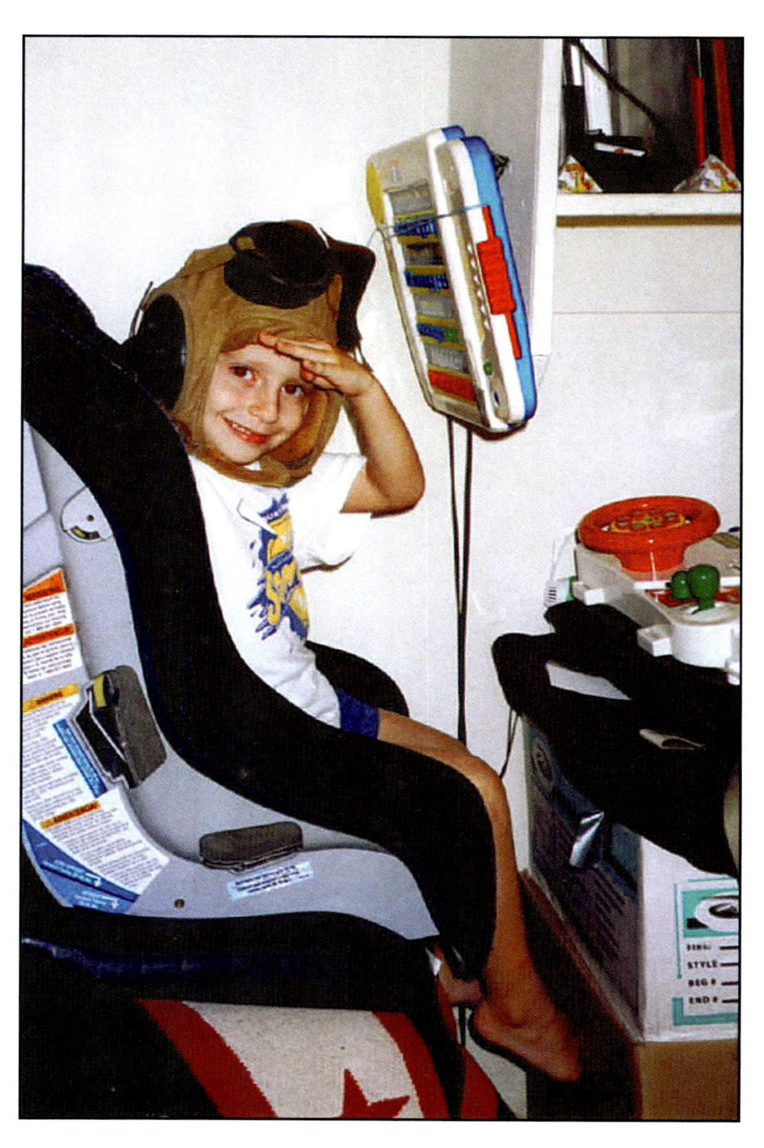

Cortesia: família Leininger.

James em sua cabine de pilotagem, dentro do armário, vestindo o capacete de Jack Larsen.

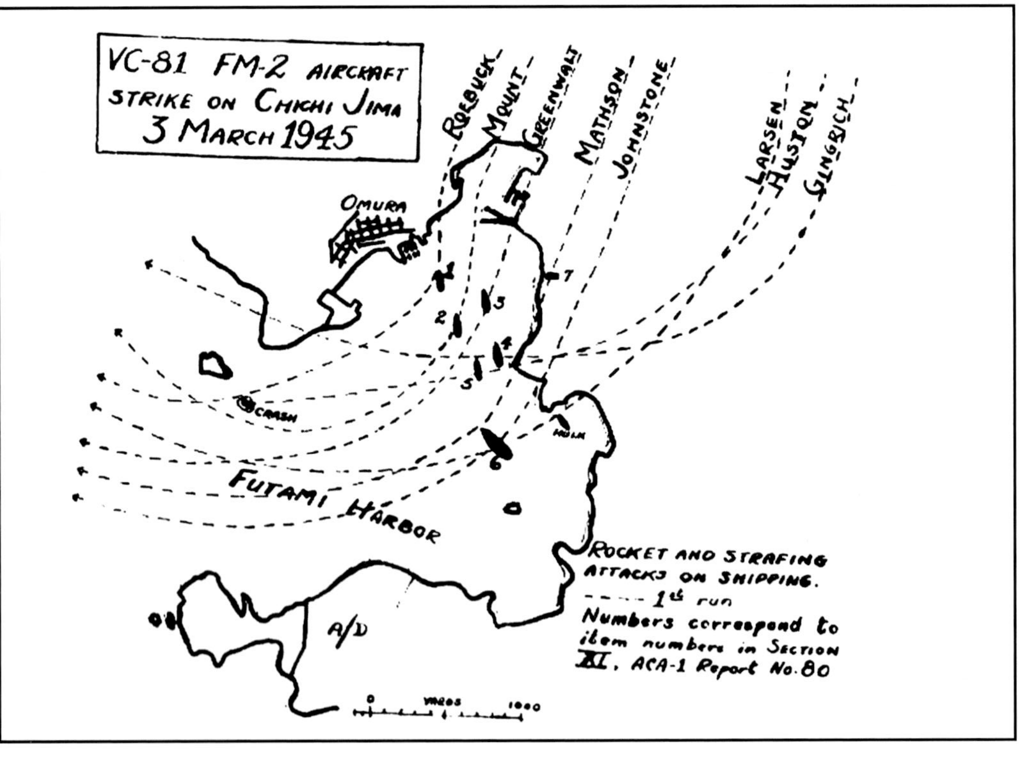

Cortesia: Natoma Bay Association.

Diagrama do lugar onde o avião de Huston caiu de acordo com o relatório de combate do esquadrão VC-81 – 3 de março de 1945.

Cortesia: família Leininger.

Lugar onde James M. Huston Jr. descansa em paz – Futami-ko, Chichi-Jima.

Cortesia: família Leininger.

James Leininger batendo continência para James M. Huston Jr. ao ir embora de Chichi-Jima.

Cortesia: família Leininger.

"Welcome Rock", localizada em Futami-ko, Chichi-Jima.

Cortesia: família Leininger.

Grande hotel cor-de-rosa – Royal Hawaiian Hotel, lugar onde James disse ter encontrado Andrea e Bruce.

Cortesia: família Leininger.

James sentado em um canhão de 127 mm do Nimitz Museum, idêntico ao que ele disse estar localizado na saliência da popa do USS *Natoma Bay*.

Cortesia: família Leininger.

O primeiro desenho pacífico de James depois de voltar de Chichi-Jima.

CAPÍTULO DEZESSETE

EM ABRIL DE 2002, logo depois de seu aniversário de 4 anos, James pegou sua velha cadeirinha para automóvel na garagem e arrastou-a até o armário do escritório de Bruce, montando-a em uma caixa de arquivo de plástico. Em seguida, pegou um brinquedo educativo que tinha um teclado e Bruce ajudou-o a pendurá-lo bem alto sobre a parte da frente da velha cadeirinha do carro. James também conseguiu um painel de um carro de brinquedo que tinha um pequeno fone acoplado e inseriu-o diretamente na frente de sua invenção. Essa era sua cabine de pilotagem. James encontrou ainda um velho capacete de construção civil e ajustou-o, de maneira que se tornasse seu capacete de piloto. Algumas bolsas velhas de lona e uma mochila se tornaram seu paraquedas.

James perambulava pelo escritório enquanto Bruce estava trabalhando, abria a porta do armário, amarrava o equipamento, colocava o capacete, subia na cadeirinha do carro e fechava a porta atrás de si. Bruce ouvia então a decolagem: "*Vruum! Vruummmm! Vrrrrrr!*"

Ele ouvia o combate através da porta: "Entendido... Zero a seis horas... Atingido!"

Depois de algum tempo, a porta abria-se de repente e James entrava tropeçando e caindo. Na primeira vez que Bruce viu isso acontecer, pensou que o filho tinha caído. Mas James simplesmente se levantou, sacudiu a poeira, e quando Bruce perguntou o que estava acontecendo, ele respondeu: "Meu avião foi atingido e eu estava saltando de paraquedas."

Era engraçado, mas ao mesmo tempo sinistro.

James já tinha deixado os pais abalados em um show aéreo na cidade quando subira na cabine do piloto de um Piper Club, pegara o capacete de proteção e o colocara com uma arrepiante familiaridade. Bruce estava ocupado filmando outra cena para um vídeo da família e não viu o que o filho fez, mas ouviu Andrea gritar: "É isso! É isso!"

— O que é? O que está errado?!

— É isso! — repetiu Andrea, apontando para James, que estava colocando o capacete. — É isso que ele faz quando entra no carro! Oh, meu Deus, depois que ele afivela o cinto de segurança, ele coloca o fone de ouvido, exatamente como um piloto!

Essa era a rotina que ela observara repetidamente no carro, na qual James imitava os movimentos de se acomodar em uma cabine de pilotagem.

Até mesmo os Blue Angels ficaram espantados com James. No show aéreo em que ele os conheceu, quando tinha 3 anos, perguntaram a James o que ele queria ser quando crescesse. A maioria dos meninos responderia automaticamente um piloto Blue Angel, mas James foi um pouco mais específico:

— Quero ser piloto do Super Hornet F-18 e depois piloto Blue Angel na posição de voo número 4.

Não era exatamente a ambição típica de um menino de 3 anos.

Nesse meio-tempo, Carol, Andrea e Shalini realizavam sessões diárias para a filmagem do programa de julho do *20/20*. As condições foram aceitas: sobrenomes e nomes de cidades não seriam mencionados, tampouco seriam fornecidas indicações facilmente identificáveis. Shalini enviou de presente a James uma miniatura de um Corsair. Ele logo destruiu a hélice do avião simulando uma queda. James ficou emocionado.

Bruce, por sua vez, estava vivendo um dilema duplo. Por um lado, o verdadeiro motivo para seu intenso interesse pelo *Natoma Bay* seria revelado aos veteranos — ou seja, que ele estivera acompanhando os pesadelos do filho e que a ideia do livro surgiu como uma reflexão posterior. Apesar da omissão de todos os nomes, os veteranos saberiam a verdade. Nesse estágio, ele não conhecia pessoalmente qualquer dos veteranos nem traíra a confiança deles em nenhum aspecto importante, e embora ainda pudesse alegar uma inocente duplicidade, Bruce sentiu uma pontada de remorso.

Havia, contudo, outro dilema, algo ainda mais intenso, e Bruce precisava tomar uma decisão. Já que participariam de um programa em cadeia nacional, Bruce teria de *dar a impressão* de que acreditava na teoria da reencarnação. Mas ele continuava a não acreditar naquilo. Na realidade, sua posição era exatamente contrária. No entanto, que mal havia em *parecer* concordar, ficar quieto e deixar que os profissionais da tevê chegassem às próprias conclusões? Talvez eles mesmos acabassem confirmando ou desmascarando a história. Afinal, algo ou alguém teria de desvendar o caso.

Diante disso, Bruce fez um pacto consigo mesmo, prometendo manter suas dúvidas fora do programa, enquanto deixava que Andrea defendesse o outro ponto de vista. Isso fazia com que ele se sentisse um pouco desonesto.

Em meio à animação e aos preparativos para o *20/20,* Bruce ainda tinha outras preocupações mais urgentes.

Seu período na empresa estava quase terminado. Naquele verão, três empresas haviam se mostrado interessadas em comprar a OSCA, que estava crescendo muito rápido. Em um ano, o valor das ações da empresa tinha mais do que duplicado. Durante todo aquele período, Bruce, junto à equipe executiva, participou de reuniões secretas e silenciosas com a Halliburton, a Weatherford e a BJ Services, examinando a contabilidade, respondendo a ofertas iniciais, ajustando números, tentando proteger os interesses dos trabalhadores e dos acionistas.

Finalmente, o negócio foi fechado: a OSCA foi vendida para a BJ Services, e uma nova e sinistra realidade instalou-se em West St. Mary Boulevard. A maior parte da equipe executiva foi dispensada, o que não representou surpresa alguma. Afinal, essa sempre fora a intenção. Os pacotes de indenização haviam sido bastante generosos. Bruce cuidara dessa parte. Tudo correu como planejado. Mas, mesmo assim, a dura realidade de estar mais uma vez desempregado foi uma ducha de água fria.

Bruce continuou a ir ao escritório, certificando-se de que todos os benefícios para a equipe executiva tinham sido distribuídos, tomando medidas para que a transição de uma equipe administrativa para outra ocorresse sem problemas.

Andrea foi acometida pelo pânico. Seu marido estava desempregado. Independentemente da carteira de ações mais valorizada, do cheque polpudo da indenização e do fato de ele ter sido contratado exatamente para cuidar da venda da companhia, a realidade era que Bruce estava desempregado. E essa realidade conduzia inexoravelmente à outra maldita ameaça. Lafayette era uma cidade pequena. A perspectiva de outro cargo de alto nível na área de recursos humanos ficar disponível nos arredores era pequena. Havia, por conseguinte, a possibilidade concreta de que a família Leininger tivesse de se mudar de novo. Para Andrea, essa era uma ideia impossível.

Até mesmo devido ao ritmo acelerado da família, o verão de 2002 foi agitado. O filho mais velho de Bruce, Eric, estava se formando na Virginia Tech. Toda a família foi de avião para a cerimônia, e durante o voo James causou forte impressão no piloto por causa de seu profundo conhecimento de uma cabine de pilotagem e de seu entusiasmo pelo voo.

Em meio a tudo isso, Bruce precisou se submeter a uma operação de hérnia dupla, depois da qual teve de ir de carro para Dallas. Jen e Greg estavam dando uma grande festa para comemorar os estágios finais da adoção de sua filha, Ainsley. Bruce tinha saído do hospital havia apenas dois dias, mas teve de viajar de carro. Andrea dirigiu os quase 650 quilômetros até Dallas com Bruce reclinado no banco do passageiro, segurando bolsas de gelo.

Ao mesmo tempo, a equipe do *20/20* queria fazer uma filmagem preliminar de James em um museu de aviões antigos. Dessa forma, depois da festa em homenagem a Ainsley, a família pegou o carro e foi para Galveston — cerca de 500 quilômetros de Dallas —, onde, no dia 29 de junho, filmaram James no Lone Star Flight Museum. James deu a volta em um Corsair recauchutado, girou a hélice, tocou as rodas e inspecionou com surpreendente familiaridade todas as partes do avião, que, ao lado dele, eram gigantescas.

James ficou muito sério enquanto realizava a inspeção profissional que um piloto faz na aeronave antes de um voo.

(Bruce mostrou-se hesitante o tempo todo, um espectador, com medo da viagem de volta de 380 quilômetros para Lafayette na estrada interestadual — um pesadelo sacolejante.)

A equipe do *20/20* filmou durante o que pareceu uma eternidade um menino de 4 anos rodeando um Corsair. James chamou a atenção para o gancho traseiro, o qual, disse ele, claramente indicava que se tratava de uma aeronave naval. Somente os aviões da Marinha tinham ganchos traseiros destinados a prender o cabo de retenção quando aterrissavam em um porta-aviões. Também chamou a atenção para os pneus vulneráveis, que recebiam muita pressão quando pousavam em um porta-aviões com a pista quente. Eles tinham a tendência de estourar — outro detalhe fascinante que Shalini Sharma confirmou mais tarde com um historiador naval.

Menos de uma semana depois, Andrea ficou emocionada. Shari Belafonte ia visitá-la! A filha de Harry Belafonte! O conselho inteiro estava emocionado, porém ninguém estava mais feliz que Bobbi, que simplesmente adorava Harry Belafonte. Shari era o talento que realizaria a entrevista ao vivo para o programa *20/20*.

Durante dois dias, Andrea tentou fazer antecipadamente tudo que era possível. Limpou e poliu, como um soldado se preparando para uma inspeção. Deixou a postos um grande jarro de café, bem como uma enorme bandeja de folheados. Encomendou quentinhas e salada de macarrão para o almoço em uma empresa do bairro que fornecia refeições, marcando a entrega para as 11h30.

Às 8h do dia 2 de julho, a equipe chegou à casa da família Leininger. Eram cinco pessoas: um técnico de som, um técnico de iluminação, dois câmeras e a produtora — Melissa. Todos tinham por volta de 30 anos e exibiam um comportamento muito profissional. Examinaram a casa em busca dos melhores ângulos e *takes* para a câmera. Em seguida, começaram a mudar a mobília de lugar, retirando tudo do solário...

Oh, céus!, pensou Andrea, corroendo-se por dentro. *E se eu não tiver limpado o solário adequadamente? E se encontrarem bolos de poeira ou, Deus me livre e guarde, uma barata morta?!*

Melissa explicou que Shari e Carol Bowman estavam em Girard Park, perto do campus da University of Louisiana, filmando outros locais e fazendo mais entrevistas, mas que dali a pouco chegariam.

Por fim, pontualmente às 9h, a campainha tocou.

Shari Belafonte, deslumbrante com o cabelo dourado e macacão de voo verde-oliva, parecia irradiar glamour. Seu sorriso era como um raio de sol, e James simpatizou imediatamente com ela. Shari sentou-se no chão com o menino e brincou com os aviões, e James explicou por que nenhum deles tinha hélice.

Em determinado momento, o telefone tocou. Andrea pôde ver no identificador de chamadas que era sua irmã Jen, de modo que pediu a Shari que atendesse. Jenny ficou exultante e disse: "Estou me sentindo como se estivesse falando com Mick Jagger ou algo assim."

Andrea achou que Carol parecia uma terapeuta: calma e tolerante. Era uma mulher de meia-idade e vestia um conjunto verde-oliva. Tinha a voz suave, o sorriso agradável e não parecia nem um pouco ser uma pessoa crítica.

O calor estava incomodando Carol e Shari, afinal, estavam no sul, em pleno verão. Elas pediram água gelada enquanto Melissa preparava a filmagem.

Andrea se comportava como uma animada beldade sulista, servindo bastante comida e bebida, tirando inúmeras fotos dessa experiência, que só acontece uma vez na vida, certificando-se de que James estava se comportando bem, de que ela não parecia ter 1 milhão de anos e de que ela não parecia gorda! O tempo todo um pensamento passava pela cabeça dela: *Shari Belafonte está em minha casa!*

O almoço foi entregue pontualmente, mas mandaram por engano algumas embalagens extras de salada de macarrão. Por sua vez, Bruce estava um pouco desnorteado com toda a confusão e um pouco enfraquecido por causa da recente cirurgia.

Nesse meio-tempo, o eletricista-chefe instalou as luzes, os câmeras prepararam o equipamento e o técnico de som ajustou os microfones e gravadores. Melissa explicou como seria aquele *take* específico. Quando não saía do jeito que ela queria, gritava "Corta!", e filmavam de novo.

Em determinado momento, Shari perguntou se Andrea e Bruce acreditavam em reencarnação ou em almas que voltavam à Terra, mas logo depois disso o técnico de som informou que a bateria do gravador tinha acabado. Ele colocou uma nova bateria, mas aí houve um problema com o carregador, e não conseguiram gravar.

Melissa pediu a Shari que fizesse a pergunta novamente, mas o parafuso que segurava a câmera no tripé quebrou e ela estatelou-se no chão. Tentaram de novo, e uma vez mais aconteceu um defeito. Logo em seguida, ouviram o som da televisão no aposento ao lado, de modo que todo mundo sentiu um arrepio gelado e assustador. Exceto pelo barulho da televisão a distância, o silêncio era total. Finalmente, a produtora disse: "Vamos perguntar outra coisa." Isso evitou que Bruce respondesse à pergunta crucial a respeito de reencarnação, algo que temia desde que haviam concordado em gravar aquele programa.

A família Leininger passou pouco tempo com Carol Bowman, mas ela lhes disse o que pensava. James era uma criança encantadora, e os pesadelos estavam associados à realidade. Os sonhos não eram fruto de sua imaginação e suas reações eram completamente autênticas. Ela via Andrea como uma mãe preocupada que se esforçava ao máximo para lidar com um turbilhão desorientador. No entanto, Andrea era receptiva à ideia de uma vida passada. Era uma pessoa cordial e disposta a aceitar conselhos: "seja gentil com James", "não tente forçá-lo a responder a perguntas", "deixe que ele se sinta à vontade". "Se ele quiser falar, ótimo; mas não o pressione." "Se ele não quiser ser entrevistado, não o force." Andrea não precisava ser orientada, mas concordou com isso. Sua maneira de encarar a experiência de James era igual à de Carol Bowman. James era um milagre maravilhoso que chamavam de vida passada.

Bruce? Bem, Bruce era outra história.

"Bruce", diria Carol Bowman mais tarde, "era muito hostil à ideia de reencarnação. Isso estava muito claro. Ele não acreditava na possibilidade. Na verdade, lutava contra ela."

De certa maneira, Carol lidou com Bruce do mesmo jeito que lidou com James: ela o deixou em paz. Não tentou forçá-lo a aceitar convicções. Ele teria de chegar sozinho às próprias conclusões. Carol sabia que, quanto mais pressionasse, mais ele resistiria.

De fato, Bruce estava tendo dificuldades com a certeza obstinada de Andrea. Ela acreditava em toda aquela história de vidas passadas, mas ele ainda estava envolvido até o pescoço com a pesquisa sobre Jack Larsen. Ele queria uma prova — algo que resistisse a uma verificação científica — de que vidas passadas eram uma realidade. Além disso, Bruce buscava algo tangível a respeito da experiência de seu filho. Até então, tudo que ele tinha eram indicações desconcertantes de que algo fora do comum estava acontecendo, mas nenhuma prova do que efetivamente era.

Muitas pessoas pensavam como Bruce. No final, Shari Belafonte achou que o caso era fraco demais para ir ao ar. Não que ela não acreditasse nele, mas as provas eram insuficientes. Pelo menos para o horário nobre.

"Na ocasião", relembraria mais tarde Carol Bowman, "não era um caso realmente notável. As indicações eram boas, mas não muito convincentes. Pelo que me lembro, era apenas outra criança com pesadelos."

Como todos viriam a descobrir mais tarde, era cedo demais para dizer qualquer coisa.

CAPÍTULO DEZOITO

NÃO FORAM OS indecisos jornalistas ou mesmo os ambíguos especialistas que levaram Bruce a continuar procurando uma explicação confiável para os pesadelos de seu filho, e sim sua própria relutância em abandonar a busca. Ele precisava saber o que estava acontecendo com James. E tinha de saber por meio de algo mais substancial do que um palpite, uma intuição ou uma teoria fantasiosa.

Foi então que no dia 30 de abril de 2002 algo concreto chegou: uma carta. Leo Pyatt cumprira o prometido.

Prezado Bruce,

Tenho o prazer de lhe informar que a reunião do esquadrão VC-81 do Natoma Bay *CVE 62 está confirmada. Ela será realizada em San Diego, Califórnia, nos dias 8, 9, 10 e 11 de setembro no Grant Hotel... Na realidade, nosso número está diminuindo, mas ainda podemos apreciar esses encontros.*

Leo Pyatt VC-81
CVE 62

Portanto, lá estava Bruce no dia 8 de setembro, voando mais de 3 mil quilômetros em direção à San Diego, sentindo-se um pouco tolo — um fã da Segunda Guerra Mundial de 53 anos com segredos que queria tentar descobrir... e segredos que queria guardar.

Como não conseguiu um quarto no U.S. Grant Hotel, onde o encontro ocorreria, Bruce hospedou-se a cerca de 1 quilômetro dali, em um Holiday Inn. Deixou a bagagem no quarto e pegou a pasta que continha seu gravador, pilhas extras, blocos e várias canetas, além da lista de 18 nomes que ele obtivera em todos os sites em memória dos veteranos: os homens do *Natoma Bay* que haviam sido mortos em combate.

O U.S. Grant, com seu lobby majestoso e decoração de bom gosto, pertencia a outra época. Fora construído em 1910 com toda a pompa e o esplendor do estilo eduardiano. Durante a Segunda Guerra, foi um dos elegantes refúgios para o pessoal da Marinha que logo partiria para o combate. O Grant guardava importantes lembranças para os homens do *Natoma Bay*, que haviam passado por San Diego mais de meio século antes. O hotel era o símbolo de um mundo elegante e confortável, bem como da juventude deles.

Bruce perguntou ao concierge onde era o encontro, e o homem apontou para uma placa: Sala de Operações do *Natoma Bay*, Segundo Andar.

Eu me senti como se estivesse pisando em solo sagrado. Todos eram, sem dúvida, veteranos, nenhum tinha menos de 75 anos, mas seus olhos continham a luz inconfundível de algo excepcional. Era o brilho de homens que sabiam exatamente quem eram e o que tinham feito. Brincavam e implicavam uns com os outros com a familiaridade de homens que tinham vivido juntos uma versão do inferno. Eles haviam sido postos à prova.

Alguns frágeis veteranos estavam conversando perto da porta e me cumprimentaram demonstrando simpatia. Eles me aceitaram aberta e inocentemente, como fariam com um viajante sedento.

A sala estava ocupada com mesas cobertas de pôsteres, mapas e fotografias — os mais diversos tipos de recordações, diários e documentos —, um arquivo do Natoma Bay. *Um homem cordial com o cabelo completamente branco se aproximou de mim enquanto eu folheava o material que estava na mesa e se apresentou.*

— Sou John DeWitt — disse ele, estendendo a mão.

Eu sorri, pois estivera tentando entrar em contato com John DeWitt havia meses. Ele era o historiador naval e secretário da Natoma Bay Association. E, como ficou evidente, como tantas coisas naquela sala de operações improvisada das quais eu apenas ouvira falar — e das quais duvidava —, ele era real.

— Tentei falar com você várias vezes — comentei. Uma delicada reclamação.

Ele assentiu com a cabeça. Sabia que pessoas andavam tentando entrar em contato com ele.

— Estou aposentado, você sabe. Isso quer dizer que não fico sentado esperando que alguém me telefone.

— Então, por que você não tem uma secretária eletrônica?

Ele fez uma pausa, avaliando, suponho, se eu merecia ou não uma resposta sincera.

— Bem, Bruce — suspirou John, depois de ter decidido a meu favor —, quando me aposentei, disse a mim mesmo que jamais deixaria um telefone governar minha vida. Se uma pessoa realmente quiser falar comigo, ela ligará novamente.

Foi um momento de aprendizado para mim; ele me revelou muita coisa a respeito de valores e prioridades daquele grupo social subestimado. A vida estava bem diante deles, e eles não ficavam sentados, ansiosamente esperando que alguém ligasse.

— O que o traz ao nosso modesto reencontro? — perguntou ele.

Contei então a história falsa, do homem imaginário na cidade onde eu morava que falara sobre o Natoma Bay, *e repeti a mentira inofensiva de que eu estava pensando em escrever um livro a respeito do navio — mentira essa que estava começando a queimar meus lábios.*

Não que tudo que eu falei tenha sido falso. Eu disse a John que tinha uma lista de 18 homens que morreram em combate enquanto serviam no navio, e que eu gostaria de saber mais coisas a respeito deles. (Um deles, em particular. Shalini Sharma, a produtora do 20/20, *me informara que um amigo dela do Center for Naval History encontrara o registro de um tal de John Larsen que era piloto naval, e esse nome era bem próximo de Jack Larsen.)*

Por razões óbvias, não mencionei os pesadelos de meu filho nem a investigação que eu estava fazendo para tentar provar que tudo aquilo era falso. Neste caso, eu achava que o fim justificava os meios, embora eu não achasse nada de errado em minha conduta.

John DeWitt, acreditasse ou não na minha história, me concedeu o benefício da dúvida. O navio certamente merecia um livro. Afinal de contas, ele era o historiador e sabia tudo a respeito das batalhas travadas e das baixas sofridas pelo Natoma Bay.

Em seguida, eu trouxe à tona o nome da pessoa na qual estava realmente interessado: Jack Larsen. Disse que estivera tentando encontrá-lo. Queria saber que fim ele levara. Leo Pyatt me informou que o vira ir embora um dia e ele nunca mais voltou. Parecia que fora dado como desaparecido, e eu não tinha certeza se descobriria o que afinal aconteceu depois que ele deixou o navio. Somente os membros da família tinham acesso aos registros militares e pessoais desses veteranos.

DeWitt inclinou a cabeça e olhou para mim com uma expressão meio interrogativa.

— Sabe de uma coisa, Bruce? Acho que ele está na lista dos membros de nossa Associação.

Ele me conduziu a uma das mesas da sala, remexeu em uma pilha de documentos, retirou dela um maço de papéis amassados e começou a analisá-lo. Várias páginas depois, parou com um sorriso nos lábios.

— Eu estava certo, aqui está ele — disse John, mostrando-me a página que tinha o nome de Jack Larsen.

Em seguida, ele me perguntou se havia algo errado. Aparentemente, eu empalideci.

— Você está se sentindo bem?

Talvez eu tenha dito que sim, não lembro; eu estava naquela névoa temporária que embaça a memória. E tentava aceitar o fato de que Jack Larsen, o esquivo personagem cuja morte eu estivera tentando documentar, não apenas estava vivo, mas morava em Springdale, Arkansas.

Naquele momento, enquanto eu tentava absorver essa última revelação, Leo Pyatt aproximou-se da mesa e se apresentou. Depois dos cumprimentos, eu disse que John DeWitt acabara de bater na minha cabeça com um martelo. Ele me mostrou o nome de Jack Larsen na lista da associação. Ele ainda estava vivo!

O que eu disse não pareceu perturbar Leo. Não ficou nem mesmo surpreso. Aparentemente, eu interpretara errado o primeiro comentário que ele fizera, dizendo que Larsen tinha ido embora um dia e ninguém voltara a vê-lo. O que Leo, na verdade, tinha intenção de dizer era que Larsen havia literalmente pego o avião e ido embora do Natoma Bay *para participar de outra missão, o que não significava necessariamente que ele tivesse morrido.*

Tudo aquilo estava quase além da minha capacidade de assimilação. Eu estava no local havia menos de meia hora e encontrara uma grande peça do quebra-cabeça, algo que me mantivera acordado nos dois anos anteriores. E ela estava na minha cara o tempo todo.

Tive de me acostumar às novidades. Havia também a questão de James M. Huston, o nome que sempre se destacara na lista dos 18 falecidos. Nome ao qual eu sempre resistira. Eu havia descartado Huston como um candidato para a minha pesquisa. Tinha os meus motivos, mas, pensando bem, nenhum deles era muito bom. Eu simplesmente não queria que ele fosse o cara. No entanto, agora eu precisava repensar aquele nome...

Tratava-se, na verdade, de um problema em família. Andrea se dera conta de que a solução poderia estar no nome de Huston muito antes do encontro. Ela viu o "James", de modo que, para ela, a conexão era evidente. Mas ela não conseguiu fazer com que Bruce percebesse a mesma coisa. Ele estava dedicado à sua primeira escolha, Jack Larsen. Ele ouvira as palavras da boca do próprio Leo Pyatt: Larsen foi embora um dia e nunca voltou.

Bruce passou o restante dessa primeira noite do encontro tentando obter o maior número possível de informações para reiniciar sua pesquisa, mas foi em vão. O local estava cheio de militares idosos da Marinha e da Força Aérea relembrando o que tinham passado no oceano Pacífico, mas não era isso que Bruce estava procurando. É bem verdade que os veteranos tinham vívidas recordações, mas não enxergavam a realidade mais ampla. À semelhança de todos os soldados, eles observavam a guerra a partir da perspectiva de uma trincheira, mesmo que estivessem em um porta-aviões.

O *Natoma Bay*, como todos os navios, era fortemente compartimentado. Os grupos da Força Aérea não interagiam com a tripulação do navio e vice-versa. O mesmo ocorria entre os esquadrões: os membros do VC-63 conheciam os outros membros do VC-63, mas não conheciam os membros do VC-9 ou do VC-81. Eram compartimentos à prova d'água. Eles se lembravam dos caras da própria seção, mas, se não tinham nenhum assunto a tratar com alguém, eles não se misturavam. Era assim que tudo funcionava.

Bruce se viu examinando os registros, procurando relatórios de combate e tentando obter informações relevantes dos veteranos, e embora eles estivessem receptivos, simplesmente não conseguiram resgatar suficientemente as lembranças para satisfazê-lo.

— Não o conheci, não era do meu esquadrão — era a resposta habitual. Ou, então, "Ele não aparece nas reuniões".

Esse era Jack Larsen. Por que ele não ia aos encontros?

— Não sei — respondeu DeWitt. — Sempre enviamos os convites, mas ele nunca aparece. Alguns caras não vêm. Não gostam de recordar.

Tentou então seguir esse novo fio, o que conduzia a James Huston. Mas Bruce não acreditava nele. Teria vasculhado mil relatórios de missões de combate para descobrir exatamente o que acontecera a Huston. E Bruce viria a descobrir que Huston nem mesmo morrera em Iwo Jima. Fora morto em uma missão a algumas centenas de quilômetros de distância, em um lugar chamado Chichi-Jima. E ninguém vira seu avião ser abatido. Mas, nesse estágio, Bruce não estava disposto a seguir essa pista. Por motivos tanto explícitos quanto intuitivos, ele não queria acreditar que Huston fosse o homem que estivesse procurando. Larsen — esse era o nome que o filho lhe fornecera. Esse era o nome que aparecia nos pesadelos. James nunca mencionara Huston, e esse era o fundamento lógico ao qual Bruce se agarrava. Ele permaneceu perdido em uma névoa, tendo o nome Jack Larsen como o dado concreto com o qual podia contar.

Escoltado por seus novos amigos, Leo Pyatt e John DeWitt, Bruce ajudara a reunir os veteranos, levou-os a falar, mas não demorou muito para que eles ficassem cansados, começassem a bocejar e fossem embora.

Bruce voltou para o hotel em um estado de extrema agitação, confusão e nervosismo. A primeira coisa que fez foi telefonar para casa.

Andrea não ficou surpresa ao ser informada a respeito de Jack Larsen. Nem mesmo ao saber que ele estava vivo e morava em Arkansas. Ela ficou feliz porque talvez fossem finalmente conseguir explicar as coisas e até mesmo contente porque o dinheiro da viagem não fora desperdiçado.

— Nossa, como estou feliz por você ter ido à reunião! — exclamou.

Em seguida, Bruce falou a respeito de James M. Huston, e ela demonstrou espanto ao telefone.

— Oh, meu Deus!

Bruce estava menos animado, e não conseguiu entender de imediato o que ela quis dizer.

— Ouça, já topamos antes com esse nome — disse ele. — Nunca concordamos a respeito dele. O caso não está tão claro e...

— Não! — exclamou Andrea, praticamente berrando. — Repita o nome.

— James M. Huston Jr.

— Você ainda não *percebeu*?

— Percebi o quê?

— Junior, Junior! Nunca tínhamos visto antes esse "Junior". Isso faz do nosso James... James III.

Era a assinatura na parte inferior de todos os desenhos que o pequeno James Leininger fazia de batalhas aéreas e navais: "James 3".

Andrea estava ansiosa para desligar o telefone e convocar o conselho, mas primeiro queria convencer Bruce a seguir aquela pista, a juntar o maior número de documentos que conseguisse carregar e telefonar para Jack Larsen, agora que o tinham encontrado.

— Hoje está muito tarde; vou telefonar de manhã. Nesse meio-tempo, não fique toda animada a respeito de Huston. Ele pode não ser quem estamos procurando.

— É ele, eu tenho certeza — disse Andrea a Bruce, tentando não explodir de entusiasmo.

— Os registros não são claros — insistiu Bruce.

— Bruce!

Ele recorreu ao fato de que ninguém no encontro jamais soubera o que acontecera a Huston. Ninguém efetivamente o vira morrer.

Além disso, a verdade é que Bruce era teimoso. Ele ficara cego pela declaração anterior de Leo Pyatt de que Larsen tinha ido embora em um determinado dia e ninguém jamais o vira de novo. Ele considerou isso uma prova irrefutável de que o caso estava solucionado.

Mas ele estava cedendo. Suas convicções estavam começando a ser abaladas, alvejadas pelos franco-atiradores das vidas passadas. Ele estava ficando um pouco cansado de defender sozinho essa causa. Mesmo assim, ainda tinha uma carta na manga.

— E o Corsair? — perguntou, quase gritando.

Andrea não soube responder.

Ele insistira nesse ponto crucial. Nenhum Corsair jamais decolara do *Natoma Bay*; todos os veteranos presentes no encontro concordaram unanimemente quanto a isso. Huston estava pilotando um FM-2 Wildcat no dia em que morrera, e não um Corsair, como afirmava James.

E não havia testemunhas oculares de sua morte, de modo que não sabiam se ele tinha sido derrubado da maneira como James descrevia. Ele pode simplesmente ter ficado sem combustível.

No que dizia respeito a Bruce, a coisa toda ainda era um mistério.

CAPÍTULO DEZENOVE

EU ESTAVA PREOCUPADA com Bruce. Ele voava de volta para casa no primeiro aniversário do atentado terrorista — 11 de setembro. Ele não mencionara o fato, de modo que também não falei nada, mas, quando o avião aterrissou em Houston, suspirei aliviada. Um fanático maluco talvez tentasse explodir um avião que estivesse indo de San Diego para Houston, mas imaginei que nenhum terrorista com um mínimo de autorrespeito se daria ao trabalho de destruir um avião teco-teco indo de Houston para Lafayette.

Nesse meio-tempo, o relato que Bruce fez da reunião foi uma grande notícia para nós, meninas. O conselho assimilou todas as informações, analisou-as, deu a elas sua interpretação pessoal, suas melhores ideias, seus palpites, e depois falamos... simplesmente não paramos de falar. Era impossível nos fazer calar. O telefone não parou por um único instante; alguém sempre tinha outra ideia, outra opinião. Ah!, e todas tínhamos milhares de ideias e opiniões! E houve também um monte de momentos "Bem que eu te disse". Mas, acima de tudo, estávamos loucas de curiosidade. Mal podíamos esperar para ouvir as novidades de Bruce.

As notícias de San Diego causaram rebuliço na vida de Andrea. As informações eram abundantes. Como é possível aceitar uma resposta definitiva para algo em que depositamos nossas energias sem pensar um pouco, sem um momento de reflexão?

Isso era tudo?

Jack Larsen estava vivo!

Não, claro que não; ela tinha de esperar pelo momento final. Tinha de esperar até Bruce sentar ali na sala, frente a frente, pronto para ser interrogado. Era angustiante ter tantas revelações e depois se comportar como se nada tivesse ocorrido.

Mas era exatamente isso o que ela deveria fazer. Andrea tinha um filho e uma vida, e pessoas dependiam das tarefas diárias que eram sua responsabilidade.

Além disso, como sempre, a vida era complicada. Andrea era uma pessoa comum. Ela podia dar a impressão de ser uma fortaleza, mas um grande número de pequenos defeitos estava oculto por aquele sorriso luminoso.

Apesar de a presença de Bruce na reunião aparentemente ter sido produtiva, Andrea sentiu uma pontada de inveja por ter sido deixada para trás. Por que seu marido deveria realizar uma elegante viagem "investigativa" de quatro dias à Califórnia enquanto ela tinha de ficar em casa e... lidar com os problemas do dia a dia? Um pequeno e desagradável ressentimento.

Logo, ela procurou agradáveis compensações. Andrea sempre fora capaz de enxergar o lado positivo de qualquer situação. Na ausência de Bruce, ela teve James todinho para si. Comportaram-se como duas crianças que se encontravam para comer junk food e fazer travessuras. Saíram para almoçar comida mexicana e assistiram a *Lilo & Stitch* no cinema. E, enquanto Bruce insistia no ritual do jantar de família à mesa, Andrea podia se soltar um pouco quando só tinha de preparar a refeição para James e para ela. Preparou uma "noite de café da manhã no jantar", com ovos mexidos e torrada. E pôde preparar o quiche, comida que Bruce considerava efeminada, que seu filho comeu e realmente apreciou. À noite, James dormia com ela. De manhã, Andrea tinha uma cama a menos para arrumar.

Toda a rotina da casa assumiu um ritmo relaxado e passou por uma espécie de desaceleração, de afrouxamento.

James teve permissão para convidar seu melhor amigo, Aaron Brown, para ir brincar com ele no quintal. Eram colegas de turma do pré-jardim da Asbury United Methodist Church. Andrea adorava a escola; ficou encantada imediatamente quando viu James saltar do carro, jogar os braços para fora como asas e depois correr, pular e dar voltas na calçada, entrando em seguida na sala de aula.

Ele fizera muitos amigos na escola, mas nenhum tão próximo quanto Aaron Brow, um anjinho louro.

De tempos em tempos, Andrea também convidava outra colega dele, Natalie St. Martin, uma moreninha graciosa, para se juntar a eles no quintal. A mãe de Natalie, Lynette, se tornara amiga de Andrea. As duas mães se sentavam no terraço bebericando café enquanto as crianças corriam pelo jardim.

Mas era quando James estava com Aaron que Andrea idealizava as brincadeiras realmente interessantes para os meninos. A preferida era o ataque aos brinquedos quebrados. Andrea enchia um balde com pequenas bolas de encher cheias de água e depois o arrastava até o quintal. Os meninos ficavam esperando no patamar da escada da garagem de dois andares. Eles carregavam o balde para cima, para a plataforma, e depois atiravam as bolas cheias de água sobre os restos dos brinquedos escolhidos como alvo. Um cruzador foi atingido! Era uma brincadeira barulhenta e emocionante.

Andrea observava a uma distância para manter-se seca e segura enquanto os meninos corriam, gritavam, guinchavam e jogavam as bombas; duas crianças de 4 anos brincando felizes.

Tudo era muito inocente. Só que algo triste contrariava toda aquela alegria. Carol, a mãe de Aaron, fora diagnosticada com câncer e estava se submetendo a sessões brutais de quimioterapia no Our Lady of Lourdes Hospital, que ficava próximo. Andrea empenhou-se em proporcionar a Aaron momentos alegres para que ele se distraísse e esquecesse um pouco o que estava acontecendo na outra esquina da West St. Mary Boulevard.

Quando as bolas se esgotaram, Andrea os chamou para almoçar: salsichas empanadas, macarrão com queijo, ou sanduíches de queijo quente e sopa; frutas, legumes e verduras sempre faziam parte da refeição. Todos davam as mãos, oravam e falavam sobre a escola ou assuntos de criança — qualquer coisa que passasse pela cabeça dos meninos. Depois eles voltaram para o bombardeio.

No final da tarde, o quintal era um arco-íris de pedaços multicoloridos, e James e Aaron ficavam corados e ofegantes.

Eles entravam, comiam biscoitos, bebiam leite e assistiam a desenhos animados na televisão. Os dias eram sempre agradáveis e divertidos — até que o pai de Aaron ia buscar o filho para levá-lo para casa. A casa da família Leininger tornara-se um santuário para Aaron e, dia após dia, James e Andrea mantinham a cabeça dele afastada da dura realidade em seu lar.

A mãe de Aaron faleceu três meses depois de receber o diagnóstico.

As contas eram responsabilidade de Andrea, e ela cuidava disso com a perspicácia de um auditor da Secretaria da Receita Federal. Ela ia às compras com uma calculadora e uma bolsa cheia de cupons de desconto. (Os jornais da cidade não tinham os melhores cupons, de modo que Andrea pedia a Bobbi que recortasse uma porção deles do *Dallas Morning News* e enviasse para ela todas as semanas.) Bruce já estava desempregado havia três meses, e o orçamento estava apertado. Eles gastavam 7 mil dólares por mês apenas com as coisas básicas: hipoteca, manutenção dos carros, seguro de saúde, pensão para a ex-mulher e os filhos de Bruce. Andrea ficava com 75 dólares por semana para gastar com comida. O dinheiro da indenização da OSCA só duraria mais seis meses. Quando ele acabasse... bem, não haveria outra escolha, Bruce simplesmente teria de arranjar outro emprego. Ele planejava abrir um negócio de consultoria no outono, mas Andrea estava cética com relação à ideia.

A viagem a San Diego foi um grande sacrifício. Para que Bruce pudesse comparecer ao encontro, tiveram de recorrer à conta de seu fundo de emergência. Enquanto Bruce estava fora, ela o visualizava hospedado em um hotel elegante, saboreando jantares sofisticados enquanto ela e James tinham de ficar em casa comendo ravióli enlatado.

Mas as meninas do conselho foram unânimes. Os homens do *Natoma Bay* não estavam ficando mais jovens, e quando morressem, as lembranças morreriam com eles, o que faria com que a possibilidade de solucionar os pesadelos de James também se extinguisse.

É claro que elas estavam certas, e a Andrea "pão-dura" e com senso prático cedeu. Bruce tinha de ir. E, como ela constatou mais tarde, ele achou ouro. Ele encontrou Jack Larsen!

Na manhã do segundo dia do encontro, depois de descobrir que o homem estava vivo, Bruce telefonou para Jack Larsen de seu quarto no Holiday Inn. Na ocasião, ele ainda estava sob o fascínio de uma possível ligação entre Jack Larsen e James — seu filho. Tinha de haver uma conexão, raciocinou. "Por que outro motivo James nos teria fornecido o nome dele?"

No telefone, Bruce repetiu a história de que iria escrever um livro e precisaria de todas as informações que pudesse obter sobre o *Natoma Bay*, e Jack Larsen foi afável e cordial — não poderia ter sido mais agradável. "Sem problemas", disse ele, "venha ao Arkansas, quando estiver pela área. Terei prazer em ajudá-lo."

Depois que desligou, Bruce caminhou até o Grant e encontrou Al Alcorn, um dos tripulantes do *Natoma Bay* que se tornara uma pessoa influente na associação. Foram até o porto. Todos os veteranos estavam partindo em uma excursão de barco que iria além da North Island Naval Air Station, onde muitos pilotos da Marinha tinham treinado durante a Segunda Guerra Mundial.

John DeWitt, Leo Pyatt e Al Alcorn, que se haviam nomeado guias de Bruce na reunião, convidaram-no para se juntar a eles, mas Bruce recusou o convite, alegando preferir passar algum tempo na sala de operações e dar outra olhada nos documentos.

Quando ficou sozinho com as pilhas de documentos, perdeu a noção do tempo. Pulou refeições e inclinou-se sobre os documentos desgastados, incompletos e frustrantes que tinha diante de si. O material era suficiente para motivá-lo, mas não para responder às suas perguntas. De qualquer forma, ele estava na pista certa. Registros, documentos informativos — provas! — eram sua especialidade. Não as especulações esotéricas que surgiam em Dallas e Lafayette!

A lista das baixas que ele obteve da Battle Monuments Commission (Comissão de Monumentos de Combate) estava incompleta (na realidade, 21 homens do *Natoma Bay* haviam morrido, não 18, e eles estavam distribuídos por três esquadrões). Bruce não sabia que nomes pertenciam a cada esquadrão, até que encontrou o material em San Diego. Um dos membros da tripulação do navio também tinha falecido: Loraine Sandberg. Dos pilotos, quatro homens do VC-63 haviam sido mortos: Edmund Lange, Eldon Bailey, Eddie Barron e Ruben Goranson; cinco do VC-9: Clarence Davis, Peter Hazard, William Bird, Richard Quack e Robert Washburg; e 11 do VC-81: Adrian Hunter, Leon Conner, Donal Bullis, Louis Hill, Walter Devlin, Edward Schrambeck, Billie Peeler, Lloyd Holton, John Sargent, George Neese e James M. Huston Jr., o único homem morto na batalha de Iwo Jima.

James Huston Jr., o único homem morto em Iwo Jima! Isso deveria despertar sua atenção.

Entretanto, em alguns momentos a mente de Bruce ficava paralisada. Ele via algo bem diante de seus olhos, mas não conseguia entender o significado. O nome James Huston só era registrado dentro dos limites do que Bruce previamente aceitara como verdadeiro. Ele precisava de provas.

Seu filho não mencionara Huston; só se referira a Jack Larsen. Bruce ouvira o nome dos lábios de James: Jack Larsen. Corsair. Ele se viu em um beco sem saída.

Mas não Andrea. Quando Bruce ligou, como em todas as noites, para fazer um relatório do dia, ela sentiu o calafrio da clareza de uma resposta completa para a busca.

Eu sabia. Sabia instintivamente. Mesmo antes de ele ir à reunião dos veteranos. Desde que vi o nome pela primeira vez na lista de baixas — eu sempre soube que era James Huston.

Não sou como Bruce. Quando li o livro de Carol Bowman, soube que Huston era o "James" de quem meu filho se lembrava. Eu não precisava de nenhuma prova ou confirmação. Aceitei a explicação da vida passada como a única que fazia sentido, a única que prometia um resultado tranquilo para meu filho. James Huston soou familiar. E quando Bruce telefonou de San Diego dizendo que ele fora o único combatente morto durante a batalha de Iwo Jima, bem, é claro que era James Huston. Ponto final. A busca tinha acabado. Mesmo antes de eu saber do detalhe de que ele fora o único morto nessa batalha, mesmo antes de tudo isso, juro que lá no fundo eu sabia.

Nesse estágio, para Bruce, eram apenas nomes. Como se estivesse olhando para nomes gravados em uma placa de mármore, num monumento da Segunda Guerra Mundial.

Os registros mostravam que James M. Huston Jr. morrera no dia 3 de março de 1945. Ele estava pilotando um FM-2 Wildcat, dando cobertura a uma missão de bombardeio contra Chichi-Jima, a base de suprimentos situada a menos de 300 quilômetros de Iwo Jima.

Bruce ficou perturbado; era uma possibilidade. Mas sua posição inflexível contra a reencarnação persistia: Huston estava pilotando um Wildcat, não um Corsair! Ou ele não era Huston, ou seu filho estava equivocado com relação ao avião. Droga! Por que as coisas não podiam se alinhar agradavelmente, como uma equação matemática? Por que sempre tinha de haver essas complicações ilógicas?

Ainda assim, sua característica obstinação o levou a continuar a investigar, superando, ao que parecia, as próprias objeções. Ele não conseguia parar. Bruce era uma pessoa difícil.

Na reunião, ele encontrou um dos pilotos do VC-81, Ken Wavell. Era um homem alto e magro, de fala mansa, que se lembrava dos pilotos abatidos. Walter Devlin, por exemplo, caiu na água perto de navio, mas não sabia nadar. Wavell atirou uma boia salva-vidas de seu avião, que estava circulando o local, mas era tarde demais. Devlin se afogou. Ele fora simpático, e Bruce pôde notar que falar naquilo ainda incomodava Wavell, de modo que mudou de assunto.

— E o que você tem a me dizer sobre James Huston? — perguntou Bruce.

— Ele era realmente um bom homem — respondeu Wavell.

— Por quê?

Wavell não se apressou em responder.

— Bem, muitos caras deixavam de ir em uma missão para a qual haviam sido designados se outros quisessem ir no seu lugar. Era permitido fazer isso. Mas Jim nunca fugia à sua obrigação. Ele foi o primeiro a se apresentar como voluntário para a missão daquele dia. Eu estava na sala de operações quando o subcomandante convocou pilotos de caça para escoltar os TBMs até Chichi-Jima. O local estava coberto por baterias antiaéreas. Foi lá que o TBM de George Bush foi derrubado em 1944. Era um lugar muito perigoso. O fogo antiaéreo cobria cada centímetro do porto de Futami Ko, que conduzia a Chichi-Jima. Mas Jim se apresentou como voluntário.

Não que ele fosse imprudente. Earl Garrison, que era o empacotador de paraquedas do esquadrão, recordou que Huston sempre reconferia cuidadosamente seu equipamento antes de cada missão.

Ironicamente, ele estava para ser substituído pelo restante de seu esquadrão. De uma maneira ou de outra, por mais cuidadoso que ele fosse, Chichi-Jima seria sua última missão.

Jack Larsen estava na fotografia em grupo que Bruce examinou no avião quando voltava da reunião, assim como Ken Wavell e James Huston. Quando chegou a Louisiana, Bruce não tinha certeza do que estava procurando, tudo parecia muito confuso, mas ele sabia que alguma coisa importante esperava para ser descoberta.

> *Fui com James buscar Bruce no aeroporto. Ele trouxe um avião de brinquedo, e sua bagagem estava cheia de dossiês, fotos, relatórios e anotações que ele tinha reunido, copiado e pedido emprestado (...). Eles abririam um mundo inteiramente novo de pesquisas. Bruce agora estava obcecado, e minha influência era muito pequena. Eu conseguia perceber que ele teria de chegar sozinho às minhas conclusões. Poderíamos conversar sobre o assunto, mas ele iria em frente independentemente do que acontecesse...*

Bruce chegou na quarta-feira à noite; estava preparado para um completo interrogatório. Passara muito tempo em uma gráfica em San Diego, copiando tudo aquilo em que conseguiu pôr as mãos: diários de bordo, listas de ex-alunos, fotografias do navio, fotografias da tripulação. E agora tinha bons motivos para dar seguimento à busca: Jack Larsen estava vivo... e disponível.

Essa nova pista parecia indicar que Larsen não era o homem que estavam procurando. Talvez estivessem procurando James M. Huston Jr.; ou, dizendo de outra maneira, James II.

James III estava dormindo em seu quarto.

Dessa vez, Andrea não sabia de todas as novidades. Bruce estava de posse de um grande número de informações, histórias e pistas. Ele estava em uma missão. Havia algo a respeito desses homens idosos, arqueados pelas cicatrizes de combates e pela idade... Bem, Bruce teve dificuldade em explicar com exatidão suas conclusões para Andrea. Aqueles veteranos podiam parecer muito velhos e cansados, mas ele os via como estavam nas fotos: jovens magros, exibindo no rosto um sorriso torto e atrevido, homens que davam a impressão de brilhar intensamente com o que Bruce via como um destino imortal. Ele estava fascinado.

Os veteranos também fizeram com que ele se sentisse um pouco envergonhado. Sua pequena mentira a respeito de escrever um livro em homenagem a eles não estava à altura daqueles homens. A mentira transformou-se em outra coisa: uma promessa. Portanto, Bruce e Andrea concordaram em continuar procurando o máximo que pudessem a respeito de Jack Larsen e James Huston, e obter respostas para as perguntas e dúvidas. Também começariam a reunir as informações necessárias a respeito de todos os homens que haviam servido a bordo do *Natoma Bay*, para cumprir a promessa.

Andrea tinha uma missão diferente:

Acordei no meio da noite em pânico. Oh, meu Deus! O que estamos fazendo? Eu tinha um monte de fantasias românticas a respeito de James M. Huston — um jovem bonito e agradável, de boa família, que tivera uma morte heroica e magnífica a serviço de seu país. Um típico sonho americano. Mas e se descobríssemos que ele era um conquistador barato que traía a mulher, espancava os filhos e roubava dinheiro do prato de esmolas da igreja? E se ele fosse um assassino? Eu teria de passar os próximos vinte anos vigiando meu filho em busca de quaisquer sinais de tendência à violência.

Por que precisávamos descobrir mais coisas a respeito de James M. Huston? Já não era o bastante termos descoberto quem ele era? Um número maior de informações mudaria as coisas de maneira positiva? Não. Estava na hora de fechar os livros e seguir em frente.

CAPÍTULO VINTE

A SALA DE JANTAR na West St. Mary Boulevard, que um dia fora motivo de orgulho, agora estava um caos, com pilhas de papéis espalhadas por todos os lados. Havia mapas, pastas, fichários, notas e listagens de computador, todos relacionados com o *Natoma Bay*. E muitos livros. Livros sobre a Segunda Guerra Mundial, antigos aviões de combate, sobre a Marinha, sobre cada batalha ocorrida no oceano Pacífico e, principalmente, a respeito da luta por Iwo Jima. Era o grande desafio de um feliz pesquisador.

E Bruce aceitou o desafio: escalou as pilhas de documentos, imprimiu relatórios obtidos em sites, entrou em contato com outros pesquisadores na internet e passou horas refletindo sobre o material, em busca de significado. Ele era, no fundo, um pesquisador empenhado, pois seu instinto lhe dizia que dentro de todo aquele lixo inexplorado residia a resposta para o desconcertante mistério que perseguia sua vida. Se ele filtrasse cuidadosamente as informações, encontraria toda a história do *Natoma Bay* e de suas tripulações, bem como uma explicação completa sobre os pesadelos de seu filho. E, de alguma forma, ele talvez até conseguisse encontrar a explicação primordial: o significado da vida.

Portanto, ele teria ficado muito satisfeito em passar dias, meses e até anos — o tempo que fosse necessário — examinando dossiês, pastas e registros, garimpando os documentos como um velho explorador.

Em uma inversão de papéis, coube a Andrea, a mística intuitiva, desempenhar o papel da chefe da casa, enquanto Bruce desligou-se de todo o resto.

— Por que você está investigando um monte de marinheiros mortos enquanto estamos a um passo de nos tornar indigentes? — perguntou Andrea. — A hipoteca já venceu, James precisa comer, *eu* preciso comer, você tem que arranjar um emprego. O dinheiro só vai durar mais algumas semanas!

Bruce não queria ouvir aquilo. Andrea desejava que ele arranjasse um emprego de verdade, com benefícios reais. Ela queria um seguro-saúde decente, começar a juntar dinheiro, ter uma reserva para a aposentadoria — um contracheque garantido. A situação financeira da família estava crítica!

Já que tinha de ganhar dinheiro, Bruce não queria mais trabalhar para ninguém. Não mais. Ele queria ser o próprio patrão, administrar sua empresa de consultoria. Queria trabalhar em casa, oferecendo consultoria em recursos humanos para as empresas.

Era uma excelente ideia, só que ele estava adiando.

Chegaram a um acordo. Bruce tomaria algumas medidas: enviaria currículos, estabeleceria uma rede de contatos e procuraria empresas que estivessem precisando de ajuda. Dessa maneira, ele ainda poderia trabalhar por conta própria.

"É agora ou nunca, meu chapa!", era o jeito de Andrea colocar as coisas. Bruce teria de pôr de lado a pesquisa sobre o *Natoma Bay.* O dever o chamava para mais perto de casa.

E, assim, as pilhas de documentos sobre a mesa da sala de jantar foram modificadas. As conversas a respeito de Jack Larsen e do *Natoma Bay* transformaram-se em planos de marketing, de cartões de visita e papel de carta corporativo. Bruce começou a marcar entrevistas com possíveis clientes, espalhando a notícia de que estava disponível para trabalhar sob contrato.

Andrea cuidou da parte administrativa, abrindo contas corporativas e instalando o software necessário para o gerenciamento do serviço. Eles formavam uma equipe bem equilibrada. Bruce lidava com toda a produção e a distribuição, enquanto ela administrava o escritório e a escrituração contábil.

Como o dinheiro disponível não dava para a aquisição de cartões de visita e papéis de carta dispendiosos, Andrea criou ela mesma esse material. A pessoa jurídica foi fundada com o nome Accelerated Performances Resources, LLC.

E, quase de imediato, Bruce arranjou trabalho. Começou a assessorar várias empresas, ajudando-as a montar pacotes de benefícios para os empregados, configurando programas de treinamento de executivos, administrando o redimensionamento corporativo, organizando pacotes indenizatórios para funcionários demitidos e transformando empresas sindicalizadas em empresas não sindicalizadas mais solventes.

E um grande peso foi tirado dos ombros de Andrea.

Eu me senti muito bem por ele estar tomando providências para consolidar seu negócio de consultoria. Não me importava com o fato de Bruce trabalhar à noite e nos fins de semana na pesquisa sobre vidas passadas, mas eu não tinha a menor intenção de ir morar no carro ou em um abrigo debaixo da ponte. Eu não faria isso nem mesmo por todos os fantasmas do Natoma Bay *reunidos.*

Ao mesmo tempo, enquanto Andrea empenhava todo seu esforço no negócio de consultoria, Bruce escapulia sozinho para lançar mensagens em garrafas, ou seja, fazer contatos na internet.

E ele pôde perceber que havia começado algo irresistível, que o *Natoma Bay* não o deixaria em paz. Pouco depois de voltar do encontro em San Diego, Bruce descobriu um site sobre Chichi-Jima, patrocinado por alguém chamado John LaPlant. Bruce enviou uma de suas mensagens, que ele montou a partir de informações extraídas do diário de bordo do navio — documento que ele nunca considerara completamente confiável, já que fora organizado em 1986 e não era oficial, sendo formado por meras contribuições da tripulação:

> *Estou fazendo uma pesquisa para a CVE-62 Natoma Bay, uma associação de um porta-aviões de escolta da Segunda Guerra.*
>
> *Minha finalidade, ao visitar seu maravilhosamente elaborado site, é obter mais informações sobre a ilha e Futami Ko. O segundo-tenente James M. Huston Jr., um piloto de FM-2 do* Natoma Bay, *desapareceu no dia 3 de março de 1945, durante um ataque marítimo em Futami Ko. Seu avião, aparentemente, foi atingido por fogo antiaéreo e caiu perto da entrada do porto. Eles entraram vindo do lado do terreno elevado do porto, e ele caiu quando estava se retirando. Estou trabalhando na publicação de um memorial a respeito dos mortos do CVE-62 e em uma história a respeito dos porta-aviões de escolta para a Natoma Bay Association. James M. Huston Jr. foi um dos desaparecidos. A história será dedicada a toda a tripulação e a todos os outros mortos em porta-aviões na*

Segunda Guerra Mundial. Existe algum lugar aonde eu possa ir para obter uma fotografia maior do porto ou descrições mais detalhadas de quaisquer locais de naufrágios que possam ter sido encontrados no porto ou perto dele? Eu agradeceria imensamente por qualquer ajuda que me pudesse ser oferecida. Obrigado.

Esse foi o melhor texto que ele conseguiu escrever. Bruce foi dormir; a mensagem fora enviada para o "éter". Ela permaneceria no ciberespaço durante quase um ano, e depois, inesperadamente, uma resposta surpreendente chegaria. Mas o pedido de Bruce teria, primeiro, de permanecer invisível, sem ser lido, um fragmento perdido na atmosfera atravancada da internet — até que fosse descoberto, acessado e ressurgisse no momento ideal. Mas não agora, não ainda. Por enquanto, Bruce estava saltando de um lado para o outro, esforçando-se para encontrar algumas respostas às suas perguntas.

O dia seguinte era domingo, e enquanto estava na igreja, inspirado ou apenas sonolento por ter ido dormir tarde, Bruce tomou uma decisão. Cuidaria das necessidades financeiras da família, já que também não desejava acabar tendo de dormir no carro ou em um abrigo, mas continuaria a pesquisar a suposta história de uma vida passada. Depois da igreja, telefonou para Jack Larsen e tomou providências para percorrer de carro os quase mil quilômetros até Springdale, Arkansas.

Eu estava determinado a descobrir o que Jack Larsen tinha a ver com as lembranças de James. Francamente, ainda não tinha me recuperado completamente da descoberta de que ele não estava morto. Acho que eu precisava vê-lo em carne e osso para acreditar na história.

Ao telefone, Larsen foi educado, mas se mostrou curioso. Por que eu estava interessado nas proezas dele? Eu lhe disse que ele era o único piloto do VC-81 que consegui encontrar que sabia tudo a respeito dos pilotos que haviam sido mortos: Adrian Hunter, Walter Devlin, Billie Peeler, John Sargent e James M. Huston.

Mas, antes de ir se encontrar com Jack Larsen, Bruce foi de carro a Dallas para cumprir a outra promessa: tornar seu nome conhecido na rede de consultores de recursos humanos. Ele foi diligente. Fez alguns contatos e deixou alguns cartões de visita, e a iniciativa logo seria compensadora. Ele conseguiria algum trabalho.

Para economizar, Bruce ficou na casa de Jennifer e Greg, que tinham se mudado para Dallas. Isso significou que na véspera do dia em que partiu para o Arkansas, à noite, teve de se submeter ao interrogatório do conselho. Bobbi, Becky e Jenniffer bombardearam-no com perguntas que ele deveria fazer a Jack Larsen. Afinal de contas, talvez ele fosse o piloto dos sonhos. Bruce tinha de verificar se a versão de James sobre a história lhe evocava alguma lembrança. Ele já tinha sido derrubado alguma vez por um tiro? O motor do avião dele tinha sido atingido?

Com Andrea ao telefone, e os outros membros do conselho contribuindo com perguntas e preparando armadilhas saudáveis para Jack Larsen, Bruce estava zonzo devido às novas instruções; ele estava ansioso para partir.

Era uma manhã revigorante no final de setembro quando ele estacionou na entrada de veículos da casa de Jack e Dorothy Larsen. A viagem fora estressante, longa demais, e as especulações e possibilidades eram abundantes. Springdale, no Arkansas, era uma cidadezinha imaculada, podada e limpa — exatamente onde poderíamos esperar encontrar um oficial da Marinha reformado. Os gramados estavam bem cuidados, sem qualquer defeito.

Jack Larsen, um senhor animado com um sorriso radiante e uma barriguinha proeminente, estava esperando Bruce na porta, ao lado da esposa. Eles se sentaram no solário e beberam chá gelado, almoçaram e bateram papo a respeito das respectivas famílias. Foi uma apresentação fácil, sem pressão, ao ex-piloto. Larsen falou sobre sua carreira na Marinha; ele permaneceu no serviço ativo durante 22 anos, reformando-se em 1964 como capitão-de-corveta. Depois que deu baixa, trabalhou em funções administrativas nos governos estaduais da Califórnia ao Arkansas, mas nada cansativo demais. Ele já tinha cumprido seu papel servindo ao país em duas grandes guerras.

— Bem, como você vai querer fazer? — ele finalmente perguntou.

Bruce pegou o gravador, e Jack falou a respeito da vida no *Natoma Bay*: a guerra, as batalhas, os jovens. E depois algumas fascinantes pérolas históricas vieram à tona. Jack era o oficial auxiliar de armamento, e foi a bordo do *Natoma Bay* que as primeiras bombas de napalm rudimentares foram improvisadas. Eles misturavam pó de napalm com gasolina nos tanques descartáveis para formar a substância gelatinosa.

— Tínhamos a impressão de estar fabricando gelatina caseira — disse Jack.

Depois, eles equipavam os tanques descartáveis com um detonador: uma granada de mão com uma corda para disparo amarrada ao pino. Quando o tanque era solto e caía, a corda para disparo puxava o pino. O tanque tinha de ser solto na altitude e velocidade certas para que a granada explodisse quando a bomba atingisse o solo.

Bruce trouxe então à tona o assunto das baixas: os 11 membros do VC-81 que haviam morrido quando serviam no *Natoma Bay*. Ele descobrira que alguns estavam oficialmente na lista um ano antes de terem sido efetivamente mortos. Ele queria ser sistemático e estabelecer uma ordem cronológica, mas um grande número de mortos e desaparecidos estava relacionado como tendo sido mortos em 1945 e 1946, bem depois do final da guerra. Esse fato criou confusão e fez com que Bruce resistisse a designar Huston como o piloto dos sonhos de James. Jack explicou que se tratava de uma peculiaridade da escrituração militar: quando não havia testemunhas oculares do desaparecimento, o piloto era relacionado como desaparecido em combate. Havia um bom motivo para esse critério. Alguns pilotos sobreviviam a uma queda e eram capturados. Se o piloto continuava desaparecido depois de um ano ou depois de todos os prisioneiros de guerra terem sido libertados, as Forças Armadas o reclassificavam. A data oficial da morte seria então um ano depois da data em que ele desapareceu. O seguro era pago, e os arquivos, fechados.

Havia um total de sete membros da tripulação dos aviões do *Natoma Bay* cuja morte só se tornou oficial depois que a guerra terminou; três tinham sido do VC-81.

Jack se lembrava da maioria dos que eram do VC-81, mas não com muitos detalhes, e não tinha muitas recordações da morte deles. Só relembrava as coisas que podiam ser desencavadas quase sessenta anos depois do fato.

Com exceção de James Huston. Jack lembrava-se claramente do dia em que James M. Huston Jr. morreu: 3 de março de 1945. "Seria nossa última chance de pegar os japoneses. Nosso esquadrão estava programado para passar pelo revezamento. Era nossa última missão, e eu queria muito atirar neles mais uma vez."

Jack pegou seu diário de voo e mostrou os detalhes da missão a Bruce: um caça FM-2 equipado com projéteis, pilotado por Larsen, decolou do *Natoma Bay* para atacar Chichi-Jima.

"Não encontramos resistência no voo para Chichi-Jima. Nenhuma aeronave inimiga. E quando nos aproximamos do porto de Futami Ko, entramos em formação para atacar antes dos bombardeiros. Quando avançamos para atacar em voo rasante com fogo de metralhadora, as pesadas nuvens pretas de fumaça da artilharia antiaérea eram tão densas que tive a impressão de que poderia ter andado até o solo sobre elas. Eu só conseguia pensar em acabar o mais rápido possível com aquilo e cair fora o quanto antes.

"Realmente não me lembro de mais nada, a não ser que foi somente quando já estávamos de volta ao navio que eu soube que Huston estava desaparecido. Ninguém vira seu avião cair, porque ele era o último da formação. Ele foi o último piloto do nosso grupo a fazer o ataque inicial em voo rasante com fogo de metralhadora. Fiquei feliz por ter conseguido voltar são e salvo para o navio. Estou razoavelmente certo de que o avião de Jim foi atingido pela artilharia antiaérea, porque era intensa naquele dia."

Mais uma vez, nenhuma testemunha ocular.

O simples fato de ouvir a história de Larsen foi um choque. Bruce não compreendia totalmente, não até esse momento, como eram as coisas, a fúria assustadora de um combate: aqueles homens em pequenos e frágeis aviões voando através de um furacão de aço para atacar a base japonesa. O que eles não devem ter sentido, arremetendo para dentro e para fora daquele fogo cruzado mortífero, cegos para tudo exceto para a missão! Alguns homens gritavam o tempo todo durante o ataque; outros perdiam o controle da bexiga; outros, ainda, apertavam o manche com tanta força que ele quase saía na mão deles. E alguns morriam.

Ficaram sentados por um momento, Bruce e Jack Larsen, em silêncio. Tudo aquilo era agora uma lembrança, mas seria sempre um momento horrendo para Jack. Como seu filho, Bruce estava começando a perceber o ar mortal que pairava sobre Chichi-Jima.

O casal Larsen insistiu em levar Bruce para jantar fora. E ele acabou aceitando o convite para ficar na casa deles, no quarto de hóspedes, e cancelou a reserva no hotel. Foi como se Bruce tivesse passado em algum teste e fosse agora merecedor da amizade dos Larsen. Naquela noite, falaram mais sobre a guerra, sobre a vida em casa durante a Segunda Guerra. Dorothy lembrava-se de que as esposas estavam constantemente nervosas, com medo de receber um telegrama que lhes informaria que tinham ficado viúvas.

No dia seguinte, quando estavam tomando o café da manhã, Bruce começou a falar sobre seu filho, um menino de 4 anos, que tinha um estranho fascínio pelos aviões da Segunda Guerra. Além disso, o curioso era que James também tinha um profundo conhecimento do assunto, inclusive a capacidade de distinguir o Corsair do Avenger. Além do mais, o que era ainda mais surpreendente, ele era capaz de identificar tanto o Betty japonês quanto o Zero.

Jack empurrou a cadeira e se levantou da mesa. "Espere um minuto", disse ele, desaparecendo em seguida por uma porta na cozinha que dava na garagem. Pouco depois, Bruce pôde ouvir o barulho de coisas sendo remexidas. Larsen voltou para a cozinha carregando nas mãos uma velha bolsa de lona empoeirada e amassada, que entregou para Bruce.

— Dê isso a James.

Dentro, havia um velho capacete de voo de pano com os óculos e a máscara de oxigênio presos a ele.

— Eu o estava usando no dia em que decolei do *Natoma Bay* — disse Larsen. — No dia em que James Huston foi derrubado.

CAPÍTULO VINTE E UM

QUANDO VOLTOU DO Arkansas, Bruce entregou ao filho o capacete de voo de pano de Larsen, que ele tinha usado na missão na qual Huston foi derrubado. James o usava sempre que ia para sua cabine de pilotagem no closet. Ele o usava enquanto pilotava seu simulador de voo e enquanto assistia às fitas dos Blue Angels. Realizava uma espécie de ritual apenas para colocar o capacete. James o colocava de maneira firme e profissional, dando tapas para retirar as bolhas de ar, ajeitando-o na cabeça como se estivesse indo para o trabalho.

No dia seguinte à sua volta, Bruce recebeu um pacote de John DeWitt, o historiador da Natoma Bay Association. DeWitt havia prometido enviar para Bruce o diário de guerra do VC-81 — o esquadrão de James Huston. Bruce já tinha o diário não oficial, mas sentia que não poderia confiar em nada que tivesse interpretações pessoais. A tripulação havia compilado "The Blue Book" (um diário provisório) em 1998, mais de quarenta anos depois do evento. Como se poderia confiar naquilo?

Mas DeWitt enviou o diário de guerra. Tratava-se de um documento oficial do governo, datilografado em 1945, logo depois da batalha e do relato da missão, quando a memória de todo mundo era recente:

O 16º dia em Iwo Jima, 3 de março de 1945, foi repleto de acontecimentos. Teve início com um ataque a uma concentração de grandes cargueiros inimigos em Chichi-Jima que nos havia sido informada. Oito FM-2s deste esquadrão participaram do ataque. Fizeram três ataques: no primeiro, atiraram projéteis nos navios; no segundo e no terceiro, atacaram posições antiaéreas para proteger os bombardeiros lança-torpedos que vinham logo atrás. As embarcações foram identificadas como um navio de transporte de médio porte e cargueiros menores da classe FTC. Não foram observadas avarias. No primeiro ataque, quando os caças estavam se retirando em direção à entrada do porto de Futami Ko, o FM-2 pilotado pelo segundo-tenente James M. Huston Jr. foi aparentemente atingido pela artilharia antiaérea. O avião fez um mergulho a 45 graus e caiu na água, logo no início do porto. Ele explodiu no impacto e nenhum sobrevivente ou destroços vieram à tona. Ele era um dos melhores pilotos do esquadrão. Era sossegado e despretensioso, sempre alerta, e seus olhos penetrantes distinguiam tudo que estava à vista. Era sempre o primeiro a ver os aviões e os navios; avistou o único submarino descortinado pelo esquadrão. Recebeu o mérito de ter destruído quatro aviões inimigos durante o voo.

Excelente. A maior parte das informações que Bruce colocara no site de Chichi-Jima era precisa. No entanto, uma documentação confiável era fundamental, principalmente para alguém como Bruce. A questão da testemunha ocular ainda estava no ar. Quem tinha visto o avião ser atingido?

A palavra "aparentemente" modificava o relatório do fogo antiaéreo.

Mas que piloto ou membro da tripulação efetivamente vira o avião cair na água e explodir com o impacto? De onde surgira esse detalhe? Ele não foi fornecido por Jack Larsen, que declarou só ter notado que Huston estava ausente quando voltou para o navio.

Uma vez mais, Bruce estava diante da pequena janela de incerteza através da qual pôde se comprimir com suas dúvidas.

Bruce telefonou para John DeWitt para agradecer-lhe o envio do diário de guerra e os relatórios, e eles conversaram a respeito de James Huston. DeWitt disse ter se lembrado de algo novo, que nunca parecera importante até que Bruce começou a fazer perguntas; antes, só parecia uma coisa triste. DeWitt relembrou que o pai de James Huston, James McCready Huston, costumava comparecer aos primeiros encontros, ocorridos na década de 1960.

Ao contrário de muitos pais de soldados mortos ou desaparecidos, que sofriam resignados, Huston ia às reuniões em busca de detalhes a respeito da morte do filho. McCready não conseguia lidar com o fato de seu filho simplesmente ter desaparecido da face da Terra sem qualquer explicação, uma prova concreta, uma testemunha ocular que assegurasse que essa terrível perda efetivamente acontecera. Era de fato comovente. O pai era um senhor idoso e arqueado que sempre procurava não chamar a atenção, escolhendo os velhos pilotos ou membros da tripulação, mencionando seu filho, buscando alguma coisa...

— Sou pai de James Huston. Você sabe o que aconteceu com ele?

Ele nunca descobriu, já que não tinha como encontrar testemunhas oculares; o único sobrevivente que talvez pudesse dizer alguma coisa a ele, Jack Larsen, nunca ia aos encontros. E, assim, James Huston desistiu. Ele finalmente deixou de ir às reuniões, sufocado pela dor e pela frustração. McCready morreu em 1973, sem nunca descobrir nada específico a respeito da morte do filho.

Depois que se despediu de John DeWitt e desligou o telefone, Bruce descreveu para Andrea as pungentes visitas do pai de Huston. Ela considerou a trágica busca desse senhor como outro indício significativo da ligação cósmica; ela estava agora ainda mais certa de que James Huston Jr. era o objetivo da pesquisa deles.

— Não — disse Bruce lentamente —, existe ainda a questão do Corsair. E também o fato de que não conseguimos encontrar uma testemunha ocular.

— Não pode haver uma prova irrefutável — argumentou Andrea. — Não depois de todo esse tempo. Você está sendo teimoso.

Bruce não discordava da mulher. Ele sabia que estava sendo teimoso. Mas essa era a característica do bom pesquisador — continuar a perseguir seu objeto até obter uma confirmação clara e palpável. Caso contrário...

No outono de 2002, o golfo do México foi atingido por uma série de tempestades rápidas e violentas, e enquanto Bruce vivia as consequências dos registros, dos diários e da memória enfraquecida dos sobreviventes do *Natoma Bay* — bem como com a indiferença de Andrea em relação aos detalhes factuais exigidos por seus rigorosos requisitos de uma prova irrefutável —, outra tempestade se aproximava de Lafayette, Louisiana: o furacão Lili.

No dia 30 de setembro de 2002, o Centro de Operações de Emergência do Departamento de Prontidão de Emergência de Lafayette anunciou que um furacão atingiria o litoral dos estados da Louisiana e do Texas no máximo na quinta-feira, 3 de outubro. O governador decretou que os trailers e as casas pouco acima do nível do mar fossem evacuados.

Bruce não estava preocupado. Lafayette era a cidade mais elevada da região. Além disso, estava previsto que o furacão atingiria, primeiro, a Flórida, não a Louisiana. Quando chegasse lá, já teria se dissipado.

Tudo isso era emocionante para James, que tinha uma professora chamada Lily e queria saber por que tinham dado o nome dela a um furacão. "É melhor você ficar quieto para não irritar a professora", disse Andrea.

Enquanto esta andava agitada de um lado para o outro, tentando reforçar sua pequena fortaleza para que conseguisse resistir aos ventos e à possível inundação, que se aproximavam, Bruce estava ocupado fazendo as malas.

Andrea perguntou para onde ele estava indo.

Ele lembrou a ela que tinha um importante compromisso de negócios no dia 3 de outubro em Houston. Ele sairia cedo no dia 2, passaria uma noite em Houston para estar bem descansado na hora da entrevista e depois voltaria diretamente para casa. Nada demais.

Andrea ficou desesperada.

— O quê?

— Bem, você queria que eu começasse a me mexer, e foi exatamente o que eu fiz. Você queria que eu marcasse uma entrevista de trabalho, e eu arrumei a entrevista. Era o que você queria, não era?

— *Agora?*

— Estou fazendo o que você me disse para fazer.

Bruce era assim. Quando lhe indicavam determinada direção e lhe diziam para atacar, ele marchava ao som de tambores.

Nos quatro meses que se seguiram ao término de seu emprego na OSCA, Bruce conseguira essa única entrevista, portanto ela tinha de deixá-lo ir. A casa talvez estivesse em perigo, mas a segurança de Andrea dependia de que ele obtivesse um emprego sólido, de horário integral, e não de que ele abrisse uma firma de consultoria.

Bruce reiterou que a casa era forte. James parecia animado com a perspectiva de ser levado pelo vento. Bem, concluiu Bruce, ele não ia ficar longe tanto tempo assim.

Desse modo, com as nuvens da tempestade sendo ainda apenas uma previsão, Bruce pegou o carro e partiu para Houston. E às 9 da manhã do dia 3 de outubro, quinta-feira, encontrou-se com seu possível empregador. A reunião correu tão bem que decidiram almoçar juntos. Em seguida, Bruce estava pronto para pegar a estrada de volta para Lafayette.

Nesse meio-tempo, Andrea estava tentando, desesperadamente, tomar precauções. Ela entrou na fila de distribuição de sacos de areia, mas a demanda estava tão elevada que os sacos foram racionados. Depois de passar quatro horas esperando, avisaram na fila que cada pessoa só teria direito a um saco de areia. "O que eu vou fazer com um maldito saco de areia?", gritou ela da janela do carro. "Me agarrar a ele para não ser levada pelo vento?"

Contendo a raiva, Andrea foi até uma grande casa de material de construção e recomeçou a busca pelos sacos de areia. A única coisa que conseguiu encontrar foi areia de qualidade superior, muito cara, na qual é possível procurar por diamantes. E o compensado que ela teve de comprar foi o da mesma qualidade usada na fabricação de móveis. Ela também comprou cinco rolos de fita crepe. Em seguida, colocou James e o material no carro e voltou às pressas para a casa na West St. Mary Boulevard. No caminho, deu uma passada no McDonald's para comerem um McLanche Feliz, porque não tinha a menor ideia de quando comeriam de novo.

Ao chegar em casa, Andrea começou a entrecruzar fita crepe nas janelas para impedir que o vidro se estilhaçasse por causa do vento forte. As notícias não eram boas. Lili estava piorando e aproximando-se, tendo se transformado em um furacão de categoria 3. O município abrira as portas da Cajun Dome e o declarara abrigo de emergência. Andrea tentou falar com Bruce, mas ele desligara o telefone. Ela começou a respirar fundo, e isso a ajudou a se acalmar.

Quando Bruce telefonou, às 14h, depois do almoço de negócios, dizendo que ia pegar a estrada e que deveria estar em casa por volta das 17h, Andrea estava uma pilha de nervos.

— Acho bom você vir logo. A comida acabou, a população limpou os supermercados. Todo mundo está se mandando.

A voz de Andrea mostrava que ela estava em pânico, e Bruce, sentindo que talvez tivesse subestimado a crise, rapidamente se dirigiu para a estrada interestadual. Foi uma viagem fácil, porém estranha. Todo o trânsito estava indo no sentido oposto. Passou por Beaumont... uma cidade fantasma. Depois de Beaumont, não cruzou com um único carro vindo na outra direção. E com nenhum carro da Polícia Rodoviária. Assim, pisou fundo no acelerador, e o seu Volvo 850 superpotente disparou, ultrapassando todos os limites de velocidade.

Em casa, Andrea resolveu agir, colocou James de volta no carro e saiu de novo. Encheu o tanque de combustível, sacou 300 dólares em um caixa eletrônico, comprou um estoque de velas e pilhas, voltou para casa, tomou uma chuveirada e deu banho em James (era preciso estar limpo em um furacão, algo que ela nem mesmo sabia que sabia), em seguida limpou a banheira e a encheu de água.

Ainda nem sinal de Bruce. Lili agora tinha saltado para a categoria 4. Andrea começou a recolher fotos e vídeos da família.

E, então, Bruce chegou. Juntos, ele e Andrea pregaram o compensado sobre a grande janela do solário e sobre as janelas do lado sul da casa, que receberia o impacto da tempestade. Andrea estendeu um forro de plástico e segurou-o com o que considerava sacos de areia incrustados de diamantes para impedir que a água entrasse na casa. James dava gritinhos de prazer, achando que encontrara outra brincadeira, que se chamava Monstro Lili.

Nesse meio-tempo, as notícias estavam se tornando cada vez mais alarmantes. Andrea preferia ir para Dallas, mas Bruce não queria fazer isso. Estava determinado a se manter firme e defender sua casa.

— Se alguma coisa se quebrar, eu consigo consertar, minimizar o dano — argumentava ele. — Além disso, podemos partir a qualquer momento; se as coisas ficarem realmente feias, simplesmente entramos no carro e botamos o pé na estrada.

À medida que a noite avançava, as previsões ficavam cada vez piores, e Andrea, mais nervosa. Passava da meia-noite quando ela declarou: "James e eu vamos embora, com ou sem você." Bruce finalmente percebeu que estava na hora de partir. Disseram a James que iam tirar umas pequenas férias e ele ia visitar os primos, Hunter e K. K. Como de costume, o menino aceitou tudo de bom grado. James ficava animado com qualquer coisa.

— Dê uma olhada na casa — disse Bruce —, porque ela poderá não estar aqui quando voltarmos.

O coração de Andrea deu um salto.

— Você realmente acha que poderemos perder a casa? — perguntou, em tom lastimoso. Ela não conseguia suportar a ideia de ficar sem a casa; era sua última mudança, sua última parada.

— Não, não creio que vamos a perder a casa, mas ela, certamente, vai sofrer danos. Pode ser que o telhado vá embora.

De forma estranha, o comentário do marido pareceu acalmá-la.

De repente, quando estava dando marcha à ré na entrada de veículos, Bruce parou o carro. Ele esquecera algo. Entrou correndo em casa e voltou carregando todo o seu material de pesquisa do *Natoma Bay*.

Passava de uma da manhã quando finalmente partiram, em direção a Dallas, apostando corrida com as nuvens e com o vento.

Todos os hotéis e paradas na estrada interestadual pela qual seguiam haviam se transformado em abrigos. Havia uma multidão de carretas estacionada perto da estrada, formando círculos, como viajantes se preparando para defender um comboio de uma tempestade.

Chegaram à casa de Jen e Greg ao amanhecer. A primeira coisa que fizeram foi ligar a televisão e assistir a Lafayette ser atingida por ventos de 140 quilômetros por hora. As linhas de transmissão de energia ficaram inoperantes e a chuva castigou violentamente o centro da cidade. Bruce tentou ver se o telefone de casa chamava, mas a linha estava muda. Ele conseguiu ligar para um vizinho para perguntar o que tinha acontecido. O homem deu uma volta de carro e depois ligou para dizer que muitos galhos tinham caído, mas que a casa parecia intacta.

A família Leininger voltou para casa uma semana depois, e levaram quatro dias para limpar a bagunça. E, depois, uma coisa aconteceu. Foi outro daqueles momentos que deixaram Bruce e Andrea embasbacados.

Foi durante a limpeza. Quando Bruce e James estavam juntando as folhas com o ancinho e recolhendo os galhos caídos do jardim, Bruce teve o impulso repentino de abraçar o filho. Ele o levantou e o beijou, dizendo que se sentia muito feliz por tê-lo como filho.

James retrucou, em um tom que pareceu sinistro para Bruce:

— Foi por isso que eu escolhi você; eu sabia que você seria um bom papai.

Bruce não entendeu o que tinha acabado de escutar.

— O que você disse?

— Quando encontrei você e mamãe, tive certeza que você seria bom para mim.

Essa não era a fala de uma criança, embora estivesse saindo da boca de um menino de 4 anos.

— Onde você nos encontrou? — perguntou Bruce.

— No Havaí — respondeu James.

Bruce disse ao filho que ele estava enganado. Eles tinham ido ao Havaí no verão anterior, todos juntos.

— Não foi quando todos fomos ao Havaí. Foi quando você foi sozinho com mamãe.

Embora profundamente abalado, Bruce conseguiu perguntar onde ele os tinha encontrado. James respondeu:

— Encontrei vocês no grande hotel cor-de-rosa.

Bruce permaneceu atônito enquanto James acrescentava:

— Eu encontrei vocês na praia de noite. Vocês estavam jantando.

Em 1997, Bruce e Andrea tinham ido ao Havaí para comemorar seu quinto aniversário de casamento. Ficaram hospedados no Royal Hawaiian, o hotel cor-de-rosa que era um ponto de referência na praia de Waikiki, e na última noite tinham jantado ao luar na praia. Cinco semanas depois, Andrea descobriu estar grávida. E James descrevera tudo com perfeição.

Isso não era uma coisa que os pais tivessem discutido, pelo menos não com detalhes. Certamente, não tinham mencionado o hotel cor-de-rosa, o jantar na praia nem o fato de Andrea estar grávida cinco semanas depois.

Bruce não sabia como interpretar o ocorrido. Estava confuso e assustado. Entrou em casa correndo e contou a Andrea o que acontecera, mas ela já estava convencida de que possuía um conhecimento que ninguém saberia explicar de imediato. Era apenas mais uma coisa.

Nesse ínterim, Bruce havia conseguido um contrato de consultoria com uma siderúrgica da região, o que representou alívio financeiro, na hora certa. Suas economias estavam rapidamente se esgotando, o moral da família estava baixo, mas as coisas estavam melhorando.

Mais ou menos na mesma época, John DeWitt enviou nove rolos de microfilme contendo registros do *Natoma Bay*. Bruce passou as três semanas seguintes na biblioteca da University of Louisiana, copiando cinco mil páginas desses registros.

A cada dia ele descobria algo. Um dos microfilmes continha um diagrama que localizava com precisão o ponto no qual o avião de James Huston havia caído. Outro continha alguns detalhes a respeito da queda. Também relacionava os outros pilotos que tinham participado do ataque: Stewart Gingrich, Robert Greenwalt, Daryl Johnstone, Jack Larsen, William Mathson, Robert Mount e Mac Roebuck.

E Bruce também encontrou uma nova pista essencial. Os oito bombardeiros lança-torpedos Avenger que participaram do ataque — os mencionados por Jack Larsen — tinham decolado de outro navio, o USS *Sargent Bay* (CVE-83). O Avenger era equipado com um avançado sistema de comunicações que possibilitava que o líder pudesse controlar o ataque do ar. O relato da testemunha constante do diário de guerra do VC-81 — os detalhes a respeito de o avião ter sido atingido na frente, incendiando e caindo no mar quando se retirava — tinha necessariamente de ser do líder de ataque do VC-83. Era a única coisa que fazia sentido. Esse homem era sua testemunha ocular!

Agora, tudo o que ele precisava fazer era descobrir uma reunião do VC-83; localizar os membros da tripulação dos bombardeiros Avenger que acompanharam os aviões de caça do VC-81 no dia 3 de março de 1945. Certamente, havia mais testemunhas oculares, mais evidências a ser encontradas.

Bruce encontrava-se no paraíso dos teimosos.

CAPÍTULO VINTE E DOIS

O APEGO DE JAMES aos bonecos GI Joe não passou despercebido na família. Ele brincava todos os dias com Billie e Leon, nomes prosaicamente escolhidos; tomavam banho juntos, e James até mesmo dormia com eles.

No Natal de 2001, James ganhou um boneco da tia G. J. Ele já tinha Billy, cujo cabelo era castanho, mas o novo era louro, musculoso e vinha com uma balsa salva-vidas de borracha preta e um motor de popa movido à pilha, excelente para a banheira. James o chamou de "Leon".

— Uau! — exclamou Andrea. — Que nome legal, cara! — Não era um nome muito compreensível, já que nem Bruce nem Andrea conheciam alguém chamado Leon. Não havia nenhum Leon na família, tampouco entre os amigos ou vizinhos. O nome não parecia combinar com um boneco de plástico.

Entretanto, Leon adaptou-se de imediato a Billy e James. Juntos, os três — Billy, Leon e James — formavam uma magnífica unidade de combate, cumprindo com sucesso muitas missões no quintal.

A guerra, mesmo a batalha de mentira travada no quintal, pode ser infernal. Durante um dos contatos com o inimigo, Billy foi gravemente ferido; perdeu a perna esquerda do joelho para baixo. James ficou traumatizado, mas Andrea, como uma verdadeira mãe médica do campo de batalha, acudiu prontamente. Ela conseguiu prender de novo a perna por meio de uma cirurgia improvisada que envolveu um clipe e Super Bonder. Logo Billy estava de volta, em ação, lutando pela democracia e levando um inimigo para debaixo dos arbustos de azaleia no quintal.

No Natal de 2002, Papai Noel recrutou um terceiro boneco. Esse era ruivo e vinha com muita bagagem — uma maleta repleta de uniformes e acessórios. Depois que todas as embalagens tinham sido abertas e os papéis de presente levados para a garagem, James levou seu novo boneco GI Joe para apresentá-lo à antiga unidade, Billy e Leon.

Bruce e Andrea ficaram na porta sorrindo e observando o presente de Natal adquirir vida. James estava na cama, vestindo novos uniformes em Billy e Leon, e colocando-os no novo equipamento.

— Então, como você vai chamar o novo boneco, James? — perguntou Bruce.

James se virou e levantou os olhos.

— Walter — respondeu.

Bruce e Andrea olharam um para o outro, perplexos, porém achando aquilo divertido. Eles não conheciam nenhum Walter. Na realidade, seu filho parecia ter uma coleção inteira de nomes curiosamente desinteressantes: Billy, Leon e Walter. Nada de Buzz, Todd ou Rocky.

Eles riram, mas Bruce ficou curioso e perguntou:

— Ei, por que chamou os bonecos de Billy, Leon e Walter?

— Porque foram eles que vieram ao meu encontro quando cheguei lá no céu — respondeu James, voltando em seguida a brincar.

Uma vez mais, Bruce e Andrea se viram diante de um arrepiante lembrete de que seu filho, o pequeno James, vivia experiências muito além da capacidade de compreensão deles. Fizeram, então, a única coisa em que pensaram: bateram em retirada. Percorreram o corredor em direção ao escritório, fecharam a porta e ficaram calados por um momento tentando recuperar o juízo.

— Foram eles que vieram ao meu encontro quando cheguei lá no *céu*? — repetiu suavemente Andrea, por não querer assustar James.

Bruce foi até a escrivaninha e começou a remexer em alguns documentos.

— O que é? — perguntou Andrea. — O que você está procurando?

Bruce pegou uma folha de papel e leu o que estava escrito nela. Em seguida, releu, mas não conseguia dizer o que estava se passando em sua cabeça.

Ele tinha em mãos a lista com o nome dos homens que foram mortos a bordo do *Natoma Bay*. Ele a entregou a Andrea. Na lista constavam os nomes James M. Huston Jr., Billie Peeler, Leon Conner e Walter Devlin.

— Oh, meu Deus! — exclamou Andrea. — Eles o receberam quando ele chegou no céu. Quando eles foram mortos?

Bruce lançou um olhar inexpressivo para a mulher e em seguida começou a remexer de novo nos papéis. Ele tinha arquivos com datas e detalhes, e poderia achar os registros em um minuto.

— Eles eram todos do mesmo esquadrão — declarou Bruce. — O VC-81.

Foi uma dessas revelações que precisavam de alguns momentos para ser absorvidas. Aquele detalhe era significativo.

— Quando eles morreram? — perguntou Andrea, fazendo um esforço para falar em um tom normal.

Mas não havia nada de normal a respeito de tudo isso. Bruce examinou os documentos e conferiu-os de novo. Em seguida, olhou para a mulher. Sua voz estava neutra.

— Leon Conner foi morto em 25 de outubro de 1944. Walter Devlin, em 26 de outubro de 1944. Billie Peeler morreu em 17 de novembro de 1944...

— E James Huston foi morto no dia 3 de março de 1945 — disse Andrea. O fato estava claro. Leon, Walter e Billie já estavam mortos quando James Huston foi morto ao sobrevoar Chichi-Jima.

Estavam esperando por ele no céu.

TERCEIRA PARTE

Os homens do Natoma Bay

CAPÍTULO VINTE E TRÊS

ANDREA ERA UMA pianista na internet. Era capaz de acessar links como um músico de jazz, improvisando, encontrando o caminho através dos becos sem saída e das pistas falsas até obter sua doce melodia narrativa.

Mas ela não conseguia encontrar a combinação certa de notas para decifrar a história de James Huston. Aquilo a deixara desconcertada.

> *Naturalmente, ele era o primeiro nome da minha lista. Se eu ia descobrir alguma coisa a respeito de alguém, esse alguém era Huston.*

Mas não era tão simples assim. James M. Huston Jr. era o único descendente do sexo masculino na família. Andrea descobriu em seu site preferido, Ancestry.com, que o pai e a mãe dele estavam mortos, e os únicos possíveis irmãos sobreviventes eram duas irmãs.

Era relativamente fácil rastrear descendentes do sexo masculino, porque o sobrenome deles resistia a casamentos, divórcios e novos casamentos. Mas Andrea sabia, devido aos anos que passara tentando descobrir a genealogia de sua família, que encontrar parentes do sexo feminino era praticamente impossível. As meninas cresciam e se casavam, e o sobrenome da família desaparecia com o casamento. Na década de 1940, os Estados Unidos ficaram repletos de jovens viúvas de guerra.

Mas não era totalmente impossível rastreá-las, desde que se conseguisse ter acesso à certidão de casamento, a qual a maioria dos estados emite mediante o pagamento de uma taxa. Mas era preciso saber onde (o estado e o município) e quando exatamente a mulher se casara. E, mesmo assim, nem sempre o problema era resolvido. Se a mulher se divorciasse ou o marido morresse, era preciso recomeçar, procurando por outro nome de casada.

Era como o salão de espelhos de um parque de diversões — não se sabia onde começar a procurar a verdadeira imagem.

Andrea, em geral, começava com uma coisa fácil. Quando elaborava uma lista de tarefas, sempre incluía três coisas que já tivesse realizado, porque, dessa maneira, começava em posição vantajosa. Ainda assim, quando decidiram que iam escrever um livro, ela começou com Huston. Não era um começo fácil, mas era ele quem ela estava determinada a encontrar. Se um livro iria se tornar realidade... na verdade, muito pouco tempo depois da reunião, eles chegaram à conclusão de que o livro teria de ser escrito.

Na realidade, foi Bruce quem chegou primeiro a essa conclusão. Seria sua penitência. Sua mentira inofensiva, junto aos pequenos detalhes que acrescentava a ela, tinham se tornado uma pedra em seu sapato. Ele sabia que "o livro" tinha sido uma tática essencial para abordar aqueles homens, mas não esperava que fosse realmente gostar deles. Não previra o tratamento caloroso que recebera, nem a ajuda franca e sincera, tampouco imaginaria que fosse sentir tanta admiração pela absoluta grandeza das façanhas deles. Não esperara que fosse *desejar* tão intensamente que eles o respeitassem.

E o livro estava sempre no ar.

— Quando você acha que vamos ver esse livro? — perguntava um dos veteranos.

— Oh, os livros demoram a ser escritos — explicava Bruce.

— E como ele está indo?

— Está caminhando.

— O que podemos fazer para ajudar?

— Você pode me enviar os Relatórios de Combate das Aeronaves?

Essas coisas deixaram-no um pouco ansioso. Para piorar, Bruce também estava sob pressão financeira, profissional e doméstica. Estava previsto que ele começaria a trabalhar em um novo emprego em janeiro de 2003. Conseguira um contrato de consultoria com a Lafayette Steel Erectors, que tinha um futuro promissor a longo prazo. Seriam necessárias muitas horas para dessindicalizar os 250 funcionários e ajudar a companhia a melhorar sua competitividade. Ele também teria de contratar novos trabalhadores e providenciar pacotes de benefícios para todos. Depois do longo e infrutífero período que passou desempregado, com a família tendo de apertar o cinto, Bruce não poderia se dar ao luxo de cometer algum erro nesse momento. O emprego não lhe deixaria muito tempo livre para fazer pesquisas.

Então, surgiu a inevitável conclusão de que ele necessitava de ajuda. Não poderia cuidar do livro sozinho. Ele precisava de Andrea.

Ele tinha um título para o livro. Este se chamaria *One Lucky Ship* (Um Navio de Sorte). Essa parte ele tinha resolvido. O *Natoma Bay* participara de nove campanhas no oceano Pacífico, desde a invasão das ilhas Marshall ao ataque a Okinawa. Ele conquistara nove estrelas de serviço e recebera uma rara Presidential Unit Citation. Bruce estava razoavelmente seguro de que o navio tinha sido o último porta-aviões na guerra a ser atingido por um camicase.

Durante todos esses combates, de outubro de 1943 até o final guerra, em agosto de 1945, ele perdera apenas 21 tripulantes. De acordo com qualquer critério, era um navio de sorte.

Andrea não estava tão entusiasmada. "Ninguém realmente precisa de outro livro de história desinteressante a respeito de um único navio na Segunda Guerra Mundial", comentou.

Por que não um livro a respeito dos homens, e não apenas do navio? Isso era algo que havia muito tempo a estava incomodando. Andrea percebia isso sempre que passava por uma cidadezinha que não conhecia. No centro, perto da Prefeitura, erguia-se, invariavelmente, um memorial de guerra. Normalmente, era uma placa de mármore com qualquer formato, na qual estavam gravados os nomes de soldados mortos em combate. Solitários, abandonados, melancólicos — e, com o tempo, à medida que os membros da família iam morrendo, quase esquecidos.

Os 21 militares da Marinha e da Força Aérea mortos em combate no oceano Pacífico estavam se tornando parte desse pedaço de gramado negligenciado que se estendia ao longo da memória dos Estados Unidos; se ela e Bruce conseguissem trazê-los de volta à vida, esse feito valeria um livro.

Certa manhã de inverno, no início de fevereiro de 2003, tomei minha segunda xícara de café e me plantei diante do computador com uma lista de 21 nomes. Eu já estava muito interessada, mesmo antes de começar. Eu queria ver o rosto daqueles homens, descobrir quem eles eram, quem eles haviam deixado para trás... como eles morreram.

É bem verdade que eu tinha alguma experiência com o assunto, pois montara a genealogia de nossas famílias. No entanto, naquele caso, eu estava lidando com ancestrais conhecidos. Eu aprendera a rastrear os registros de casamento, de óbito e de propriedade. E tinha todo o direito de investigar; afinal, eu fazia parte da família. Neste caso, tudo o que eu tinha eram os nomes dos mortos do Natoma Bay, *o estado no qual eles haviam se alistado e a data de sua morte. E meu direito de pesquisar era bastante questionável, pois eu era uma desconhecida.*

A tarefa parecia impossível.

A confiança de Andrea foi abalada por suas primeiras inábeis e inúteis tentativas de encontrar James Huston. Mas ela não desistia facilmente. Violara a própria regra de começar de maneira simples, tendo ido impetuosamente atrás de James Huston. Mas os becos sem saída e os problemas eram excessivos: os sobreviventes eram do sexo feminino, e as raízes familiares não eram estáveis. Ela voltaria a ele mais tarde. Era melhor ser metódica e começar pegando as frutas penduradas nos galhos mais baixos. No final, esse método acabaria sendo melhor. Ela aperfeiçoaria suas técnicas de pesquisa. Encontraria os outros tripulantes, e eles completariam o quadro.

Com um suspiro, ela recomeçou, em ordem alfabética. Iniciou a busca com a letra "B": Eldon Bailey, Eddie Barron, William Bird, Donald Bullis...

Digitou o nome na página do Google. Talvez um dos membros da família tivesse relacionado o aviador morto em uma busca genealógica.

Nada.

Ela tentou então "mortos da Segunda Guerra Mundial". Nada.

"Baixas da Segunda Guerra Mundial." Nada.

"Baixas da Marinha."

Houve resultados relevantes, ou seja, referências a outros sites militares, mas era impossível navegar neles ou exigiam informações (como o número do seguro social) que ela simplesmente não tinha.

Na terceira xícara de café, Andrea decidiu procurar sites com os quais fosse mais fácil trabalhar. Sites mais simpáticos. Mas isso também foi frustrante. Alguns deles surgiam e desapareciam. Não estavam mais disponíveis.

Depois de algum tempo, e com seu dom de ir de link para link, Andrea começou a captar importantes pistas em seu site preferido, o Ancestry.com. Era um site caro — 50 dólares a cada três meses (ela não podia pagar por prazos mais longos, o que reduziria o custo mensal) —, mas que valia a pena. Ele a conduziu aos proveitosos sites militares.

Havia um que relacionava todos os mortos da Segunda Guerra; eram centenas de páginas repletas de nomes. As baixas eram listadas por estado. E, ao lado do estado, eles também relacionavam o parente mais próximo.

Andrea estava procurando um parente mais próximo do sexo masculino. Edward Barron e Eldon Bailey não estavam relacionados entre os mortos de seus estados. Donald Bullis tinha a mãe listada como o parente mais próximo. William Bird tinha um padrasto com um nome diferente. Ela os separou.

Leon Conner era o seguinte. Ele era de Eufaula, Alabama. Seu pai, Lynn Lewis Conner, era o parente mais próximo. Andrea agora encontrara uma fruta madura pendurada em um galho baixo. Ela entrou no Ancestry.com e conseguiu o registro do censo de 1940 para Lynn Conner em Eufaula, Alabama. Os pais de Leon, seus três irmãos e o próprio Leon estavam relacionados.

Havia um caminho claro para a história de Leon Conner, e parecia que ele se tornaria acessível a ela. Ela procurou

Eufaula, Alabama, no Google, e descobriu que a cidade tinha uma peregrinação anual, ou seja, uma recriação do sul anterior à Guerra Civil, onde as residências clássicas, guarnecidas de colunas, são abertas e os convidados são bem-vindos e tratados com pródiga hospitalidade. Uma dessas antigas mansões era chamada de residência Conner-Taylor. E agora ela sentiu o choque da descoberta.

Andrea era sulista e sabia que essas pequenas cidades eram intimamente relacionadas. O nome Conner tinha necessariamente de ter um longo rastro de ligações. Emocionada, ela procurou "Conner" e "Eufaula, AL" no Google e encontrou um Conner-Lawrence Real Estate.

Em seguida, ela entrou no site das listas telefônicas, concentrando-se em Eufaula, onde descobriu um total de cinco sobrenomes Conner. Pegou o telefone e discou um dos números, ao acaso. Existe um encanto comum, que as pessoas com determinada procedência cultural reconhecem. Elas detectam-no e reagem a ele. A fala suave e harmoniosa de Andrea era invariavelmente recebida com uma atenção educada e prestativa:

— Olá! Meu nome é Andrea Leininger, e meu marido e eu estamos trabalhando em um livro a respeito de um porta-aviões da Segunda Guerra, chamado *Natoma Bay*. Um dos homens mortos em combate no navio foi Leon Conner, de Eufaula, e eu estava tentando encontrar algum parente de Leon. Por acaso você é parente dele?

— Não, não sou parente dele, mas conheço uma prima dele, Gwen. Você quer o telefone dela?

O primeiro telefonema!

Gwen Conner ficou tão emocionada quanto Andrea quando atendeu o telefone. Ela fora criada com Leon e casara-se com um dos primos dele. Ele era uma lenda na família, o menino de ouro que fora para a guerra e morrera lutando pelo seu país.

Gwen tinha fotos, cartas comoventes e detalhes poéticos a respeito de Leon, que era bonito como um artista de cinema e filho de um empresário bem-sucedido que ajudava as famílias pobres de Eufaula nas épocas difíceis.

Gwen não conseguia parar de falar no primo, em seu trabalho na igreja, em seu jogo de tênis, nos papéis que representava nas peças da escola e em sua voz nas operetas da cidade. Ele era um dançarino maravilhoso, e durante as festas da cidade ele dançava durante tanto tempo que sua camisa ficava encharcada de suor. Ele corria então para casa, vestia uma camisa limpa e voltava, para dançar mais. Um perfeito entusiasta. Um espírito magnífico.

Gwen ficou uma hora no telefone, falando sobre o primo falecido, as longas lembranças retornando depois de sessenta anos.

Ele era um bom partido: 1,83m de altura, louro, olhos azuis, estrela do futebol, e também tocava violino. Inteligente e ambicioso, formara-se pelo Alabama Polytechnic Institute (que mais tarde tornou-se Auburn) em 1942 e ingressou na Reserva Naval em abril.

Louro! Exatamente como o boneco GI Joe de James.

Quando ele foi morto em outubro de 1944, um mês antes de completar 24 anos, já ganhara algumas Air Medals* por ter comandado ataques contra campos de aviação inimigos nas ilhas Salomão. Ele recebeu postumamente a Navy Cross, a segunda mais elevada condecoração dos Estados Unidos, por ter feito repetidos ataques contra um cruzador inimigo. Seus atos de heroísmo naquele dia fatídico durante a Batalha do Golfo de Leyte, ao largo da ilha de Samar, nas Filipinas, eram quase lendários.

---

* A Air Medal é uma condecoração militar dos Estados Unidos criada por Franklin D. Roosevelt em 1942, com efeito retroativo a 1939, concedida aos membros das Forças Armadas daquele país que haviam se distinguido por atuação meritória durante um voo. (*N. da T.*)

O TBM de Leon havia feito repetidas incursões contra o navio inimigo e, quando suas bombas acabaram, ele avistou um TBM de outro porta-aviões partindo para um ataque. O outro piloto perguntou a Leon se este poderia ir na frente dele e atacar em voo rasante com fogo de metralhadora para atrair o fogo antiaéreo, e Leon foi primeiro, apesar de seu avião ser volumoso e lento, e os voos rasantes serem geralmente reservados aos pequenos caças, mais ágeis. O TBM que ele escoltara conseguiu acertar diretamente o cruzador e depois caiu no mar, em chamas. Quando Conner voltou para o *Natoma Bay*, seu atirador, Louis Hill, teve uma conversa séria com ele no convés de voo. "Se você fizer uma idiotice dessas de novo, eu quebro sua cara." Conner ofereceu-se como voluntário para uma segunda missão mais tarde nesse mesmo dia, atacando a mesma formação inimiga. Foi no segundo ataque a pesados navios de guerra que ele foi abatido, com os tripulantes Donald Bullis e Louis Hill.

Ele recebeu um total de seis medalhas por bravura.

Oh, sim, disse Gwen, ele era um bravo piloto e um membro querido da comunidade. E deixou para trás alguns corações partidos. Quando estava fazendo o treinamento de piloto em Jacksonville, na Flórida, se casou com Mary Frances "Fay" Widenburd, no dia 28 de maio de 1943.

Seus pais, Lynn e Lalla, já haviam suportado sua cota de dor. Eles tiveram seis filhos, dois dos quais morreram durante uma epidemia de gripe no inverno de 1917-1918. Com a morte de Leon, eles perderam a metade dos filhos.

Foi uma conversa longa e comovente — a primeira de muitas —, e Gwen tentou fazer com que Andrea compreendesse a importância, as qualidades excepcionais, do falecido primo.

— A esposa dele casou-se de novo — disse ela a Andrea. — Mas nunca esqueceu Leon. Manteve o retrato dele na mesinha de cabeceira pelo resto da vida. O segundo marido não se importava.

No entanto, o tempo todo, Andrea tivera sentimentos confusos a respeito desse processo de pesquisa; não sabia se queria ou não ver o que havia debaixo das pedras. Ela sabia que não queria descobrir nada ruim a respeito de James Huston Jr. Mas os membros do conselho decidiram contra ela. O argumento era simples: Huston tinha de ser uma pessoa legal. A Marinha não permitia que vagabundos ou foragidos de Alcatraz pilotassem seus aviões.

Tudo bem, mas e se ela não gostasse dele? Era simples assim. E se ele se revelasse um completo idiota? Andrea talvez desistisse do projeto. No entanto, é claro que não faria isso. Ela era obstinada demais para isso.

Se ainda restava alguma apreensão, a história de Leon Conner conseguiu tranquilizá-la totalmente.

CAPÍTULO VINTE E QUATRO

As FELIZES COINCIDÊNCIAS e as ocorrências de detalhes precisos relacionados aos bonecos GI Joe eram assombrosos. Como James poderia dar a eles o nome de pilotos mortos? Como ele poderia saber o nome daqueles que morreram antes de James M. Huston Jr.? Ele não saberia ler a lista de nomes das baixas; ele não tinha como saber quem iria "esperá-lo no céu". Ele era uma criança de 4 anos e estava dizendo coisas que faziam seus pais ficarem de cabelo em pé.

Leon Conner era louro, exatamente como seu boneco homônimo. Bruce e Andrea sabiam que, quando encontrassem Billie Peeler e Walter Devlin, o cabelo deles também teria a cor dos bonecos correspondentes.

Eles estavam perdendo o controle sobre tudo que estava ocorrendo. Não entendiam exatamente o que estavam procurando, mas sabiam que a pesquisa proporcionaria a resposta para as impressionantes declarações de seu filho. Era como se todos os tripulantes mortos estivessem esperando ser descobertos, e o trabalho de Bruce e Andrea fosse desempenhar esse papel.

Desse modo, no seu jeito inconstante e ao mesmo tempo sistemático, eles seguiram adiante. Eles encontrariam algumas respostas localizando as famílias de todos os mortos do *Natoma Bay*. Andrea, tentando não se precipitar, continuou a busca em ordem alfabética. Eddie Barron não era um dos bonecos, mas uma coisa levaria à outra...

> Ed era judeu e tinha se casado com uma bela jovem judia em Los Angeles uma semana antes de deixar San Diego.

O texto estava escrito em um fichário de folhas soltas. As páginas estavam cuidadosamente datilografadas, da maneira como as pessoas costumavam guardar suas lembranças antes dos computadores. Ele fora enviado por Cliff Hodge, um atirador do VC-63. Seu nome estava na lista de veteranos do *Natoma Bay*, mas ele estava doente e não pudera comparecer ao encontro de 2002. Quando Bruce voltou para casa, depois da reunião em San Diego, telefonou para Cliff Hodge em St. Louis, apresentou-se e perguntou a ele se servira alguma vez com alguns dos homens mortos em combate.

— Para dizer a verdade, servi...

A investigação compensou. Havia aquelas incríveis surpresas que surgiam de repente o tempo todo em decorrência da diligência e da persistência de Bruce. Cliff Hodge lhe disse que servira com Eddie Barron e Eldon Bailey, que os conhecia pessoalmente; eles foram colegas de bordo e veteranos de combate do mesmo esquadrão.

Bruce e Cliff conversaram durante muito tempo ao telefone. Os veteranos estavam, em geral, ansiosos para falar, principalmente com alguém que estivera nas reuniões, alguém que conhecia o assunto. No final do telefonema, Hodge disse que tinha algo para enviar a Bruce. Era sua autobiografia inédita, um livro que ele intitulou *World War II: A Scrapbook & Journal* —

The Human Side (Segunda Guerra Mundial: diário e álbum de recortes — o lado humano). Estava cheio de fotografias, anotações e histórias a respeito dos homens e da vida a bordo do *Natoma Bay*. Esse era outro exemplo de um tesouro — um pacote grosso com pistas. Partes da autobiografia haviam permanecido nos armários e álbuns de Cliff Hodge durante sessenta anos. Ele os estivera juntando para seus netos, mas disse que Bruce poderia ficar com uma cópia.

As histórias que Cliff Hodge enviou mostravam o lado humano da guerra. No dia 12 de fevereiro de 1944, o *Natoma Bay* estava ancorado em uma baía protegida nas ilhas Marshall. Cliff, um marinheiro de máquinas, era responsável pelo equipamento do esquadrão, e o suprimento de determinado tipo de válvula para os TBMs estava faltando no navio. A baleeira a motor do navio levou-o até o USS *Intrepid*, que tinha um estoque dessa válvula. “Não se esqueça de voltar para me buscar!”, gritou ele para o timoneiro.

Cliff pegou as válvulas, mas a baleeira não voltou. O timoneiro não se esqueceu; ele simplesmente se perdeu entre todos os navios na laguna.

Ouviu-se a ordem: “Todos os homens no seu posto para levantar âncora!”

O *Intrepid* recebera ordens para se juntar a uma força-tarefa que lançaria um ataque surpresa à ilha de Truk. Cliff ficou de mãos atadas. Os oficiais do *Intrepid* arranjaram um velho catre para ele e lhe deram umas tarefas leves, e Cliff tentou não atrapalhar. Quatro dias depois, ele estava no meio do ataque à ilha. Na segunda noite, foi arremessado para fora do catre. Seu pescoço realmente doía, e ele não sabia o que poderia ter feito tremer um porta-aviões tão grande. O navio fora torpedeado;

não o bastante para que afundasse, mas o suficiente para ficar fora de ação.

Cliff constataria mais tarde que tivera fraturas em duas vértebras do pescoço.

O *Intrepid* foi mandado de volta a Pearl Harbor, para reparos. Vivendo num frágil catre, Cliff ficou com medo de ir à corte marcial por ficar tanto tempo ausente do serviço sem autorização. Outra coisa o estava incomodando muito. Sua esposa, Elsie, estava no último trimestre de gravidez, e havia semanas que ele não tinha notícias dela. Certa noite, um homem com farda de oficial perguntou-lhe se poderia fazer alguma coisa por ele. Ele era da Cruz Vermelha. "Pode sim, quero saber se sou pai de um menino ou de uma menina." Cliff esqueceu-se da visita e voltou a dormir.

No dia 1° de março, fizeram Cliff rolar do catre às 2 da manhã e disseram-lhe que se apresentasse imediatamente à pequena plataforma de embarque. Ele embarcou em um grande hidroavião e foi levado para Espiritu Santo, nas ilhas Hébridas, onde, quase duas semanas depois, o *Natoma Bay* ancorou. Ele voltou ao navio, sem saber se seria preso ou reintegrado no posto.

Todo mundo adorou a história; afastar-se por uma hora para pegar algumas peças sobressalentes, ficar detido no meio de uma batalha, ser torpedeado, navegar 13 mil quilômetros e voltar um mês depois, sem as peças. Era uma história incrível.

Novos uniformes, seu velho beliche e a correspondência o aguardavam. As notícias eram boas. Sua filha, Nancy Lee Ann, tinha nascido no dia 5 de fevereiro de 1944. Apenas uma coisa levemente desagradável acontecera. Elsie estava voltando para casa do hospital com o bebê quando viu um carro estacionado na frente da casa. Quando Elsie saltou do carro, segurando Nancy Lee Ann, uma mulher de uniforme aproximou-se dela para lhe entregar o conhecido telegrama amarelo. Elsie começou a tremer. Todo mundo conhecia o conteúdo desses envelopes amarelos. Ou o marido dela ou seu irmão...

— Não são más notícias — disse logo a mulher de uniforme, ao ver o rosto de Elsie empalidecer.

Ninguém morrera. Era simplesmente o telegrama de Cliff pedindo notícias do bebê.

Foi uma história divertida em uma guerra muito sombria.

A autobiografia foi acrescentada às pilhas de papéis e pastas que estavam começando a bloquear alguns cômodos da casa em Lafayette. O escritório estava transbordando, a sala de jantar só funcionava como depósito, e as prateleiras estavam repletas de livros a respeito da Segunda Guerra Mundial. Em outras circunstâncias, Andrea teria reclamado, mas também fora enfeitiçada pelo *Natoma Bay*. Ela estava extasiada e desejava saber tudo a respeito dos homens no navio. Mas, acima de tudo, é claro, ela ainda queria descobrir o máximo possível a respeito de James M. Huston Jr. e das misteriosas declarações de seu filho. E ela sabia como James Huston era, por intermédio da tripulação. As histórias pareciam uma canção, e ela era uma ouvinte sincera.

No início, não estava claro quais elementos eram importantes ou não. A autobiografia chegou, foi rapidamente lida e em seguida colocada em outra pilha de documentos, perdendo-se em meio a tantas informações.

É possível ter documentos e dados em abundância. E por ser colecionador de documentos eletrônicos e impressos dos pesquisadores modernos, Bruce juntava tudo. Imprimia todos os arquivos. Copiava-os. A casa estava começando a correr risco de incêndio por causa dos papéis do *Natoma Bay*.

— Está tudo aqui — dizia Bruce para Andrea, e saía correndo para o trabalho, deixando-a à deriva no oceano de documentos. E ele estava certo; provavelmente, estava tudo lá, mas onde? Era preciso saber onde procurar.

Por sorte, Andrea tinha o instinto de um cão de caça para encontrar as famílias perdidas. No auge de sua frustração, quando estava perdida na teia de todos os sites, ela se lembrou da autobiografia de Cliff Hodge. E se lembrou também de que dentro dela lera outra referência a Eddie Barron. Era algo dito por outro colega de bordo, James Gleason:

> Eddie gostava de chamar a si mesmo de "garoto judeu". E ele estava pronto para voltar para casa assim que pudesse. Estava muito animado por ter se casado com aquela que ele descrevia como "a moça mais bonita do mundo". Ele estava loucamente apaixonado pela esposa. Eddie modificou o estereótipo que eu tinha a respeito de como era um judeu. Eddie era um rapaz simpático e cordial, que genuinamente fazia as pessoas se sentirem bem por estarem ao seu lado. Ele deixava os outros à vontade.

Um judeu que chamava a si mesmo de "garoto judeu", como uma espécie de vacina preventiva para que não o chamassem assim primeiro, o colega de bordo que fica surpreso com o fato de um judeu poder ser simpático e cordial — essas ofensas condescendentes eram comuns na década de 1940. Andrea olhou além dos pequenos insultos expressos como elogios. Agora ela percebia um punhado de pistas. Ela sabia que Eddie Barron era judeu e se alistara na Marinha em Minneapolis. Andrea não tivera êxito em Minnesota, mas agora tinha em mãos a referência de Cliff Hodge à Califórnia. Talvez Eddie Barron estivesse na relação de mortos da Califórnia. Ela tentou o site nara.gov (National Archives and Records Administration), que relaciona a linhagem, e — *voilà* — lá estava ele: Edward Brennan Barron. O parente mais próximo estava relacionado como sua esposa, Miriam Koval Barron, de Los Angeles.

Mas Andrea ainda não atingira seu objetivo. Não conseguiu encontrar Miriam Barron nem Miriam Koval na busca que fez no site das listas telefônicas, de modo que tentou os registros de casamento de Los Angeles para o ano de 1943. Não estavam disponíveis. Recorreu então aos registros do censo de 1930 e descobriu que Miriam Koval tinha três irmãs: Zelda, Elaine e Pearl. Andrea fez uma busca no registro de casamento com o nome Koval e descobriu que uma tal de Pearl Koval, de Los Angeles, se casara com um tal de Hyman J. Davis.

Davis era um nome bastante comum, mas ela tentou os catálogos telefônicos da Califórnia e encontrou um Hyman J. e Pearl Davis em Bakersfield. Andrea telefonou para o número e contou sua história, e a mulher do outro lado ouviu com aquele misto de desconfiança e assombro que caracterizava aquelas conversas. Finalmente, convencida de que Andrea não era uma pessoa com uma nova maquinação para lhe vender um plano de investimento, a mulher confessou que Miriam era sua irmã mais velha.

Às vezes o rompimento da barreira acontecia com facilidade — ou parecia se esclarecer rapidamente depois da longa e árdua abordagem. Nesse caso, descobrir o número de telefone certo — encontrar a irmã — abriu as portas. O nome de Miriam não era mais Barron. Como tantas viúvas de guerra, ela voltara a se casar. Seu nome agora era Miriam Sherman, e ela estava disposta e ansiosa para falar a respeito de Eddie.

Sim, ela conhecera Eddie em um encontro quando ele estava fazendo o treinamento em San Diego. Ficou encantada com o uniforme e a beleza morena do rapaz, e um pouco nervosa por ser alguns meses mais velha do que ele. Ela ocultou esse fato durante algum tempo, com medo de que ele perdesse o interesse. Naquela época, os homens tinham ideias engraçadas a respeito desses detalhes.

Foi amor à primeira vista. Ele a chamava de "Mickey" e não lhe contou suas terríveis premonições. Ele falou para todas as outras pessoas que não achava que estaria entre os sobreviventes da guerra.

Ela sabia detalhes sobre os antecedentes civis dele?

Sabia; os namoros sempre começavam com uma troca de informações sobre o histórico familiar. Seu nome de batismo era Edward Brennan Barron, e ele nascera em Minneapolis, no dia 24 de fevereiro de 1924, filho de Joseph e Pearl Barron. Eles eram imigrantes; Joseph viera da Rússia, em 1908, e Pearl, da Romênia, em 1910. Joseph tinha uma loja de roupas. Eddie tinha um irmão mais novo, Norman, e uma irmã mais nova, Marguerite. Eles a chamavam de "Dolly".

Miriam descreveu todos os pequenos detalhes que fascinavam Andrea. Eddie fizera parte da escola de arte dramática durante o ensino médio e depois se alistou na Marinha, ficando baseado em San Diego.

Não tiveram muito tempo para ficar juntos. Foi como todos os casamentos da época da guerra: alguns meses em terra e ele partiu. Eles mal se conheceram, além do fato de que, durante algum tempo, em meados dos anos 1940, ele foi seu marido. Ela voltou a se casar duas vezes depois da guerra, mas Eddie, disse ela, foi "o amor da minha vida". Miriam estava grávida quando Eddie partiu. Ele não sabia disso. Depois que soube da morte do marido, ela deu à luz gêmeos prematuros, que morreram dias depois.

Ele era um operador de rádio em um TBM Avenger. Seu piloto era Ruben Goranson. Seu outro companheiro de equipe era Eldon Bailey, o atirador de bordo. Ele, provavelmente, os conhecia melhor do que conhecia a esposa; pelo menos passava mais tempo com eles.

A parte militar da história — alguns vislumbres do caráter de Eddie — estava detalhada na autobiografia de Cliff Hodge.

> Uma interessante informação suplementar; o tipo de heroísmo do dia a dia que nunca chega às manchetes (...). Aconteceu poucos dias antes do voo fatal (...). Durante a catapulta, o operador de rádio agarra duas alças que estão diante dele para preparar o corpo para a (força G) da decolagem. Era como ser projetado de um canhão. Bem na frente das duas alças, havia uma prateleira que continha todo o equipamento eletrônico pesado, como o rádio, o radar etc. Nesse dia, Ed estava se segurando nas alças quando a catapulta foi acionada, mas alguma coisa se soltou. O equipamento caiu com força para trás, imobilizando as mãos de Ed. As duas mãos ficaram machucadas, e ele ficou preso entre as alças e a prateleira.
>
> Na torre do atirador, Eldon Bailey olhou para baixo, por entres os pés, e pôde ver o que tinha acontecido; ele desceu para tentar ajudar Barron. Sem ferramentas, Eldon não conseguiu mover a prateleira. Bailey chamou o piloto, Goranson, e segurou o microfone para que Barron pudesse falar. Goranson perguntou a Eddie se ele deveria abortar a missão e voltar para o navio, mas Ed disse que não, que ele fosse em frente. Partiram então para a missão, em

busca de submarinos, enquanto as mãos de Ed Barron estavam presas debaixo da pesada prateleira. O pouso no porta-aviões foi aflitivo, e as duas mãos de Eddie estavam cortadas e feridas.

Mas ele não fraturou osso algum. Sentiu muita dor, mas não ficou incapacitado. Alguns dias depois, foram escalados para sair novamente na patrulha antissubmarino, e Eddie foi dispensado do voo. No entanto, ele se recusou a deixar que outra pessoa assumisse seu posto. Insistiu em voar, afirmando que conseguiria operar perfeitamente os instrumentos.

Às 10h07 do dia 7 de fevereiro de 1945, 17 dias antes do seu aniversário de 20 anos, enquanto fazia uma patrulha a 20 quilômetros do atol de Majuro, perto das Filipinas, Eddie Barron enviou um S.O.S. para o navio. O avião estava com problemas no motor e no rádio e iria fazer um pouso forçado na água. Foi o último sinal do avião em pane.

Um destroier, o USS *Kidd*, junto a duas aeronaves da patrulha antissubmarino, foi desviado para procurar o TBM desaparecido. Outros aviões ajudaram na busca, mas nenhum vestígio da aeronave foi encontrado. Nenhum destroço. Nenhum sobrevivente. Todos desapareceram. Goranson, Bailey e Barron.

Os nomes eram familiares para Andrea. Quando um TBM desaparecia, os membros da tripulação morriam juntos; uma pequena família. Goranson, Bailey e Barron estavam na lista de 21 mortos do *Natoma Bay*.

Ela descobriu algumas coisas a respeito dos outros por meio da autobiografia de Hodge e de alguns registros do navio. O guarda-marinha Ruben Goranson também era de Minnesota. Seu pai, Adolph, era lapidador de cristais e insuflador de vidro. A mãe, Alma, era dona de casa. Também eram imigrantes, da Suécia. Ruben tinha dois irmãos mais velhos, Henry e Harold. Os três serviram na Segunda Guerra Mundial.

Ruben, o caçula, era aluno do curso pré-médico quando a guerra foi deflagrada. Ele se interessou bastante por voar e ingressou no programa de candidatos a oficiais da faculdade. A fábrica de cristais de seu pai ficava no final de um campo de golfe da cidade, e Ruben, para se exibir, frequentemente fazia voos rasantes sobre a fábrica em seu avião de treinamento. O pai, que, de um modo geral, era um homem controlado, às vezes saía correndo da fábrica berrando palavrões em sueco para o céu.

Isso não incomodava Ruben nem um pouco, que continuava a fazer os voos rasantes sobre a fábrica. Ruben era baixo, e mexiam muito com ele por causa disso. No entanto, tinha porte atlético; trabalhara como salva-vidas quando estava no ensino médio. Morreu solteiro, aos 21 anos.

Depois de receber a notícia de que seu filho tinha desaparecido em combate, seguindo um costume sueco, Alma cortou galhos de sempre-vivas e colocou-os debaixo da cama de Ruben. A crença era de que os ramos de sempre-viva proporcionariam uma passagem segura para casa.

Andrea soube dessas coisas por intermédio de Roger, sobrinho de Ruben nascido em 1948, que não conheceu o tio.

Eldon Ray "Bill" Bailey era de Kentucky. Seus pais, Hubert e Elgie Bailey, eram agricultores. A família mudou-se para

o Kansas nos anos 1930 e viram-se às voltas com o Dust Bowl.*
A vida deles era muito difícil.

Eram pessoas duronas; era preciso ser vigoroso e obstinado para sobreviver na Grande Depressão. Eldon também faleceu com 21 anos.

Eldon tinha um irmão mais novo, cujos estudos ele pagava, e que simplesmente o adorava. Depois da morte do irmão, Floyd alistou-se na Marinha.

Andrea e Bruce obtiveram essas informações de um primo, J. D. Bailey, que fora morar com Hubert e Elgie depois que seus pais morreram em 1919, vítimas da grande pandemia de gripe.

As histórias eram desanimadoras, mas, de certa forma, reconfortantes. Os homens que morreram eram meninos, apenas meninos, não muito mais velhos do que o filhinho de Andrea.

---

* Dust Bowl é o nome dado a uma série de tempestades de poeira que causaram um enorme dano ecológico e agrícola nas pradarias dos Estados Unidos e do Canadá de 1930 a 1936 (em algumas áreas até 1940), provocadas por uma grave situação de seca aliada a décadas de agricultura extensiva sem a rotação de culturas como o algodão e o milho, bem como a utilização de técnicas que provocavam a erosão. (*N. da T.*)

CAPÍTULO VINTE E CINCO

BRUCE HAVIA DESCOBERTO todos os detalhes a respeito da vida militar dos 21 homens que morreram enquanto serviam no *Natoma Bay*. Ele tinha os relatórios de combate, os diários de guerra, os relatos do pessoal de bordo dos aviões, citações oficiais de todos os tipos. Ele sabia como e por que tinham morrido. Porém, não sabia nada a respeito da vida pessoal. Havia um motivo para isso, ou seja, o fato de que os marujos a bordo do porta-aviões mantinham uma distância emocional das tripulações de combate. A experiência lhes ensinara que tinham de pagar um preço por se aproximarem de homens condenados.

Portanto, se Bruce e Andrea quisessem completar o quadro — descobrir toda a história —, teriam de recorrer às famílias dos militares mortos. Teriam de fazer a pesquisa recuar no tempo, despertar as famílias para uma dor de mais de cinquenta anos.

Por outro lado, essas famílias talvez reagissem bem à possibilidade de saber como seus entes queridos haviam morrido. Elas raramente tinham essa informação.

O boneco moreno GI Joe no travesseiro de James era uma cópia exata do guarda-marinha Billie Peeler, piloto do *Natoma Bay*, que morreu no dia 17 de novembro de 1944. Bruce e Andrea tinham certeza desse fato. No entanto, Billie Peeler não constava da lista principal dos mortos na guerra do *Natoma Bay*.

Depois de alguma pesquisa, Bruce descobriu o motivo: Billie Peeler não perdera a vida em combate, e sim em um voo de lazer, com outro membro da tripulação, Lloyd Holton, durante um período de folga. Seu avião perdeu potência, ficou descontrolado e mergulhou no mar ao largo da ilha de Pityliu, depois da batalha do golfo de Leyte.

Billie era um piloto de combate — ganhou a Air Medal em Samar, na Batalha do Golfo do Leyte, em outubro de 1944 —, mas, como morreu durante uma folga, seu nome não foi incluído na placa oficial dos mortos de guerra do *Natoma Bay*, localizada no USS *Yorktown* Museum, em Charleston, Carolina do Sul.

Bruce examinara os registros e relatórios que conseguira reunir — relatos de testemunhas oculares de outros navios e tripulações que nem mesmo os homens do *Natoma Bay* tinham visto — e descobriu o trágico fim de Billie Peeler.

Desse modo, do seu jeito corajoso e determinado, o casal Leininger agiu para estabelecer um lugar adequado para Billie Peeler na lista principal dos mortos do *Natoma Bay* e, o que talvez fosse menos importante, conceder a ele um descanso apropriado no travesseiro de James.

Andrea encontrou-o no site nara.gov: Billie Rufus Peeler. Ele era de Granite Quarry, Carolina do Norte. Os parentes mais próximos eram Carl Banks Peeler e Pearl. Os registros do censo de 1930 relacionavam quatro crianças como filhas do casal Peeler: Erdine "Virginia", a mais velha, Billie, Carl Banks Jr. e Wallace.

Carl Jr. morreu em 1997.

Havia três W. Peeler na Carolina do Norte, e Andrea telefonou para os três, mas nenhum era parente de Billie.

Voltei para o whitepages.com e digitei Wallace Peeler, sem especificar nenhum estado. Obtive um único resultado para o país inteiro, o que é inacreditável. Wallace L. e Stella Peeler. Estavam morando em Alexandria, Louisiana, que fica a uma hora de carro da nossa casa. Não achei que pudesse ter tanta sorte. Disquei o número, e um homem com voz agradável atendeu. Repeti a rotina habitual e depois perguntei se ele era irmão de Billie Rufus Peeler.

O homem foi cordial, loquaz e era o cara certo. O irmão mais novo de Billie Peeler.

Gastei um total de trinta minutos na internet e quatro telefonemas para encontrá-lo.

Ficou claro que Wallace fora muito próximo do irmão mais velho, Billie. A foto dele no uniforme branco de gala ainda estava pendurada na parede do escritório de Wallace. E o homem na fotografia tinha grande semelhança com o boneco GI Joe que James chamara de Billy.

Wallace estava ansioso para falar. Seu pai, Carl Banks Peeler, era um jogador de beisebol semiprofissional, um arremessador. Mas naqueles dias, antes da Segunda Guerra, um jogador de beisebol semiprofissional precisava ter um emprego para alimentar a família. Assim, ele se tornou vendedor de automóveis. Durante a guerra, quando as vendas de carro foram suspensas, ele passou a consertar locomotivas a vapor. Depois da guerra, voltou a vender carros. Pearl, a mãe de Billie, Carl e Wallace, era dona de casa. Ela pensou em trabalhar como costureira quando estava com 80 anos, apenas para conhecer a sensação de receber um contracheque, mas não levou a ideia adiante.

Billie formou-se no ensino médio em 1940 e imediatamente ingressou no programa de treinamento de pilotos V-5 da Marinha. Ele também ficou noivo, mas o nome da moça foi perdido e esquecido.

Em julho de 1944, Billie, que tinha 21 anos, tornou-se um piloto de FM-2 Wildcat no VC-81 a bordo do *Natoma Bay*. Durante a Batalha do Golfo de Leyte, Billie pilotou seu Wildcat através de uma chuva de fogo antiaéreo para atacar um encouraçado e um destroier.

Foi uma ação heroica que lhe valeu uma medalha, mas esses foram momentos heroicos na história naval, e os homens envolvidos na guerra estavam mais interessados em ter uma pausa para respirar e ficar longe do fogo do que em ganhar medalhas.

Os homens do *Natoma Bay* foram levados para a ilha Pityliu, que fazia parte das ilhas Admiralty. Havia um grande pátio de reparos de aviões em Pityliu, e um piloto com ânsia de voar podia dar uma volta em qualquer avião desocupado que fosse declarado em condições de voo e não estivesse designado para alguma missão. Às vezes, os aviões não estavam em condições perfeitas de voo por terem sido atingidos, mas isso não preocupava um jovem piloto irrequieto que já participara de alguns combates difíceis. Desde que não tivessem de voar através de uma torrente de fogo antiaéreo, ele estava feliz.

Billie e Lloyd Holton, o oficial engenheiro do VC-81 que não tinha muitas oportunidades de voar, decolaram em um bombardeiro de mergulho Dauntless, desgastado pela guerra, e nunca voltaram. O acidente e as mortes foram testemunhados e confirmados imediatamente, mas a Marinha só revelou os detalhes para a mãe dele depois da guerra.

Prezada Sra. Peeler,

(...) Eu não sabia que a senhora não tinha sido informada de todos os fatos a respeito de Billie. Não existe nenhuma chance de que ele possa ter sobrevivido à queda. Um piloto de outra base viu o acidente e circundou a cena.

Na ocasião, estávamos morando temporariamente na ilha Pityliu, situada na parte norte do porto Seeadler em Manus, nas ilhas Admiralty. Vários esquadrões foram enviados até lá depois da invasão de Leyte e da Batalha de Leyte para descansar. Tivemos duas árduas semanas de operações e todos precisávamos relaxar.

Estávamos voando muito pouco. Passávamos os dias nadando, jogando um pouco de basquete e também à toa, sem fazer nada.

Certa tarde, Bill e um bom amigo dele, Lloyd Holton, chegaram à conclusão de que gostariam de voar. Foram até outro esquadrão e pegaram emprestado um bombardeiro de mergulho SBD [Ship Borne Dive-Bomber]. Decolaram para sobrevoar os arredores. Pouco antes do anoitecer, recebemos uma mensagem pelo rádio informando que haviam recebido um comunicado sobre um acidente. Como constatamos depois, o acidente tinha sido com o avião de Bill.

Enviamos um barco de resgate para a cena do acidente, cerca de 8 quilômetros ao norte de Pityliu. O barco chegou ao local quando já estava escuro. Não havia nada lá, a não ser alguns destroços flutuando.

No dia seguinte, conversei com o piloto que viu o acidente. Ele disse que estava voando em uma altitude relativamente elevada e, quando olhou para baixo, avistou o SBD em parafuso a uma altitude de cerca de 600 metros. Em seguida, viu o avião se recuperar do parafuso e, logo depois, entrar em outro parafuso. O avião estava começando a se reequilibrar do segundo parafuso quando atingiu a água e afundou, quase imediatamente. Ninguém subiu à superfície. O piloto fez a comunicação pelo rádio e depois continuou a circular o local e orientar o barco de resgate.

Não há uma explicação segura para a causa do acidente (...). Todos sentimos imensamente a perda de Bill...

A carta estava assinada pelo capitão-de-corveta Bill Morton, do esquadrão de Billie.

Wallace estava com a carta. Sua mãe conservara-a consigo até morrer, em 2000. Ela nunca aceitou a morte de Billie nem se recuperou completamente. Guardava as roupas dele em um baú, porque achava que o filho iria precisar delas quando voltasse para casa.

O sentimento de uma história incompleta rondava toda a família. Não era apenas a cruel morte acidental, embora esse fosse um dos fatores.

— Eu também servi na Marinha — disse Wallace a Bruce e Andrea quando eles foram visitá-lo. — Tinha 19 anos e era um marinheiro de primeira classe no USS *Chester,* um cruzador, que fazia parte da mesma frota do *Natoma Bay:* estávamos nos preparando para dar apoio à invasão das Filipinas. Estávamos em outubro. Billie era oficial e tinha acesso a todos os navios da frota. Ele tinha feito preparativos para pegar um barco e ir até o *Chester* para me ver no dia 12 de outubro. Eu estava muito animado porque fazia quase três anos que não o via.

Mas no meio da noite, antes que os irmãos pudessem se encontrar, o USS *Chester* partiu de repente com os outros navios de sua força-tarefa e retirou-se do porto Seeadler. Estavam a caminho de um ataque surpresa a Formosa.

O desencontro continuou enquanto a frota travava combate no oceano Pacífico. Finalmente, o USS *Chester* ficou perto do *Natoma Bay* em Iwo Jima, onde muitas grandes frotas haviam se reunido para a invasão. Entretanto, a essa altura, Billie já estava morto, e as cartas que os pais enviaram da Carolina do Norte informando o fato a Wallace ainda estavam cruzando o oceano.

Wallace lembrou-se de ter ficado no convés do *Chester* durante a batalha de Iwo Jima, contemplando o horizonte, observando centenas de navios de guerra, pensando que seu irmão mais velho estava no *Natoma Bay* e iria visitá-lo assim que as coisas se acalmassem.

James chamara seu boneco de "Billy" em homenagem a Billie Peeler. Finalmente, Bruce e Andrea não tinham mais dúvida quanto a isso.

O cabelo do último boneco GI Joe era castanho-avermelhado, na verdade quase ruivo. Seu nome na vida real fora Walter "Big Red" John Devlin. Era nisso que o casal Leininger acreditava, embora fosse muito difícil confirmar.

Walter Devlin nasceu em 1921, em Ozone Park, no Queens, cidade de Nova York. O Queens é um bairro da periferia, o que indicava que ele provavelmente vinha de uma família da classe operária.

Lamentavelmente, seu pai não estava relacionado no censo de 1930 e permaneceu não identificado. A mãe de Walter, Mary, que tinha 46 anos em 1930, morava com o cunhado,

Patrick Devlin, que na época tinha 47 anos, trabalhava como bombeiro hidráulico e era viúvo. Outra pessoa morava no local, outro viúvo, Thomas F. Leese, de 67 anos. Ele estava relacionado no mesmo censo como pai de Mary. Esta teve três filhos: James, Walter e Gerard, nascidos, respectivamente, em 1920, 1921 e 1923.

Walter se tornou um homem alto, com cerca de 1,95m de altura.

Mas nem toda a magia de Andrea no computador conseguiu encontrar um membro vivo da família. Ela encontrou um James J. Devlin, que morrera em 1995. Consultando os registros do censo, descobriu que Gerard se alistara em 1942 e servira na Força Aérea do Exército. Embora tivesse o número de seu seguro social, Andrea não conseguiu descobrir se ele estava vivo ou morto. Havia 74 pessoas com o nome Gerard Devlin em Nova York — das quais 50 moravam no Brooklyn e em Queens —, e Andrea telefonou para cada uma delas, em vão.

Só conseguiram recompor a história de Walter Devlin pelos olhos dos veteranos do *Natoma Bay.* Ken Wavell, ex-piloto de Avenger, tinha intensas recordações de "Big Red", que nas fotografias do esquadrão se parecia com Gary Cooper.

> *Ele era bem magro e, na realidade, alto demais para ser piloto. Eu não conseguia imaginar até mesmo como ele cabia na cabine de pilotagem do caça FM-2. Irlandês, com uma vasta cabeleira ruiva. Todas as vezes que tinha de fazer um check-up, ele se abaixava um pouco. Um ianque típico. Grande fã do Brooklyn Dodger. E gostava de jogar bridge. Dizem que fora até piloto de carro de corrida, por isso não sentia muito medo. Mas havia uma coisa que preocupava Red: a água. Ele não sabia nadar, e tinha medo de*

um dia precisar fazer um pouso no oceano. A ideia de um pouso na água deixava-o simplesmente apavorado.

No dia 26 de outubro de 1944 dois grupamentos foram enviados contra os navios japoneses que fugiram da Batalha de Samar e foram para o mar de Visayan. Treze aviões atacaram um destroier e afundaram-no. A aeronave pilotada por Red Devlin estava entre as que atacaram o navio. O líder do grupo era Ken Wavell.

No voo de volta para o porta-aviões Ken Wavell recebeu um chamado de Red Devlin. Este disse que estava com problemas, que estava quase sem combustível. Wavell chamou o porta-aviões no rádio de comando e pediu para que deixassem Devlin pousar primeiro, porque sua situação de combustível estava crítica. O navio não confirmou o recebimento da chamada, de modo que, quando Red se aproximou, o navio estava virando na direção do vento. O oficial de sinalização de pouso, sem saber o quanto a situação de Red era crítica, fez sinal para que ele não aterrissasse.

Red Devlin respeitou o sinal, recolheu as rodas e ficou sem combustível. Fez um pouso de emergência no mar a algumas centenas de metros do *Natoma Bay*. Os homens no convés o observaram sair da cabine de pilotagem, dar alguns passos vacilantes em cima da asa e depois cair na água. Ken Wavell, que sobrevoava o local, deixou cair uma balsa salva-vidas.

— Ele estava boiando de bruços na água — disse Wavell.

Os homens do *Natoma Bay* ficaram um pouco desconcertados com o ocorrido. Eles viram Red Devlin sair da cabine e caminhar sobre a asa, e uma balsa salva-vidas estava ao alcance dele. Por que ele simplesmente não nadou cachorrinho até a balsa? Até mesmo um mau nadador seria capaz de fazer isso.

A única explicação era que ele talvez estivesse tonto por causa do impacto do pouso de emergência. Pode ter cambaleado sobre a asa, mas provavelmente estava apenas executando automaticamente os movimentos; uma espécie de memória muscular para escapar.

Eles tinham bons motivos para essa especulação. Todo mundo sabia que a porta da cabine de pilotagem de um Wildcat tinha tendência a emperrar durante um pouso forçado no convés ou no mar. Devlin, com medo de ficar preso dentro da cabine, provavelmente soltou a correia do equipamento antes de atingir a água, para livrar-se e ter mais tempo para sair do avião quando este começasse a submergir.

Quando o avião efetivamente atingiu a água, sem o equipamento para segurá-lo, a cabeça de Devlin deve ter se chocado contra a estrutura do avião, e ele ficou atordoado.

Quando os homens no convés o viram cambaleando sobre a asa, Red Devlin estava provavelmente sofrendo os efeitos de um traumatismo craniano. E seu maior receio se concretizou: ele se afogou depois de um pouso na água.

E foi assim que morreu Walter "Red" Devlin, o último boneco GI Joe.

CAPÍTULO VINTE E SEIS

Você só precisa saber o que perguntar e como perguntar.
Adoro fazer pesquisas no computador.

TUDO SE ENCAIXOU em fevereiro.

Andrea agora era uma dançarina, serpenteando através do eixo de informações, dos links, dos sites e dos becos sem saída. Em um mês, ela encontrara 11 das 21 famílias dos militares mortos. Porém, mais do que isso, suas preocupações a respeito do caráter de James Huston Jr. haviam desaparecido. Segundo se constatou, os jovens do *Natoma Bay* que perderam a vida na guerra eram dignos e respeitáveis. Em face de todas as sagas heroicas, a ideia de que James Huston Jr. se revelasse uma exceção parecia ridícula.

No final, os militares mortos representavam uma elegante amostragem da vida americana, com uma amplitude que ia de filhos de agricultores paupérrimos a rebentos de poderosos industriais.

E, à medida que cada história se desdobrava, revelava-se sua dolorosa aflição. Richard Quack, por exemplo, era um dos rapazes do *Natoma Bay* que morreram na guerra. Criado em uma fazenda em Sault Saint Marie, Michigan, entusiasmou-se desde cedo pela aviação. Seu quarto era repleto de aeromodelos, e sua cabeça, de aviões de verdade. Ele entrou para um clube civil de treinamento de voo quando cursava o ensino médio, e quando a guerra foi deflagrada Richard Quack alistou-se na Marinha e ofereceu-se como voluntário para o treinamento de voo. Pouco antes de ser enviado ao Pacífico, casou-se com a namorada do ensino médio, Dorothy. Ela estava grávida quando ele partiu.

Sua filha, Karen, não conheceu o pai. Richard foi morto em uma colisão no ar, em uma decolagem antes do amanhecer, no dia 9 de abril de 1945. Na ocasião, ele tinha 22 anos. Essa história tinha uma comovente familiaridade.

Peter Hazard foi uma das pesquisas mais difíceis de Andrea. A família do rapaz era de Rhode Island, mas nos registros do censo de 1920 eles também estavam relacionados como residindo em Santa Barbara, Califórnia. Uma pista para o múltiplo registro estava na descrição dos membros da unidade familiar: Rowland Hazard, 38 anos, chefe da família; Helen Hazard, 30 anos, esposa; Caroline, 6 anos, filha; Rowland Jr., 2 anos, filho; Peter, 1 ano, filho; Elizabeth Stevenson, 30 anos, ama de leite; Catherine McCaughey, 20 anos, babá; Marie Ziegfeld, 40 anos, arrumadeira; Ana Tobin, 45 anos, cozinheira; William Ryan, 19 anos, mordomo; Samuel Lopes, 27 anos, motorista.

A família de cinco membros tinha seis empregados. (Outro filho, Charles, nasceria depois do censo.)

Sob o título da ocupação da família, estava escrito: "Nenhuma." A família Hazard era rica.

Quando Andrea começou sua pesquisa, todos já tinham falecido, com exceção da esposa de Charles, Edith. Como Andrea não conseguiu encontrar um atestado de óbito, ela digitou "aabibliography.com/rowlandhazard.htm". Não teve sorte com as listas telefônicas, mas durante uma busca feita ao acaso encontrou Edith Hazard relacionada como membro do conselho diretor de um museu de Rhode Island.

Andrea telefonou para o museu e falou com um alto funcionário, que se recusou a fornecer o número do telefone de Edith, mas Andrea finalmente convenceu o relutante administrador a dar seu número a ela. Meia hora depois, ela ligou para Andrea, e a saga da família Hazard foi revelada.

Era uma antiga família aristocrática inglesa, cuja genealogia datava do século XI. Os ancestrais de Peter lutaram nas Cruzadas.

No início, eram magnatas da lã envolvidos com petróleo e atividades bancárias. Também eram vítimas de tragédias que pareciam conferir uma espécie de justiça rudimentar à aristocracia americana. Os filhos morreram na guerra, da Segunda Guerra à Guerra do Vietnã, e as filhas, de doenças peculiares (anemia perniciosa ou reação alérgica à penicilina). Eles eram dispersos e destruídos pelo divórcio e pelo alcoolismo.

Ainda assim, nas épocas de crise, todos atendiam ao chamado do dever. Isso também estava escrito no código de honra da família. Rowland, o filho mais velho, morreu em um acidente de treinamento na Flórida. Peter, que estudou na St. Paul's School, em Vermont, e depois em Harvard, onde foi o capitão do time de futebol, tornou-se piloto naval. Morreu heroicamente, aos 26 anos, no dia 27 de março de 1945, na batalha de Okinawa.

Peter estava pilotando um Avenger, pronto para atacar um alvo terrestre, quando um enxame de camicases cruzou sua frente, prestes a atacar a frota americana. Sem hesitar, Peter Hazard interrompeu sua missão e tentou interceptar os aviões suicidas japoneses. Ele voou na direção do fogo antiaéreo americano para romper a formação japonesa. Foi um ato suicida temerário e corajoso, e talvez tenha salvado a frota.

Eles não encontraram destroços ou sobreviventes, apenas um corante amarelo de sinalização no lugar em que o avião de Hazard afundou. Peter Hazard morreu junto com sua tripulação: o operador de rádio Bill Bird e o marinheiro de máquinas Clarence Davis.

Charles, o filho mais novo, estava lutando em um batalhão de tanques na Europa. Ele foi levado para casa como o último herdeiro sobrevivente do sexo masculino.

Edith Hazard desconhecia os detalhes da morte de Peter; Elizabeth, a irmã de Richard Quack, convivera com o mistério da morte de seu irmão durante meio século.

Era a política do Ministério da Marinha dos Estados Unidos manter os detalhes como "Altamente Sigilosos", temendo na ocasião que o inimigo pudesse se beneficiar ao aprender táticas ou mesmo ao saber quem tinha morrido. Era uma época voltada para a segurança, quando o slogan "Loose lips sink ships"(Falar demais faz navios afundarem) era o mantra entoado por todos.

As famílias enviavam cartas para os comandantes ou os colegas de bordo pedindo informações, e, com raras exceções, elas eram negadas por motivos de segurança. Mesmo depois da guerra, a burocracia impedia o governo de revelar os fatos.

Bruce achou que estava na hora de romper o silêncio, de modo que, depois de cada contato, o casal Leininger enviava uma carta agradecendo à família, uma cópia dos diagramas dos Relatórios de Combate da Aeronave e qualquer outro documento oficial relacionado com a morte em questão. Ele também incluía transcrições de quaisquer entrevistas informais com colegas da tripulação, acrescentando uma narrativa humana à história. E, por último, anexava cópias das fotografias que encontrara na reunião.

O alívio era sempre grande. Essas famílias haviam passado sessenta anos agarrando-se a tênues fios de dúvida e esperança. A conclusão era sempre bem recebida.

Bruce também incluía um poema. Foi algo que ele escreveu depois da primeira reunião dos veteranos a que compareceu, ocorrida em 7 de dezembro de 2002. O poema intitulava-se "Knights of the Air and Water"("Paladinos do ar e da água").

Paladinos que nunca viram o último amanhecer.
Que o aguardam na última chamada para o QG ou TWO BLOCK FOX.
É realmente um por todos e todos por um.
Deus, conceda este dia à essência do companheirismo desses homens enquanto equipe.
Que Seu Espírito de amor eterno abrace cada um dos entes queridos deixados para trás.

Isso também era um conforto para os sobreviventes.

CAPÍTULO VINTE E SETE

JAMES MCCREADY HUSTON, pai, perseguia Bruce Leininger. A ideia desse homem frequentando as antigas reuniões do grupo na década de 1960, perambulando entre os veteranos, perguntando sobre o filho, tentando descobrir como ele morrera e indo embora de mãos vazias transmitia a sensação de uma ferida aberta para Bruce. James McCready Huston morreu em 1973, mas Bruce achava que, mesmo assim, devia a ele um relato da morte do filho.

O trabalho do último mês no computador aumentara a confiança de Andrea, e ela tinha um acervo maior de sites e links com os quais trabalhar. Além disso, ela e Bruce tinham se livrado do medo do que iriam encontrar. Estava na hora de voltar a investigar James Huston Jr.

Comecei com o registro do censo, porque ele confirmaria se eu estava lidando com a família certa. Procurei todos os registros da Pensilvânia que continham o nome James M. Huston ou James Huston. Na terceira ou quarta tentativa, encontrei o que estava procurando: James M. Huston, chefe de família; esposa, Daryl; filha, Ruth; filha, Anne; e filho, James Jr. Eu sabia, é claro, que James M. morrera em ou-

tubro de 1973 e que Daryl falecera quatro meses depois. E sabia também que eles moravam em Los Gatos, Califórnia. Mas era aí que a trilha parava abruptamente. A essa altura, eu estava determinada a me esforçar mais. E isso significava voltar para a base da Pensilvânia.

Andrea pesquisou o índice de óbitos do seguro social e confirmou que James e Daryl tinham morrido em 1973 e 1974, respectivamente, na Califórnia; em seguida, ela entrou no site ancestry.com, tentando encontrar registros de casamento para Ruth ou Anne. De volta ao beco sem saída das mulheres.

A única coisa a fazer era mudar de rumo e recuar mais ainda na história. Ela queria ver se conseguiria localizar algum primo, qualquer parente do sexo masculino. Quanto mais detalhes, melhor.

Então, foi atrás dos registros de James do censo nos anos 1910 e 1900. O pai de McCready Huston era dentista, dr. Joseph Andrew Huston. Ele se casara com uma professora, Elizabeth Fishburn. Tiveram três filhos: John Holmes Huston, James McCready Huston e Smith Fishburn Huston. John Holmes Huston faleceu aos 23 anos, possivelmente na Segunda Guerra Mundial. Ele era solteiro e não deixou filhos. Smith Fishburn Huston, que morreu em 1960, casou-se com Christena Williams e teve cinco filhos, dos quais quatro eram meninas. O único menino era Robert M. Huston.

Não havia sinal dele nas listas telefônicas da Pensilvânia. Havia 250 pessoas com o nome de Robert Huston nos Estados Unidos, um número excessivo para uma metodologia baseada em telefonemas, mesmo para uma pessoa incansável como Andrea.

De volta ao essencial. A ocupação de James McCready Huston estava relacionada como redator de jornal. Por definição, um redator de jornal deixaria um rastro de papel. Navegando na internet, Andrea encontrou alguns artigos a respeito de James McCready Huston. Um deles foi no Brownsville Time Capsule, de Brownsville, Pensilvânia. Era a crítica literária de um romance que ele escrevera e que estava sendo publicado pela Bobbs-Merrill Company. A obra chamava-se *The King of Spain's Daughter* e desfrutava um modesto sucesso. A crítica do livro mencionava que Huston tinha sido editor do *News-Times* de South Bend, Indiana. Andrea também encontrou outro artigo mencionando uma coluna que ele escrevera para o *Brownsville Telegraph*, chamada "And That Was Brownsville".

A família McCready tinha raízes em Brownsville.

A ligação com a Pensilvânia parecia mais forte, de modo que Andrea telefonou para o *Brownsville Telegraph* e perguntou se alguém se lembrava de James McCready Huston ou do filho dele, James M. Huston Jr.

Foi uma das tentativas ao acaso, uma pequena linha tênue lançada no escuro sem muita esperança de sucesso. Por sorte, o *Brownsville Telegraph* era um desses jornais pequenos em que todo mundo conhece todo mundo, ou pelo menos sabe onde descobrir coisas a respeito das pessoas.

Andrea foi encaminhada para uma ex-secretária que tinha trabalhado no jornal durante muitos anos. Claro, ela se lembrava da família Huston. Uma das primas de Huston ainda morava na região. Era uma das filhas de Smith Huston, Jean. A velha secretária pegou a lista telefônica, procurou o número e desejou boa sorte a Andrea.

"Olá, meu nome é Andrea Leininger, e meu marido, Bruce, e eu estamos trabalhando em um livro..."

Jean ficou feliz com o telefonema de Andrea. Sabia tudo a respeito de James M. Huston Jr. e seu heroísmo na Segunda

Guerra Mundial. A irmã mais velha dele, Ruth, fora colunista social do *Brownsville Telegraph*. Mas falecera.

A essa altura, Andrea já aprendera a lidar com o entusiasmo da esperança e a frustração da decepção trazidos pelo vento. As pessoas morrem, desaparecem ou esquecem. Entretanto, Jean tinha uma notícia arrasadora: a outra irmã de James, Anne, ainda estava viva, e morava na Califórnia. Jean não tinha informações de contato, não sabia como encontrá-la, mas estava certa de que sua irmã, June, sabia tudo isso. Então, Andrea anotou o número do telefone de June e telefonou para ela.

June era loquaz. Passou uma hora falando a respeito de tudo com Andrea: do pé chato do filho, do que estava cozinhando para o jantar... e Andrea conseguia ouvir em segundo plano o barulho das panelas, a água correndo e as portas batendo. June vivia com o fone encaixado no ombro e agora fornecia informações à sua nova amiga a respeito dos antecedentes do clã Huston. Depois de muito tempo, Andrea finalmente conseguiu obter o nome de casada de Anne e seu número de telefone, e desligou. O nome era Anne Huston Barron, e ela estava então com 84 anos.

Uma voz doce e suave atendeu o telefone em Los Gatos, Califórnia.

— Alô?

Andrea explicou novamente quem ela era e por que estava telefonando e, em seguida, fez a pergunta aflitiva e apavorante:

— Você é irmã de um piloto, James M. Huston, que morreu na Segunda Guerra?

E a voz doce e suave respondeu:

— Sou.

O coração de Andrea estava batendo como o de um coelho assustado, e ela se sentou à mesa da cozinha com um bloco, um lápis e o telefone. Explicou a Anne o caminho que teve de percorrer para encontrá-la e como descobrira Jean.

— Jean gosta muito de falar — disse Andrea.

— É verdade — respondeu Anne. — Depois que converso com ela durante meia hora no telefone, preciso atender a porta de repente.

Ela falou sobre seus pais. Tinham se mudado para a Califórnia depois que se aposentaram. Morreram com poucos meses de intervalo um do outro.

Andrea queria falar sobre o irmão dela, James.

— Nós o chamávamos de Jimmy.

— O que você tem a me dizer a respeito dele?

— Oh, ele era louro, de olhos azuis, e tinha estatura e constituição medianas. Um rapaz bonito. Adorava voar. Desde pequeno, costumava construir modelos com pau de balsa. Quando ficou mais velho, sempre que tinha oportunidade, voava nos velhos biplanos. Oh, e tinha uma boa voz para cantar. Até mesmo cantava no rádio, em um coral. Adorava "Red Sails in the Sunset".

— Você se lembra de alguma coisa a respeito da morte dele?

— No dia em que ele morreu, eu estava arrumando minha casa na Califórnia, para a volta dele. Íamos reunir a família. Nossos pais viriam de Bryn Mawr, na Pensilvânia, onde moravam na época.

"Enquanto eu fazia a limpeza, tive a repentina sensação de que Jimmy estava perto de mim. Sua presença foi tão forte que na verdade comecei a conversar com ele. Eu me lembrei disso alguns dias depois, quando papai ligou para me dar a notícia. Eu me lembrei que isso tinha acontecido no dia 3 de março.

"Mamãe e papai nunca falavam a respeito da morte de Jimmy, mas papai foi a várias reuniões para ver se conseguia obter alguns detalhes, sem qualquer êxito."

Jimmy tinha um amigo, Jim Eastman. No dia em que Jimmy morreu, a mãe de Jim Eastman disse que teve um sonho no qual Jimmy se aproximou dela e disse: "Eu só queria me despedir." O sonho fez seu cabelo ficar em pé.

Eu ainda tinha esperanças de que toda essa conversa a respeito de espíritos estivesse errada. Huston fora abatido quando pilotava um caça FM-2 Wildcat — não um Corsair. Esse era um fato concreto ao qual eu podia me agarrar. Ninguém no encontro ao qual eu comparecera vira, em nenhum momento, um Corsair decolar do Natoma Bay.

Nesse meio-tempo, eu tinha de cuidar do meu negócio de consultoria, que exigia muita atenção. E depois recebi aquele telefonema muito agitado no dia 17 de fevereiro. Dre encontrara a irmã de Huston. Eu nunca realmente imaginara que ela fosse conseguir. Quero dizer, ela já havia tentado intensamente, e se vira sem opções; portanto, meu entusiasmo com relação à possibilidade de ela ser mais bem-sucedida dessa vez era pouco. Pelo menos no que dizia respeito a James Huston. Mas Dre é persistente e talentosa quando se vê diante de um computador, e em questão de dias ela descobriu o paradeiro de Anne.

Era uma senhora de 84 anos que morava em Los Gatos, na Califórnia; telefonei algumas vezes para ela e ficamos amigos. Ela disse que iria me enviar algumas fotos de James tiradas durante o serviço militar. Para a minha pesquisa.

Quando ela me perguntou por que eu estava tão interessado, menti, assim como mentira para Leo Pyatt. Mais uma vez, eu não tinha escolha. Apenas disse que estava curioso e queria escrever um livro. Na verdade, ninguém sabia por que eu estava tão determinado a obter essas informações. Descrevi a ela os detalhes sobre a morte de James, como seu avião fora abatido em Chichi-Jima. Ela me perguntou qual era o local exato, e respondi que era um porto, muito bonito. Ela pareceu gostar da resposta.

Li para ela os relatórios pós-combate. Eu lhe disse que lhe enviaríamos os registros militares, inclusive uma fotografia do porto de Chichi-Jima, e ela ficou muito agradecida.

O pacote de Anne chegou no dia 24 de fevereiro. Eu não estava preparado. Na realidade, eu estava totalmente despreparado.

Eis o que dizia a carta:

Muito obrigada por todos os dados que me enviaram. Tenho refletido bastante sobre isso. É muito mais pessoal do que tudo o que eu tenho. A fotografia mostra que a baía é bela e muito tranquila. Um túmulo encantador. Como quase todas as pessoas que moram sozinhas, tenho minha pequena rotina. O meu café da manhã e o jornal. Depois das notícias, as palavras cruzadas. No nosso jornal, o horóscopo está impresso acima das palavras cruzadas. Raramente o leio, porque ele geralmente diz que um objeto perdido será encontrado ou que um grande romance se descortina no futuro (aos 84 anos, essa é uma boa notícia). De qualquer modo, resolvi dar uma olhada no horóscopo de ontem, e eis o que li:

"Escorpião (23 de outubro a 21 de novembro). Ênfase no que aconteceu há muito tempo e muito longe. Você talvez esteja contemplando uma viagem, uma reunião com alguém que desempenhou um importante papel no seu passado..."

Junto da carta, havia fotos. As primeiras eram de James M. Huston Jr. Bruce e Andrea tinham-no visto nas fotografias em grupo e também nas do esquadrão, de modo que já conheciam sua aparência.

Foi a quarta foto que os deixou paralisados. Era uma fotografia do esquadrão, do tipo costumeiro de um grupo de rapazes bem animados e com saúde para dar e vender. Não foi isso que os deixou paralisados. Foi uma coisa em segundo plano. Atrás desse esquadrão particular, havia um Corsair.

— Você tem certeza? — perguntou Andrea.

— A capota — replicou Bruce. — A capota do motor de um Corsair é inconfundível. É um Corsair.

A fotografia seguinte era ainda mais assustadora. Era apenas de James Huston, e ele estava de pé na frente de um Corsair. Não havia engano. A fuselagem, as asas de gaivota, a cabine de pilotagem elevada. Decididamente, um Corsair.

CAPÍTULO VINTE E OITO

BRUCE PROCURAVA UMA explicação lógica a respeito do significado dos pesadelos de seu filho. Ele pesquisara com afinco e insistia em afirmar que, fossem lá o que fossem, não eram prova de uma vida passada. Entretanto, ele perdera a batalha com relação ao nome *Natoma Bay*, pois o navio era americano, não japonês. Jack Larsen revelou-se uma pessoa de carne e osso que decolara do *Natoma Bay*. O conhecimento que o filho de Bruce tinha de aviões e da aviação era no mínimo estranho; os combates no oceano Pacífico eram reais, e os veteranos confirmaram os detalhes. Finalmente, ele teve de aceitar que James Huston Jr. era o piloto que tinha morrido nos horrendos pesadelos de seu filho.

Ainda assim, Bruce se agarrava ao fato de que James insistia em afirmar que pilotara um Corsair na guerra, embora não houvesse relato algum sobre Corsairs no *Natoma Bay*. E agora a última barreira tinha caído. Ele tinha nas mãos a foto de James Huston Jr. diante de um Corsair.

Bruce estava começando a acreditar em algo além da razão.

Fui batizado e criado como católico. Cresci indo à igreja todos os domingos com minha mãe e minha irmã. Meu pai teve muito pouco envolvimento com a igreja durante minha infância. A igreja é um lugar que faz com que eu me sinta à vontade, seguro e bem-vindo.

Quando era mais novo, eu ia à igreja com amigos de diferentes religiões para ver como elas eram. Frequentei templos budistas, catedrais católicas, igrejas luteranas, pentecostais, anglicanas... e a maioria das outras igrejas protestantes. Fui até mesmo a sinagogas.

No entanto, quando amadureci, associei-me ao movimento cristão evangélico e, com o tempo, vi-me envolvido com uma associação de empresários cristãos da Igreja Anglicana.

Nós nos encontrávamos de 15 em 15 dias para estudar a Bíblia, realizar debates e assimilar a Palavra de Deus em nossa vida. Era uma jornada dramática. Eu estudava a Bíblia intensamente. O Espírito Santo manifestou-se para mim na glossolalia, na cura pela fé e no discernimento.

Presenciei curas que sei que eram genuínas.

Compreendi pessoalmente o verdadeiro poder da oração. Rezei pedindo uma segunda chance depois do fracasso de meu primeiro casamento porque eu estava espiritualmente perdido. Rezei pedindo uma esposa de olhos verdes — e oriental —, e minha segunda mulher, Andrea, tem olhos verdes, e sua mãe é metade filipina.

Basta dizer que sinto que sou um cristão desenvolvido em uma trajetória contínua de crescimento espiritual.

Se os pesadelos de James eram verdadeiramente a manifestação de uma vida passada, a prova de uma reencarnação, então, na minha opinião, isso ameaçaria a promessa bíblica da salvação. Se a alma imortal pode se transferir aleatoriamente de pessoa para pessoa, de geração para geração, então qual a implicação desse fato para a redenção da ortodoxia cristã? O que acontece no Dia do Juízo Final se a alma imortal é transferida dessa maneira? Isso vai contra o ensinamento evangélico do renascimento por meio de uma vida pessoal transformada.

O impacto da história de James em meu bem-estar espiritual... bem, parecia uma operação militar espiritual. Meu propósito ao tentar ignorar o que estava acontecendo com meu filho era confirmar que tudo isso não passava de uma coincidência, por mais remota que essa possibilidade pudesse parecer.

É claro que fui arrastado para isso ao criar aqueles testes, ao elaborar perguntas que tinham que ser respondidas, e o tempo todo eu estava me aproximando cada vez mais de uma coisa... perigosa... Era como colocar a mão no fogo...

No entanto, mesmo agora que todas as evidências estavam do outro lado, de maneira que sua recusa em ceder parecia despropositada, Bruce ainda não se convencera completamente. Havia a antiga questão da falta de uma testemunha ocular. Um mero fiapo ao qual ele se agarrou, mas, mesmo assim, era alguma coisa. Ele não diria em voz alta, não poderia dizer, que se tratava de uma vida passada. Ele simplesmente não era capaz de dar esse último passo. A palavra "reencarnação" violava os Evangelhos e sua própria interpretação do significado da Bíblia.

E foi um período de relativa paz. A crise espiritual pareceu regredir. Até mesmo os pesadelos haviam quase desaparecido da casa situada na West St. Mary Boulevard. Eles se tornaram raros, irrompendo de meses em meses.

Bruce estava empenhado em pesquisar a vida dos mortos que haviam servido no *Natoma Bay*. As famílias enviavam pacotes de documentos e fotografias para Lafayette, e Bruce copiava todos com cuidado, e depois os devolvia. As famílias remetiam os documentos originais ao casal Leininger, o que causava uma grande impressão em Bruce e Andrea, de modo que eles eram muito cautelosos ao lidar com o material.

Os pacotes amorosamente embrulhados continham os telegramas originais notificando o falecimento à família, os registros do recrutamento, as cartas que eles mandaram para casa e seus últimos pertences. Bruce criou um inventário para cada vítima.

Ele elaborou uma pasta de folhas soltas para cada um dos rapazes, e Andrea chorava cada vez que um pacote chegava pelo correio.

Bruce telefonava todos os dias do trabalho, perguntando se algum pacote tinha chegado. No início de março, eles estavam atolados de material. Bruce passava o início de cada noite telefonando para as famílias para lhes dizer que o pacote havia chegado em segurança. Delicadamente, ele fazia e respondia a novas perguntas geradas pelo material.

A atenção de Andrea estava voltada a assuntos mais rotineiros. Ela ficava acordada a noite inteira preocupada com a escola na qual James começaria sua formação. O ano escolar 2002-2003 para a turma do jardim de infância da Asbury United Methodist Church estava prestes a terminar, e com seu jeito meticuloso Andrea procurou uma escola substituta. Tinha de ser a melhor escola particular; ela não admitiria nada menos para James. A Ascension Day School passou em todos os testes.

Eu não tinha uma segunda escolha. Eu estava em pânico, imaginando que ele poderia não ser aceito. Até mes-

mo telefonei para a escola para verificar se eles estavam enviando cartas de aceite. Eu não conseguia dormir. Parecia que eu estava esperando uma carta de Harvard.

Certo dia, quando o sr. John, o carteiro, trouxe nossa correspondência, lá estava a carta da Ascension. James fora aceito. Eu chorei. Telefonei em seguida para Bruce. James ficou feliz, mas não tão entusiasmado quanto eu.

No departamento de como educar filhos de maneira criativa, Andrea tinha poucas pessoas à sua altura. No fim de fevereiro, ela compareceu a uma maratona de bicicleta de São Judas Tadeu na Asbury Church. Algumas crianças estavam andando em bicicletas de duas rodas. Ela disse a Bruce que estava na hora de fazer a transição. Já fazia um ano que James tinha rodinhas na bicicleta.

Mas James estava nervoso com relação a andar sem elas.

As rodinhas na bicicleta são mais como muletas, já que a maioria das crianças nesse estágio já descobriu como se equilibrar sem realmente ter consciência disso. Quando eu era bailarina, tive uma professora maluca que gostava de bater com a bengala no chão acompanhando o ritmo da música. Isso enlouquecia todo mundo, de modo que meus colegas decidiram levar a bengala dela a um marceneiro, que a reduziu em 3 milímetros. Foi um pedaço imperceptível, e ela nada notou.

Algumas semanas depois, eles cortaram mais 3 milímetros da parte inferior da bengala. A professora não conseguiu definir o que estava acontecendo, mas sentia que algo estava diferente.

Um mês depois, após mais algumas aparadelas, ela começou a ter de se curvar para bater com a bengala no chão. Finalmente, ela solucionou a charada e comprou uma bengala nova, com a ponta de aço. Essa peça fez com que as batidas se tornassem suportáveis.

Decidi usar o mesmo truque com as rodinhas da bicicleta de James. Levantei-as um pouco, e ele não notou. Depois, levantei-as um pouco mais. Finalmente, ele precisou ajustar o equilíbrio para não cair da bicicleta.

O problema é que nossa entrada de veículos era curta demais para que ele pudesse desenvolver velocidade suficiente a fim de encontrar o equilíbrio adequado. Certo dia, eu o levei para o fim da West St. Mary, onde há um beco sem saída. James pôde ficar andando em círculos na bicicleta como se estivesse nas 500 Milhas de Indianápolis. Retirei as rodinhas da bicicleta e segurei a parte de trás do selim, correndo junto à bicicleta, por medida de segurança.

Quando James finalmente desenvolveu velocidade suficiente, soltei o selim, e ele decolou na bicicleta em direção à nossa casa, e eu comecei a gritar para que ele parasse nas placas de "pare". Ele simplesmente não deu a menor atenção a elas. Não sou uma boa corredora. Todos os meus anos de balé me ensinaram a usar os dedos do pé, não os calcanhares. Mas eu era mãe, e meu filho estava correndo perigo. Corri como o vento, gritando e berrando para que ele parasse nas placas.

Quando chegamos em casa, gritei com ele.

— Eu disse para você parar nas placas. Você passou direto por todas elas! Teve muita sorte por não ter sido atropelado por nenhum carro. Por que você não parou?

James simplesmente respondeu: "Não consegui me lembrar do que eu tinha que fazer para parar a bicicleta."

Fiquei mancando nos três meses seguintes porque machuquei o joelho quando corri atrás dele, mas depois daquele dia James não precisou mais das rodinhas.

Em suma, foi uma época tranquila e feliz. Andrea conseguiu a escola de sua preferência, e Bruce não precisou quebrar a cabeça a respeito das implicações espirituais da provação de James.

Certa noite, estavam acordados até mais tarde, transcrevendo anotações e copiando registros e fotos. Passava de meia-noite; Bruce estava em seu escritório, e Andrea, na cozinha. De repente, ouviram James gritar durante o sono. Andrea saiu da cozinha e se dirigiu ao corredor, encontrando Bruce na porta do quarto de James.

Entraram no quarto e viram James sentado na cama, soluçando, só que ele parecia estar dormindo. Ambos se aproximaram dele, abraçaram-no, e ele abriu os olhos, mas estava claramente adormecido.

— Está tudo bem, amigão? — perguntou Bruce.

James não respondeu; apenas continuou a chorar.

— Você está tendo um pesadelo? — perguntou o pai.

James simplesmente fitou os pais e continuou a chorar.

— O que está havendo? — insistiu Bruce.

Bruce começou a ficar perturbado, pois queria uma resposta. Se havia algo errado, ele esperava ouvir o que era. Era aquela antiga tendência didática que ele tinha desde a faculdade. Mas Andrea não conseguia determinar se James estava acordado ou dormindo.

— Vá buscar um copo d'água — disse ela a Bruce, arranjando uma tarefa útil para tirá-lo do quarto.

Em seguida, Andrea massageou as costas de James e quase cantou: "Está tudo bem, querido. Você está seguro no seu quarto, e tudo está tranquilo." Era a técnica básica de Carol Bowman de acalmar a criança sem abalá-la, sem acordá-la abruptamente, sem intensificar o medo.

James pareceu acordar suavemente no momento em que Bruce voltava trazendo a água. O menino tomou um longo gole.

— Com o que você estava sonhando? — perguntou Bruce.

— Não me lembro.

E, enquanto ele se deitava para dormir de novo, Andrea disse a Bruce que voltasse aos seus afazeres porque ela ia ficar um pouco mais ao lado de James.

Quando Bruce foi embora, Andrea abraçou o filho, murmurando palavras doces para que ele se sentisse protegido, até ter certeza de que estava tendo um sono tranquilo; em seguida, ela seguiu pelo corredor em direção ao escritório de Bruce.

— O que você acha que foi aquilo? — perguntou ele. — James não tem um pesadelo há meses.

Andrea tinha uma ideia. Era algo em que ficara pensando o dia inteiro, embora não fosse uma coisa que desejasse trazer à tona, por recear ser ridicularizada.

— Você sabe que dia é hoje?

Bruce pestanejou. Ele não sabia aonde Andrea queria chegar com aquilo. As ideias dela continham muitas esquisitices.

— A data? Sei, hoje é dia 3 de março.

Andrea assentiu com a cabeça.

— Três de março. É o aniversário da morte de James Huston — comentou.

Bruce entendeu e deu um tapa na cabeça. Claro. Em seguida, pensou em outra coisa.

— Você disse isso a ele? — perguntou.

— Claro que não — respondeu Andrea.

— Você nem mencionou o fato durante o dia? Não existe possibilidade de ele ter ouvido essa informação por acaso?

— Não. De jeito nenhum. Mas de uma coisa você sabe: não existe nenhuma maneira de algum dia sabermos com certeza — declarou Andrea.

CAPÍTULO VINTE E NOVE

ANDREA FICOU EXAUSTA naquela primavera. Ironicamente, *as provas* eram excessivas! Eram excessivas para ela, e insuficientes para Bruce.

Francamente, eu estava cansada da interminável investigação de Bruce. Nada era suficiente. Havia sempre apenas mais UM detalhe que deveria ser precisamente definido, confirmado — quando então ele realmente acreditaria. A minha vida era mais simples. Escolhi acreditar. Eu não precisava de um cadáver na minha sala para me convencer de que James estava vivendo a vida de James Huston.

Tomemos o pesadelo que ocorreu no aniversário da morte de James Huston; isso parecia amarrar a situação, ou pelo menos indicar uma ligação com James Huston. No mínimo, era intensamente sugestivo, mas não acabou com a controvérsia sob o teto da família Leininger.

— Não podemos ter certeza. Foi apenas um pesadelo. Ele teve um milhão deles.

— Espere um pouco! Não houve outro pesadelo mais ou menos na mesma época, no início de março de 2002? Talvez tenha até sido no dia 3 de março.

— Houve, mas isso foi em 2002. Não significou nada.

— Por que não?

— Foi antes de sabermos de fato a data da morte de James Huston.

— E daí?

— Então não conta.

Estavam tontos com tanta confusão, de modo que fizeram o que sempre faziam: pestanejaram, engoliram em seco e prosseguiram com a vida — isto é, a vida com toda a incerteza que a acompanhava.

Em abril, comemoraram o quinto aniversário de James indo de carro até a Naval Air Station, em Pensacola, na Flórida, sede do Naval Air Museum. Pensacola também era o centro de operações dos Blue Angels.

Como de costume, Bruce percorreu alguns quilômetros adicionais, viajando mais 320 quilômetros até Eufaula, no Alabama, para visitar a família de Leon Conner. Esse era bem o estilo — perambular pelo país, procurar pilotos, como se estivesse indo encontrar o elo perdido. Cada viagem tinha uma causa subjacente. Andrea aceitava, era apenas mais um pedágio na estrada que poderia conduzi-los adiante.

Passaram um dia no museu naval de Pensacola. O equipamento e os artefatos dos aviões e porta-aviões eram sempre emocionantes. Todo mundo gostava de se comprimir nos espaços apertados dos velhos porta-aviões, imaginando os marinheiros serpenteando e correndo em direção aos postos de combate ao som das sirenes de guerra.

E havia também as cabines de pilotagem que estavam guardadas no segundo andar; James simplesmente as adorava. Quase tiveram de expulsá-lo da cabine de um velho F-4 Phantom, uma das aeronaves originais dos Blue Angels. Precisaram implorar e ameaçar deixá-lo sem comer para conseguir tirá-lo de lá.

Um dos objetivos da viagem era obter mais informações a respeito do *Natoma Bay*, mas estavam no museu errado. O museu dos porta-aviões de escolta ficava no Texas. Estava situado a bordo do USS *Lexington* (CV-16), que estava atracado em Corpus Christi.

Outra viagem, outra chance para Bruce procurar veteranos. Sempre havia pilotos reformados que pairavam como mariposas ao redor da chama de uma base aérea naval. Alguma coisa a respeito da proximidade dos aviões os atraía, fazia com que se instalassem nas proximidades.

A família Leininger passou o fim de semana do Memorial Day em Corpus Christi e, certa tarde, enquanto Andrea levava James para nadar, Bruce pegou o carro e foi até Rockport para visitar outro piloto idoso. Esse voara em uma missão na qual outro piloto do CV-63 fora morto. Ele não tinha muito a acrescentar aos relatórios de combate, mas Bruce não se importou. Olhando para esses velhos homens, de cabelos brancos e finos, deslocando-se em andadores, ele via os impetuosos jovens pilotos que um dia eles haviam sido naquelas fotografias de sessenta anos atrás.

Na verdade, as visitas aos pilotos nunca eram completamente infrutíferas. Suas memórias não eram confiáveis e os detalhes que conseguiam acrescentar não eram significativos. No entanto, Bruce apreciava encontrá-los em carne e osso; sentia prazer na companhia deles e continuava a fazer acréscimos a seus documentos.

No entanto, ele não podia contar com o que estava sempre procurando: uma testemunha ocular da morte de James M. Huston Jr. Esse era seu último pequeno fio de ceticismo.

Ele estava prestes a ser cortado.

A tarde do dia 3 de junho foi abafada, como é normal na Louisiana, nessa época do ano. Andrea estava em casa, tentando organizar um cardápio para o jantar, sem prestar atenção a nada em particular, quando o telefone tocou.

— Olá, meu nome é Jack Durham, e você não me conhece. Estou ligando porque encontrei uma mensagem que seu marido colocou em um site a respeito de Chichi-Jima...

Outro membro do clube "nunca vamos parar de pesquisar ou falar a respeito do *Natoma Bay*".

— Venho tentando entrar em contato com seu marido há semanas, mas ele deve ter mudado de endereço de e-mail, porque todas as minhas mensagens estão voltando. Finalmente, decidi procurar na lista telefônica.

Andrea não estava prestando muita atenção ao que o homem estava dizendo, pois havia a tarefa mais urgente do jantar, e ela não conseguia estabelecer uma relação muito próxima com todos os personagens do grande drama do *Natoma Bay*.

— Bruce está em casa?

— Hã?

— Eu estava dizendo que encontrei a mensagem dele no site de Chichi-Jima — a que ele colocou setembro passado...

Um momento! Essa foi aquela antiga mensagem na garrafa. Era uma resposta do homem que estivera em Chichi-Jima. Ele era uma possível testemunha ocular!

— Não, Bruce não está em casa, mas eu sou a esposa dele, Andrea. Terei prazer em transmitir a ele seu recado e pedir que ele telefone para você.

Jack Durham, o homem que estava telefonando, começou então a explicar para Andrea o motivo pelo qual ele estava tentando entrar em contato com Bruce. Na verdade, ele queria falar com alguém a respeito da incerteza com a qual convivia havia muitos anos.

— Fiquei emocionado quando li a mensagem que ele colocou a respeito do ataque ao porto de Futami Ko. Bruce queria descobrir se alguém tinha visto aquele avião ser derrubado. Quando li os detalhes, eu me dei conta de que eu estivera naquela missão em 3 de março de 1945, e vimos o avião ser atingido e cair no porto.

— Oh, meu Deus! — Andrea mal conseguia falar. — Você realmente viu o avião ser atingido?

A voz do outro lado da linha forneceu a resposta para um número enorme de perguntas que estavam levando a família Leininger ao seu limite.

— Vi. Eu vi o avião ser abatido.

Por que ele não relatara o fato? Por que os relatórios pós-combate estavam tão desorganizados e confusos? Por que todos foram apresentados como uma espécie de boato — uma versão na terceira pessoa?

Durham tinha uma explicação perfeitamente razoável.

— Bem, minutos depois de o avião daquele cara ser atingido, o meu avião também foi. Não chegamos a voltar ao navio, o USS *Sargent Bay.* Caímos na água. Mas todos os membros da minha tripulação sobreviveram.

Desse modo, Andrea pôde ver que seu marido não era tão maluco, afinal de contas. Sua longa investigação produzira mais do que uma descoberta chocante.

Andrea disse a Jack Durham que Bruce teria realmente muito prazer em falar com ele. Ela anotou o número do telefone, confirmando-o várias vezes. Pegou também o endereço e um número alternativo para o caso de ocorrer outra falha na comunicação.

Ela estava esperando por mim na porta, com um pedaço de papel no qual tinha escrito um número de telefone. Era de um cara chamado Jack Durham, e ela disse que ele era a pessoa por quem eu estivera esperando a vida inteira.

É claro que dei o telefonema assim que entrei em casa. Ele me disse o que dissera a Dre: que lera minha mensagem no site de Chichi-Jima, a que eu colocara meses antes, em setembro. Quando a leu, deu-se conta de que ele era uma testemunha da morte de James Huston no porto de Futami Ko.

Ele fazia parte da tripulação do Sargent Bay*; era um operador de rádio em um dos oito TBM Avengers que participaram do ataque a Chichi-Jima partindo do* Sargent Bay. *Os oito caças de escolta FM-2 eram do* Natoma Bay.

Perguntei se ele estava absolutamente certo com relação aos detalhes. Ele respondeu que tinha verificado — que tinha procurado no seu diário de voo: 3 de março de 1945. Essa tinha sido sua missão.

Jack Durham escrevera a história sob a forma de uma autobiografia informal.

"A rotina estava normal até o final da tarde do dia 2 de março de 1945. Fui informado de que iria substituir Pop Stewart e que sairia em uma missão contra Chichi-Jima, o buraco do inferno das ilhas Bonin (...).

"Essa parte da história deveria começar por volta de 2h30 do dia 3. Fomos acordados e vestimos os trajes de voo. Em seguida, fomos para o refeitório, onde os cozinheiros nos perguntaram como íamos querer os ovos — e, se estou bem lembrado, como queríamos os bifes. Bifes! Isso deveria ter servido de alerta.

"Fomos informados de que uma formação japonesa de reposição de soldados e suprimentos tinha de ser detida. Cada um de nossos aviões estava carregado com quatro bombas de 230 quilos e seis projéteis com ogivas de 130 milímetros. Nosso voo em direção ao objetivo era de cerca de 200 quilômetros, e queríamos estar lá quando amanhecesse para que nossa aproximação fosse favorecida pelo fato de eles estarem contra o sol. Quando nos aproximamos da ilha, pelo leste, pudemos avistar o fogo antiaéreo explodindo ao longe — para que soubéssemos que eles estavam esperando que nós os 'surpreendêssemos'.

"Formamos em escalão e nos preparamos para mergulhar, e reparei que o nosso era o último avião no ataque. Seja o que for, pensei eu, vamos fazer o mergulho, disparar os projéteis, soltar as bombas e cair fora o mais rápido possível. Em poucos minutos, estaríamos no caminho de volta, depois de cumprir outra missão.

"Eu tinha carregado a minha arma* de calibre 30 milímetros e achei que poderia acertar alguma coisa quando estivéssemos nos afastando do porto. Com somente 280 cartuchos em minha caixa de metralha — e uma elevada cadência de tiro —, eu não tinha muito tempo para ficar à toa.

"A primeira coisa que reparei foi a incrível quantidade de fogo antiaéreo; isso não era como Iwo Jima.

"Um dos caças de nosso esquadrão de escolta estava perto de nós e foi atingido diretamente no nariz. Tudo que consegui avistar foram pedaços caindo na baía. Ele também era o último avião dos caças de escolta.

"Antes que eu me desse conta, minha metralhadora ficara quieta. Minha munição acabara.

---

* No original, *peashooter*. Como os americanos chamam na guerra as armas de pequeno porte. (*N. da T.*)

"Quando saímos do mergulho e nos dirigimos a mar aberto, vi o lugar em que o caça tinha caído. Os anéis na água ainda estavam se expandindo perto de uma grande pedra na entrada no porto.

"Quando o ataque terminou, ouvi a conversa entre os outros pilotos do grupo; eles ainda não tinham soltado suas bombas. Ganhamos altitude para a segunda investida. Fizemos uma vez; podemos fazer de novo."

Mas na segunda investida o avião de Durham foi atingido, embora não a ponto de ele ir direto para o porto. Com avarias, conseguiram se afastar e fazer um pouso forçado na água em um lugar onde puderam ser resgatados por companheiros americanos.

Agora o relato estava completo. Ninguém do *Natoma Bay* vira Huston cair na água, porque todos estavam voando para longe da cena. Huston era o último avião do grupo dos caças de escolta a atacar os navios atracados no porto. Ele era o último da formação. Quando deparou com o fogo antiaéreo, os outros caças — inclusive seus *wingmen*,* Jack Larsen, Bob Greenwalt e William Mathson Jr. — já estavam se formando para o ataque seguinte. Ninguém olhou para trás. Somente os bombardeiros de outro esquadrão, que haviam decolado de outro porta-aviões, presenciaram a morte de Huston.

A história de Durham a respeito da missão foi eloquente. Bruce pediu a ele que esperasse um instante, descansou o fone em cima da mesa e foi correndo até o escritório. Pegou os registros de combate e o diário de guerra do *Sargent Bay*, vol-

---

* O *wingman* é um piloto que dá apoio a outro dentro de uma mesma formação. (*N. da T.*)

tou para o telefone e leu-os para Durham. Tudo o que se tinha dito estava confirmado ali. O avião de Huston fora atingido no motor, e a parte da frente explodiu e formou uma bola em chamas que caiu instantaneamente no porto. Ninguém avistou sobreviventes.

Todas as versões oficiais eram compatíveis, porém, mais do que isso — em um nível ainda mais emocionante —, correspondiam exatamente à descrição do pesadelo feita pelo pequeno James em 2000.

Por um momento, Bruce emudeceu. Andrea ficou ao lado dele, com as mãos sobre a boca.

Havia outras testemunhas, afirmou Durham. Pilotos dos TBMs tinham visto o avião de Huston ser atingido e cair.

Durham forneceu os nomes a Bruce: Ralph Clarbour, Bob Skelton e John Richardson. Eles também estavam na missão; também viram o avião de Huston ser atingido e cair em chamas.

Ao longo das semanas seguintes, Bruce conversou com as outras testemunhas, e com pequenas variações sem importância, todos os relatos respaldaram o que Durham dissera. Era uma espécie de efeito Rashomon* da batalha do porto de Futami Ko ao lado de Chichi-Jima.

Como era seu hábito, Bruce quis visitar os veteranos, falar com eles frente a frente, provar a si mesmo que estava obtendo fatos concretos, de fontes confiáveis.

John Richardson morava em Nacogdoches, Texas. Ele tinha doença de Parkinson, mas estava ansioso para ver Bruce. Pediu-lhe que levasse uma fotografia do falecido piloto.

---

* O efeito Rashomon envolve a influência da subjetividade da percepção na reminiscência, por meio do qual os observadores de um evento são capazes de produzir relatos substancialmente diferentes do mesmo, porém igualmente plausíveis. (*N. da T.*)

Bruce dirigiu quase 500 quilômetros para vê-lo. John Richardson estava velho e fraco, mas tinha coisas para desabafar.

O bate-papo foi breve. Richardson disse que queria contar algo a Bruce antes que ficasse cansado demais. Ele parecia estar lutando contra seus sentimentos enquanto estavam sentados na sala.

— Essa missão revelou-se realmente arriscada. Tínhamos informações a respeito de Chichi-Jima e sabíamos que era um lugar extremamente perigoso, mas naquela época éramos jovens e tínhamos energia para dar e vender. Nada nos assusta quando temos 19 anos. Depois daquele dia, a sensação passou a ser diferente.

"Quando começamos a entrar em formação para nossa investida do lançamento de bombas, vimos os caças entrando antes de nós. Ser um atirador em um TBM era uma posição excelente, uma verdadeira poltrona de camarote. O caos era total. Podíamos ver bombas caindo no mar embaixo de nós. Parecia chuva.

"Os japoneses começaram a atirar em nós quando ainda estávamos bem fora de alcance. Entramos em formação para o ataque, e, é claro, não consegui ver realmente para onde eu estava indo, porque minha função era proteger nossa retaguarda no caso de um ataque. Mas comecei muito rápido a ver centenas de baforadas de uma feia fumaça preta ao meu redor quando meu avião e outro da minha seção que estava atrás, à minha esquerda, foram encobertos pelo fogo antiaéreo.

"Uma quarta aeronave me assustou. Era um caça. Estava bem perto de nossa asa esquerda. Estava disparando suas metralhadoras, atirando no que estava embaixo de nós. Não mais de 30 metros nos separavam quando o piloto deliberadamente virou a cabeça e olhou para mim.

"Captei o olhar dele e estabelecemos contato. Nesse exato momento, o avião dele foi atingido no motor por uma bomba que parecia bem grande.

"O avião foi engolido por um clarão instantâneo de chamas. Ele não se desintegrou, mas desapareceu debaixo de mim quase imediatamente."

Nesse ponto, John Richardson começou a soluçar. Em seguida, lentamente se recuperou.

— Sr. Leininger, vivi com o rosto desse piloto com os olhos fixos em mim todos os dias depois daquele dia. Eu nunca soube quem ele era. Fui a última pessoa a vê-lo com vida.

Ele começou a gaguejar, e depois concluiu, com a voz repleta de emoção: — Fui a última pessoa que ele viu antes de morrer. Seu rosto me perseguiu a vida inteira.

Ele olhou para baixo, para a foto que segurava com as mãos trêmulas.

— Reconheço o rosto dele nesta foto. Jamais poderia esquecê-lo. Agora eu sei quem ele foi.

Ele voltou a falar, com suavidade: — Quando fomos embora do porto, pude ver onde Huston tinha caído. As ondulações causadas pelo impacto estavam se propagando pelo porto. Ele bateu em uma grande pedra bem perto da entrada.

Depois, Bruce mostrou a Richardson um diagrama do porto de Futami Ko e do local marcado pelo relatório pós-combate. Ele assentiu com a cabeça: — Foi ali que ele caiu.

Mais tarde ele e Bruce penduraram a foto de James Huston no gabinete de Richardson.

Este último telefonou para Anne Barron, a irmã de James Huston, algumas semanas depois, e contou a ela o que tinha visto. Ela se sentiu grata por ele ter telefonado.

— Estou aliviada por saber que Jimmy não sofreu — disse ela a Bruce — e um pouco triste porque meu pai morreu antes de saber o que aconteceu.

Richardson faleceu pouco tempo depois.

CAPÍTULO TRINTA

A *TEORIA OPERACIONAL, OU seja, que eu estava essencialmente trabalhando em um livro a respeito do* Natoma Bay, *estava agora no fundo do porto de Futami Ko. Afinal de contas, tratava-se realmente de James.*

Não que eu estivesse completamente despreparado para essa conclusão. Houvera o pinga-pinga lento e incessante de provas — um desafio tombando depois do outro —, até que somente um idiota continuaria a resistir. Eu estava preparado para admitir que meu filho, James, estava vivendo uma vida passada. Seja o que fosse que isso significasse.

Mas não significava reencarnação. Esta palavra me deixa muito pouco à vontade.

Houve mais um momento de "dúvida" grotesca, que exigiu mais uma prova maluca antes que Bruce ficasse disposto a jogar completamente a toalha.

Por que não ir até o avião que estava no fundo do mar e examiná-lo? Bruce chegou à conclusão, depois de ouvir a história de Durham e Richardson, de que o avião de Huston poderia ser facilmente localizado no fundo do porto de Futami Ko. Ele tinha a posição precisa do local no mapa; todas as testemunhas oculares afirmaram que ele ficava na entrada do porto, perto da grande pedra. Por que um mergulhador não poderia ir ao fundo do mar para confirmar que a cabine de pilotagem estava emperrada, como James insistia que estava? Ele tinha o número de identificação da aeronave — 74037 —, que podia ser visto sem que a cabine fosse aberta. Parecia um teste bastante objetivo.

Foi nesse ponto que Andrea bateu o pé.

Se eu estivesse em um shopping quando tinha 15 anos e alguém se aproximasse de mim dizendo que estava fazendo uma pesquisa de opinião e me perguntasse se eu acreditava ou não na reencarnação, eu teria respondido "Acredito". Não tenho motivo algum. Não foi uma conclusão a que eu cheguei depois de muita ponderação. Era uma convicção intuitiva.

A reencarnação não foi a conclusão inicial à qual cheguei no caso de James. Eram apenas pesadelos. Levei cerca de oito meses para chegar à teoria da reencarnação. Bruce levou... bem, ele nunca realmente mudou de ideia.

"Mas isso resolverá toda a questão", argumentou ele. "Os céticos terão de abandonar seu ceticismo."

Se pudesse, Bruce pegaria o DNA dos ossos dentro daquela cabine para verificar se havia compatibilidade com a família Huston.

Bruce estava mais ou menos começando a se convencer da ideia da vida passada, mas, já que não podia ir ao local *olhar* para a cabine, quis verificar alguns pontos não resolvidos. Conversar com mais alguns homens.

A reunião do esquadrão VC-83 do *Sargent Bay* estava programada para o período de 12 a 15 de setembro de 2003, em San Diego. Jack Durham pediu a Bruce que fosse até lá. Muitos pilotos e membros da tripulação estariam presentes, homens que tinham visto o avião de James Huston cair.

A oportunidade era boa demais para ser desperdiçada.

Mais uma vez, Bruce se viu em um avião fantasmagórico no dia 11 de setembro, dessa vez em 2003, a caminho da Califórnia. Era um momento de reflexão. Nos últimos anos, ele gastara milhares de dólares, viajara milhares de quilômetros, conhecera e conquistara totais desconhecidos, desenvolvera um afeto por um velho porta-aviões esquecido, lera dezenas de livros a respeito da Segunda Guerra Mundial, juntara milhares de páginas de documentos e passara a se sentir à vontade entre veteranos não valorizados. As esposas, e até mesmo alguns dos filhos e netos, estavam sempre presentes nessas reuniões, permanecendo em segundo plano, sorrindo entusiasmados, enquanto esses velhos pilotos se juntavam de novo às suas famílias da época da guerra, revivendo todas as antigas histórias, os olhos cintilando com lembranças insistentes e distantes, agitando antigos vínculos que o tempo acabaria apagando.

As reuniões eram sempre planejadas de acordo com a conveniência, já que muitos dos veteranos não tinham muita facilidade de locomoção. O grupo não era muito grande em 2003 (todos os anos os encontros contavam com menos pessoas à medida que os veteranos iam morrendo ou ficavam doentes), e a reunião era apenas de um único esquadrão, o VC-83, e não como as do *Natoma Bay*, em que toda a tripulação no navio e os grupos aéreos se reuniam.

Bruce fez o check-in no hotel e foi em busca da sala de operações. Cerca de vinte homens com as respectivas esposas estavam assinando a lista de presença, olhando em volta, verificando os que estavam presentes, os que ainda estavam vivos. Bruce conheceu John Provost, que fora o piloto de Jack Durham, e Bob "SBD" Skelton. Ambos tinham visto o avião de Huston ser atingido e cair, embora não tivessem tido acesso à visão completa e detalhada que John Richardson tivera do avião caindo na água. Skelton estava em uma cadeira de rodas, e Bruce curvou-se um pouco para poder ouvi-lo melhor.

Eles viram o avião ser atingido, mergulhar e depois desaparecer, o que foi um fato incomum. O combate aéreo é, em geral, um evento solitário, emocionalmente distante, que o espaço tornava mais aceitável. Huston, no entanto, não estava a mais de 30 metros de distância dos TBMs que participavam do ataque quando seu avião explodiu.

A descrição respondeu a outra questão. A bomba que atingiu o avião de Huston arrancou a hélice. Isso explicava por que as aeronaves de brinquedo de James sempre acabavam ficando sem as hélices.

Àquela altura, Bruce já conhecia o procedimento-padrão das reuniões: a leitura das minutas, visitas ao Memorial do Porta-Aviões de Escolta e lembranças das vitórias e das perdas do ano. Em uma das noites, Bruce fez uma apresentação no PowerPoint mostrando como os porta-aviões de escolta tinham participado juntos na guerra. Um fotógrafo a bordo do *Sargent Bay* tinha captado o ataque camicase ao *Natoma Bay* nos últimos meses da guerra.

No entanto, foi em um pequeno encontro no café da manhã, no primeiro dia da reunião, que Bruce teve sua verdadeira epifania.

Ele marcara um encontro com Jack Durham no restaurante do Holiday Inn na baía de San Diego. Era um desses cafés-restaurantes em que as garçonetes se aproximam e vão enchendo de novo sua xícara antes que você tenha a chance de provar o conteúdo.

Um senhor simpático aproximou-se para conduzir Bruce à mesa dele.

— Olá, sou Jack Durham. Você é Bruce?

Bruce lembrou a si mesmo que aquele senhor "simpático" um dia voara em perigosas missões de combate e bombardeara posições inimigas.

À mesa, estavam sentados Ralph Clarbour e a esposa, Mary. Ralph, que um dia fora atirador em um TBM, era o presidente da VC-83 Association. Após as apresentações e o bate-papo inicial de costume, os homens encontraram seus pontos em comum. Na vida civil, Ralph fora presidente do American Institute of Steel Erection Contractors e, por coincidência, estava familiarizado com um dos principais clientes de Bruce, a Lafayette Steel Erector.

— Você pode me dizer por que quis comparecer à reunião? — perguntou Ralph.

— Bem, estou tentando encontrar o maior número possível de testemunhas oculares da morte de James Huston, no dia 3 de março de 1945...

Ralph assentiu com a cabeça.

— Eu estava lá nesse dia. Vi o que aconteceu.

— Mesmo? O que você viu?

A resposta não foi mecânica, mas desprovida de emoção.

— Vi quando ele foi atingido. O avião de Huston foi atingido no motor. Houve um clarão de fogo instantâneo, e o avião mergulhou imediatamente em um ângulo mais inclinado e caiu no porto.

A garçonete chegou nesse momento com os pratos do café da manhã subindo pelos braços: ovos, cereais e bacon. A entrevista teria de esperar.

Mas Ralph estava curioso.

— Por que você está tão interessado em homens como Huston? — insistiu, com o garfo a meio caminho da boca.

Àquela altura, eu deveria estar preparado para essa pergunta. Os veteranos e suas famílias sempre queriam saber por que eu estava tão interessado em James Huston. Minha resposta sempre fora a mesma: eu estava fazendo uma pesquisa para um livro. Entretanto, naquele momento, eu estava com um grande pedaço de ovo preso na garganta e, literalmente, não conseguia engoli-lo. Acho que engasguei com a ideia de repetir a mesma velha mentira. Finalmente degluti e contei a verdade.

Não estou absolutamente certo do que me levou a escolher aquele momento. Talvez fosse o fato de a história de James ter se tornado inegável. Talvez fosse a vergonha que eu sentia por ter me infiltrado no meio deles com falsos pretextos. Talvez fosse simplesmente o fato de eu não conseguir começar a me relacionar com outro grupo de veteranos sem ser completamente sincero. Eu desejava que eles me aceitassem, queria a aprovação deles. A verdade é que eu desejava escrever um livro a respeito deles, mas queria que soubessem como tudo realmente começara.

Na mesa, Jack estava à minha esquerda, e Mary, diante dele. Ralph estava na minha frente. Afastei meu prato com ovos.

"Há três anos meu filho começou a ter pesadelos..."

A mesa ficou em silêncio. Os três ouviram a história de Bruce: os detalhes específicos que tinham surgido nos pesadelos de James, o conhecimento íntimo dele a respeito do *Natoma Bay* e de seus pilotos, os nomes que surgiam do nada, os fatos que haviam sido conferidos e verificados, o menino de 2 anos que mostrou ao pai, em um mapa, o lugar no qual o avião de James Huston tinha sido derrubado.

A essa altura, Ralph, Mary e Jack também tinham empurrado o prato para o lado. Bruce inclinou-se para frente e contou a eles que James explicara que seu avião — o avião de James Huston — tinha sido atingido diretamente no motor, exatamente como Ralph descrevera momentos antes.

Ralph mostrou-se espantado.

Bruce contou também que localizara as famílias dos pilotos falecidos e que encontrara Anne Barron, a irmã de Huston; descreveu os desenhos inflamados de emocionantes combates aéreos assinados por "James 3", seu filho.

As pessoas na mesa ficaram paralisadas. Finalmente, Mary interrompeu o silêncio:

— Como está James agora?

— Os pesadelos praticamente acabaram; ele agora é apenas um menino normal de 5 anos.

Bruce estivera falando durante quase uma hora. O primeiro a reagir foi Jack Durham.

— Bem, eu vou lhe dizer uma coisa...

Bruce encolheu-se, esperando um ataque, ou pelo menos uma censura por tê-los enganado.

Mas não foi o que aconteceu. Jack tinha a própria história dramática. Ele fora derrubado pouco depois de Huston ter morrido. Na mesma missão. Deslocara o ombro e perdera os dentes na queda. E tinha parentes próximos que juravam tê-lo ouvido gritar naquele dia, na hora em que ele passou pelo grande perigo e sofreu enorme angústia.

Todos tinham seus pequenos sinais de paranormalidade. Mary disse que seu filho morrera no Vietnã. Quando o Exército lhe deu a informação oficial, ela já desconfiava de que ele estivesse morto. Ela tivera premonições a respeito do filho sendo ferido ou morto. Essas coisas não eram raras entre os veteranos e suas famílias.

— Acreditamos em sua história; sabemos que essas coisas acontecem — declarou Mary.

Os outros concordaram com a cabeça.

Queriam que Bruce participasse de uma excursão ao porto de San Diego e depois contasse sua história na noite seguinte em um jantar do esquadrão, mas ele estava hesitante. Esse ainda era um assunto delicado, eram coisas que ele não entendia completamente.

Bruce precisava ficar algum tempo sozinho para pensar sobre a questão. Falar a respeito do assunto para um grande grupo lhe parecia um pouco como uma prédica, talvez até mesmo arrogante.

Bruce nem mesmo entendia por que tinha lutado tanto contra a ideia, resistido por tanto tempo. Tinha de haver algo além de sua vontade de desmascarar o conselho. De algum modo, ele teria de chegar a um acordo com os fenômenos gêmeos do fato e da fé.

Sozinho no quarto do hotel, Bruce pegou uma Bíblia Gideons* e folheou o livro de Eclesiastes no Antigo Testamento.

"Tudo tem seu tempo determinado (...). Tempo de calar e tempo de falar..."

---

* A Gideons International, também conhecida como Gideon's Bible, é uma organização cristã evangélica que se dedica a distribuir exemplares da Bíblia em mais de oitenta idiomas e mais de 180 países, notoriamente nos quartos de hotéis, para aqueles que, em outras circunstâncias, poderiam não ter acesso a ela. (*N. da T.*)

E eu tive uma espécie de revelação. A experiência de James não era contrária à minha crença. Deus, pensei, nos dá um espírito que vive para sempre. O espírito de James Huston voltara para nós. Por quê? Eu nunca saberei. Mas ele tinha voltado. Existem coisas que são inexplicáveis e misteriosas.

Eu tinha sido vencido. Não devia explicações do motivo a ninguém. Tudo o que eu precisava fazer era dizer às pessoas o que havia acontecido.

Minha jornada tortuosa apresentava fatos. A cultura secular exigia fatos e provas, e eu realizara esse difícil trabalho.

Eu dera um salto de fé. Eu acreditava — realmente acreditava — na história. Não precisava de um motivo.

CAPÍTULO TRINTA E UM

NO DIA 15 de setembro, Bruce Leininger pegou o avião de volta para Louisiana em uma nuvem de recém-descoberta satisfação. Ele decifrou o caso e, o que era mais importante, libertou-se de suas dúvidas. E sua história fora aceita pelo único público que realmente contava: os próprios veteranos.

Toda aquela pesquisa, todos aqueles documentos, aquelas refeições insípidas dos aviões, tudo não passava de detalhes históricos. Uma experiência técnica. O processo inteiro fizera com que ele saísse da lista dos indecisos e fosse para a lista do sim. Bruce não poderia estar mais feliz e satisfeito.

É claro que essa disposição de ânimo não iria durar. Primeiro, teria de passar pelo duro interrogatório habitual dos membros do conselho Scoggin, o que era problemático agora, pois ele estava do lado delas. Além disso, elas eram as mulheres Scoggin, e tinham uma inclinação para dizer "Bem que eu disse" e exigir concordância, e Bruce foi obrigado a aceitar tudo de bom humor.

— Está bem, está bem — disse ele —, vocês estavam certas. O que mais posso dizer? James teve uma vida passada. Vocês estavam certas, e eu, errado.

— Tudo bem — replicou Andrea —, mas você não vai mergulhar para encontrar o avião e tentar abrir a cabine, certo?

— Não, não vou, embora não consiga ver que mal...

Nesse momento, o telefone tocou, Andrea atendeu e ouviu uma voz conhecida.

Estávamos no dia 19 de setembro, sexta-feira; era o início do outono, época em que, na Louisiana, o tempo continua quente e úmido. James começara a frequentar o jardim de infância na Ascension Day School, e eu estava ocupada na cozinha com um monte de tempo livre.

— Olá, Andrea, aqui é Shalini Sharma, do ABC Studios em Nova York.

— Shalini! Há quanto tempo! Como vai você?

Era a jovem produtora que tinha trabalhado na história do programa 20/20 *que nunca fora ao ar.*

— Como vão as coisas por aí? Como está James? Alguma novidade? Vocês conseguiram localizar Jack Larsen? — perguntou Shalini de um só fôlego.

Se havia alguma novidade? Era melhor ela se sentar!

Eu a atualizei com as notícias. Nos últimos 18 meses, tínhamos encontrado Jack Larsen, localizado grande parte da tripulação sobrevivente dos aviões do Natoma Bay, *confirmado grande parte da história de James, inclusive o fato de ele ter realmente pilotado um Corsair. Descobrimos o nome completo do piloto James de que o menino se lembrava: James M. Huston Jr.*

Shalini ficou empolgada. Suas raízes ancestrais são indianas, e ela realmente acredita em reencarnação.

Acrescentei:

— E agora Bruce está do nosso lado.

Esse talvez tenha sido o maior choque de todos. Bruce era um incrédulo linha-dura.

— Não trabalho mais no 20/20.

Bem, isso era natural no ramo da televisão. Os jovens produtores trocavam de empresa com enorme facilidade.

— Para quem você está trabalhando agora?

— Para o ABC Primetime.

Ela disse que houvera uma sessão de brainstorming no ABC Primetime *e que nosso nome viera à tona quando estavam discutindo pautas para o programa. Ela perguntou se estaríamos interessados em contar novamente a história, dessa vez para o* Primetime.

Respondi que teria de conversar com Bruce a respeito. Disse que ela poderia fornecer nosso nome ao produtor, Clem Taylor, e que discutiríamos minuciosamente o assunto com ele.

Shalini mencionou que o fator tempo era importante. Queriam fazer tudo muito rápido, já que estavam pretendendo levar o programa ao ar no dia 31 de outubro.

Bruce sentou-se e tomou um drinque.

— Não gosto da parte do Halloween — comentou.

Andrea também não gostava.

Ainda assim, um passo de cada vez. É claro que colocaram o assunto em discussão no conselho, e todas foram a favor de que a história fosse transmitida na televisão. A atitude delas foi bem típica dos descendentes de franceses da Louisiana: *"Laisser les bons temps rouler"* — "Deixemos rolar os bons tempos."

Nos dias que se seguiram, enquanto o debate prosseguia na Louisiana, Shalini telefonou e disse que, se eles concordassem, o correspondente seria Chris Cuomo, filho do ex-governador do estado de Nova York, Mario Cuomo, que era um jovem correspondente de televisão muito bem-apessoado e em ascensão.

A data prevista, Halloween, ainda estava incomodando Andrea, porque poderia retirar um pouco da seriedade do processo, fazer com que ele parecesse mais uma história insubstancial de fantasmas e duendes. Apenas outra história de assombração.

Por outro lado, havia um grande incentivo. O casal Leininger ainda não conseguira encontrar oito das famílias dos militares do *Natoma Bay* que haviam morrido na guerra. Transmitir a história na televisão a divulgaria e, talvez, persuadisse os sobreviventes a se revelarem.

No início de outubro, Shalini começou a insistir em uma resposta. Ela queria marcar uma data certa com Chris Cuomo e a equipe para que viajassem a Lafayette para a filmagem. Depois de muitas conversas, finalmente combinaram que a equipe chegaria no domingo, 19 de outubro. A produção aconteceria no dia seguinte.

Agora a pressão estava sobre a família Leininger. Os produtores queriam entrevistar todas as pessoas relacionadas com o *Natoma Bay*: Al Alcorn, John DeWitt, Leo Pyatt, Jack Larsen e a irmã de James Huston, Anne Barron.

O grande problema era que nenhuma das pessoas com quem eles queriam conversar a respeito da vida passada de James sabia da verdadeira história, ou seja, do verdadeiro motivo que levara a família Leininger a se envolver com o assunto. Bruce contara a verdade para algumas pessoas na reunião do *Sargent Bay*, mas os veteranos do *Natoma Bay* ainda tinham a ilusão de que o interesse de Bruce começara por causa de um vizinho e se transformara no desejo de escrever um livro. Para que pudessem concordar em participar da história do *Primetime*, todos teriam de ser informados. Alguém teria de contar a verdade a essas pessoas. Já que haviam aceitado receber a equipe de filmagem em menos de uma semana, teriam de falar, primeiro, com Anne Barron.

Andrea estava uma pilha de nervos, preocupada com a possibilidade de Anne achar que eles eram lunáticos ou charlatões. Ela poderia até ter um ataque do coração. Andrea obteve então o número do telefone do Corpo de Bombeiros de Los Gatos para o caso de alguma coisa acontecer com Anne quando ela estivesse ouvindo a notícia.

Afinal de contas, Anne era uma mulher de 86 anos. Na noite da grande revelação, Andrea fortalecera-se com um drinque e oferecera outro a Bruce para se prepararem para a teleconferência. Esperaram até as 22h no horário da Louisiana, 20h na Califórnia, para telefonar. Levaram esse tempo todo para reunir coragem.

Bruce pegou o telefone, digitou sete ou oito números, e desligou. Outro copo de vinho; talvez isso tornasse a situação mais fácil.

Finalmente, pensando "Seja o que Deus quiser", digitou os nove números do telefone.

— Alô?

— Olá, Anne. Aqui falam Bruce e Andrea. — O tom deles estava alegre, mas era por causa do vinho. — Como você está? — perguntaram, em um tom bastante animado, como se fossem apresentadores de um programa de televisão. Se Anne se queixasse de alguma coisa, se não estivesse bem de saúde, eles encerrariam a ligação. Mas ela disse que estava ótima. Que não poderia estar melhor. O casal Leininger ficou dando voltas, evitando o momento crucial.

— Como você está?

— Muito bem e vocês?

— Muito bem também.

— Como está James?

— Ele está ótimo.

Andrea estava fazendo sinais com as mãos e movendo os lábios:

— Fale logo de uma vez, pelo amor de Deus!

Em seguida, ela sugeriu que Anne se sentasse.

— Anne, você bebe?

— Não — respondeu Anne.

— Oh, isso é péssimo, porque esta história talvez vá precisar de um copo de vinho — disse Andrea.

Bruce continuou:

— Estamos telefonando por que temos notícias interessantes.

— Ah, é?

— O *ABC Primetime* entrou em contato conosco porque quer fazer um programa a respeito do *Natoma Bay*... e de seu irmão.

— É mesmo? — exclamou Anne. — É uma notícia interessante. Como eles ouviram falar nele?

— Anne, você tem certeza de que não quer tomar um copo de vinho? — insistiu Andrea.

— Tenho.

— Bem — disse Bruce. — Então vou começar pelo início. Quando James tinha 2 anos, começou a ter pesadelos a respeito de ser o piloto de um avião que foi atingido e caiu na água...

Silêncio.

— Você ainda está aí, Anne? Você está bem?

— Sim, estou aqui.

Andrea narrou então toda a história — as vívidas descrições da batalha, o nome preciso do navio, a lembrança do nome dos pilotos —, e Anne ficou calada o tempo todo. De vez em quando, Andrea perguntava se ela ainda estava lá, se ela estava bem, e Anne respondia: "Ainda estou aqui; estou bem."

Bruce descreveu com muitos detalhes sua pesquisa e todas as coisas que haviam acontecido nos três anos anteriores. Finalmente, quando chegaram ao fim da história, Andrea perguntou a Anne se ela queria fazer alguma pergunta.

— Não — respondeu ela, baixinho. — Só preciso pensar a respeito de tudo o que vocês disseram. Quero telefonar para minha filha, Leslie, e conversar com ela.

— Entendemos perfeitamente — replicou Andrea. — Mas queríamos que você soubesse que não somos malucos, que não queremos nada de você; queríamos apenas que você soubesse o que está acontecendo em nossa família.

Anne agradeceu a ambos, disse que entraria em contato em breve e desligou o telefone.

No dia seguinte, Bruce recebeu um e-mail de Leslie Frudden, filha de Anne.

> *Não sei por onde começar! Acho que vou pedir que você me envie por e-mail as informações que deu à minha mãe ontem à noite por telefone (...). Isso tornará as coisas mais claras, porque acho que não preciso dizer que minha mãe estava um tanto agitada hoje de manhã quando falou comigo ao telefone. Também poderei encaminhar seu e-mail para os netos de mamãe, bem como para seu sobrinho John, para evitar que eles assistam ao* Primetime *sem saber de nada (eu raramente perco o programa) (...). Quero agradecer de novo a vocês por terem devolvido à minha mãe parte do passado que ela reprimira por bons motivos, algo que compartilharei com vocês em particular. Na ocasião da morte de tio Jimmy, ela estava na Califórnia comigo e com meu irmão, sentindo-se muito solitária (...). O retorno de*

tio Jimmy foi o ponto mais alto de sua vida (...). Muito amor para vocês dois e para seu precioso James III.

Isso tirou um peso dos ombros de Bruce e de Andrea. E depois, tendo superado esse obstáculo, Bruce passou a comunicar aos outros o que estava acontecendo. Leo Pyatt foi calmo e receptivo. Disse que fazia parte de um grupo de estudos na Igreja que estava investigando reencarnação.

Ele, também, perguntou como James estava indo.

Al Alcorn, o presidente da Natoma Bay Association, aceitou a história.

— Já ouvi muitas coisas a respeito de vidas passadas — disse ele. — Isso não me surpreende.

A esposa de Jack Larsen, Dorothy, atendeu o telefone e ouviu o que Bruce tinha a dizer, murmurando "Oh, meu Deus!" de vez em quando. Ela sempre se perguntara por que o casal Leininger era tão misterioso. Em seguida, perguntou por James. Seu marido, Jack, disse que precisava falar com o padre de sua igreja antes de dar uma opinião. Depois, ele disse que estava tudo bem, mas que não assumiria qualquer compromisso com relação à veracidade da história.

Todos foram compreensivos, receptivos; talvez não acreditassem na história, mas não se revelaram completamente incrédulos.

Era o suficiente. Agora Bruce poderia libertar-se do último resquício de culpa a respeito de sua "mentira".

CAPÍTULO TRINTA E DOIS

O VOO DE CLEM Taylor, o produtor do *ABC Primetime*, chegou a Lafayette na noite do dia 19 de outubro, na véspera da filmagem. Era um homem de meia-idade alto e intelectual, do tipo que deixa todo mundo à vontade. Trazia consigo o modelo de um Corsair; era como dar de presente a James um buquê.

Clem e a família Leininger foram jantar no Don's Seafood, um restaurante cajun famoso da cidade, e conversaram sobre o tempo, o Mardi Gras e os detalhes rotineiros da vida. Clem tinha um filho mais ou menos da idade de James, e fez perguntas a respeito das escolas e dos restaurantes, além de elogiar a delicadeza da vida na cidade pequena; estavam trocando informações, mas evitando qualquer tema potencialmente perturbador.

As regras básicas já haviam sido definidas pelo casal Leininger: não seriam feitas perguntas diretas a James a respeito dos pesadelos nem de suas lembranças da guerra. A equipe de televisão poderia envolvê-lo em uma conversa normal, mas não poderiam "entrevistá-lo", porque, se o fizessem, James simplesmente ficaria paralisado. Além disso, o nome da família não seria usado, e a cidade em que moravam não seria mencionada.

No dia seguinte, Chris Cuomo e a equipe dirigiram-se à West St. Mary Boulevard como um esquadrão de operações especiais em uma missão. Esse procedimento sempre mostrava uma terrível urgência, mas era apenas televisão. Para reduzir o estresse, realizaram grande parte da filmagem enquanto James estava na escola. Eram lembrados o tempo todo de que o menino tinha apenas 5 anos.

Por volta de uma hora da tarde, a gravação estava em grande parte concluída, e todos estavam prontos para almoçar. Entretanto, Chris Cuomo tinha mais uma pergunta a fazer antes que fizessem o intervalo.

— O que a família de James Huston pensa de tudo isso?

Bruce e Andrea explicaram que, alguns dias antes da filmagem, Bruce telefonara a Anne Barron para confirmar que ela fora convidada a dar uma entrevista para o *ABC Primetime*. Anne estava agitada e nervosa diante da perspectiva de aparecer na televisão. Entretanto, mais do que isso, ela queria que Bruce e Andrea soubessem que ela estivera pensando a respeito da história. E, quanto mais ela pensava, mais acreditava.

Ela disse a Bruce que não era apenas por causa das revelações sobre James e da sua ligação com o *Natoma Bay*.

Anne passara pela própria experiência de transformação pessoal:

"Estava previsto que Jimmy voltaria para casa em março de 1945, e eu estava na sala de estar, fazendo uma limpeza, ansiosa por sua chegada. Senti que ele estava na sala comigo e falei com ele como se ele estivesse presente, do meu lado.

"Íamos todos nos encontrar em minha casa em Los Angeles para a reunião. Alguns dias antes, meu pai me deu a notícia de que Jimmy estava desaparecido. A reunião nunca ocorreria. Fiquei arrasada. Éramos muito próximos.

"Quando meu pai me disse a data em que Jimmy desaparecera, 3 de março, eu me lembrei... fora o dia em que eu sentira a presença dele, enquanto estava limpando a sala. Nunca soubemos o que aconteceu com ele. Gostaria muito que meu pai estivesse aqui para saber disso. Quero que você saiba que acredito na história. E enviei um pacote a James."

Nesse estágio, talvez fosse uma experiência frágil, baseada principalmente na intuição. Mas Anne Barron tinha sentimentos muito intensos a respeito do assunto, que ficariam ainda mais fortes, mais intensos, apoiados por um conjunto maior de provas circunstanciais e irrefutáveis.

Quando conversaram ao telefone, Anne sentiu grande simpatia por James. Ele a chamou de "Annie". Somente seu falecido irmão a chamava de Annie. Andrea achou que isso era um tanto desrespeitoso, mas James insistiu em afirmar que o nome dela era Annie. E ele disse a Andrea que tinha outra irmã, Ruth. Só que ele pronunciou o nome errado, como "Ruf". Ela era quatro anos mais velha do que Annie, que, por sua vez, era quatro anos mais velha do que James. Quando Andrea verificou as informações com Anne Barron, esta confirmou que eram precisas. Ruth era quatro anos mais velha do que ela, Anne, e James era quatro anos mais novo do que ela.

De algum modo, as ligações pareciam sólidas, como as de uma família. Quando conversava com Annie ao telefone, James se referia ao *pai* e à *mãe* deles, do modo como um irmão faria. Ele falava a respeito da irmã falecida, Ruth, com a familiaridade de um irmão.

Essas coisas não podiam ser explicadas. O James de 5 anos tinha conhecimento do alcoolismo do pai do piloto. Ele conhecia todos os segredos da família com uma intimidade suave.

Por exemplo, James lembrava-se com surpreendente riqueza de detalhes da ocasião em que o alcoolismo do pai piorou tanto que ele começou a quebrar coisas e teve de passar algum tempo em uma clínica de reabilitação (que, naquela época, era chamada de "sanatório"); ele sabia tudo a respeito disso. E sabia que Ruth, que era colunista social de um jornal da cidade, ficou "mortificada" quando a *mãe* deles precisou trabalhar como empregada comum na casa de uma proeminente família a respeito da qual ela estava escrevendo.

A quantidade de minúcias da família sobre as quais conversavam ao telefone era impressionante e, com o tempo, eliminou quaisquer dúvidas que Anne Barron pudesse ter a respeito da verdadeira identidade de James. O que decidiu o assunto foi a inexplicável questão do quadro. A *mãe* de Annie e James, Daryl, era uma artista talentosa, e Annie enviara a James um retrato que Daryl pintara do filho quando ele era criança.

"Onde está o quadro que ela pintou de você?", perguntou James quando o recebeu, e a pergunta fez Annie ficar sem fôlego. Apenas ela sabia que Daryl pintara dois retratos — de Annie e de James —, e o retrato de Annie estava no sótão. Ninguém no mundo sabia disso, só ela.

Annie ficou atônita. Ela *sabia* que estava falando com o irmão, apesar do fato de ele ter 5 anos, e ela, 86. Ela não poderia deixar de reconhecer esse espírito familiar quando o ouvia.

Por conseguinte, ela ficava feliz porque James a chamava de Annie e aceitava o mistério do espírito do seu falecido irmão em uma criança de 5 anos.

— Então, como eles se sentem a respeito disso? — insistiu Chris Cuomo.

— A família está aceitando bem a situação — respondeu Andrea.

Nesse momento, a campainha tocou, interrompendo a concentração da filmagem da televisão. Era o carteiro, com o pacote que Annie enviara. Dentro, havia o modelo de um Corsair de baquelite, um pequeno busto de George Washington de peltre e uma carta:

Queridos Bruce e Andrea:

Dentro do pacote vocês encontrarão o modelo de um Corsair que estava com os pertences de Jim (que foram) devolvidos aos meus pais. Quero que James fique com ele. Sinto que pertence a ele (...). Comecei a limpá-lo, mas, pensando melhor, achei que poderia haver alguma ligação com a sujeira original. Também encontrarão um busto de Washington que estava sempre na escrivaninha dele em casa (...). Jim Eastman (um amigo de infância de Jim Huston) me disse que, quando Jim (Huston) morreu, a mãe de Jim (Eastman), Lydia, lhe telefonou para dizer que Jim Huston aparecera para ela em um sonho para dizer: "Vim me despedir!" Tudo isso ainda é atordoante. Lemos a respeito dessas coisas, mas nunca pensamos que possam acontecer conosco. Só posso imaginar como deve ter afetado vocês. Mas eu acredito.

Com amor,

Anne

Clem sugeriu que filmassem James no momento em que ele recebesse o pacote. Andrea saiu para comprar sanduíches na delicatessen do bairro e buscar James na escola. E durante o almoço Clem finalmente convenceu o casal Leininger a permitir que usassem seu sobrenome e o nome da cidade no programa. É assim que as coisas funcionam na televisão; a arte de vender é sofisticada e se expande por meio de pequenos passos de confiança.

James ficou alvoroçado com toda aquela atenção e com a agitação de uma equipe de filmagem montando o equipamento em sua casa. O técnico de som instalou um microfone nele, e Chris e James foram para o quintal e brincaram no trepa-trepa. Chris levantou James no ombro, e pareceram gostar um do outro.

A gravação correu tranquilamente. James estava à vontade. Ele se sentou nos degraus da sala de estar, e Bruce entregou-lhe o busto de Washington. Ele o agarrou, correu pelo corredor em direção ao seu quarto e, em seguida, voltou, dizendo que o colocara em sua mesa. Pegou o Corsair, examinou-o e cheirou-o; acabou a fita de vídeo da equipe de filmagem e eles ficaram frenéticos tentando colocar uma nova.

— James, por que você está cheirando o avião? — perguntou Bruce.

— Ele tem o cheiro de um porta-aviões.

Bruce pediu ao filho que repetisse o que dissera, e James o fez, e em seguida Bruce pegou o modelo do avião e detectou odor de fumaça de óleo diesel, o cheiro provável de um porta-aviões. Andrea sorriu.

Os membros da equipe permaneceram aturdidos, em silêncio, e Andrea pensou: "*Ótimo, para variar, alguém além de mim está perplexo.*"

O programa não foi ao ar no dia de Halloween, para alívio do casal Leininger. A data foi adiada, e chegaram a pensar que as coisas poderiam acabar se revelando iguais à primeira experiência com o programa *20/20*: esquisitas demais para o *Primetime*. Ambos se sentiram ao mesmo tempo agradecidos e decepcionados.

Ocorreu uma mudança interessante com as entrevistas com os veteranos, agora que todos sabiam a respeito de James. Um enorme fardo de culpa fora retirado dos ombros de Bruce e Andrea.

As festas chegaram e foram embora, e fez frio demais na época do Mardi Gras para que pudessem comemorar, mas eles se divertiram mesmo assim. Abril chegou, e Clem ligou para dizer que o programa finalmente iria ao ar. Andrea avisou à professora de James.

Bruce e Andrea notificaram todas as famílias dos veteranos e ficaram nervosamente esperando a bomba explodir.

O programa foi ao ar no dia 15 de abril de 2004, menos de uma semana depois de James completar 6 anos. E teve consequências. Como resultado, o telefone na casa da família Leininger enlouqueceu. Houve chamadas de pessoas que os apoiaram, de pessoas que afirmaram acreditar totalmente na experiência de James, e de pessoas excêntricas. Por incrível que pareça, os vizinhos mal mencionaram o fato. Essa atitude era extremamente compatível com uma das características do sul dos Estados Unidos: o profundo respeito pela privacidade.

Houve convites para o casal Leininger aparecer em vários programas de rádio e televisão locais, e eles não resistiram e aceitaram participar de um programa de rádio que ia ao ar de manhã bem cedo. Mas foi um desastre. Foram alvo das mais loucas acusações, e não estavam preparados para organizar uma grande defesa às 5 horas da manhã. Depois dessa experiência, não apareceram mais em público.

Nesse meio-tempo, James continuava a surpreender as pessoas. Enquanto assistia a uma fita de vídeo de um programa do History Channel a respeito dos Corsairs, ele corrigiu o narrador. As tomadas das velhas metralhadoras fotográficas mostravam repetidas cenas de Corsairs derrubando Zeros.

— Bruce, você ouviu o que James disse?

— Não, não ouvi.

— Pergunte a James o que ele disse.

— James, o que você acaba de dizer?

— Esse avião que foi derrubado agora por um Corsair era um Tony, não um Zero.

Bruce rebobinou a fita e começou a assistir ao programa novamente, mas não conseguiu perceber a diferença.

— Que tipo de avião era um Tony?

— O Tony era um caça japonês menor e mais rápido do que o Zero.

— Por que o chamavam de Tony? — perguntou Andrea.

— Os caças recebiam nomes de meninos, e os bombardeiros, de meninas.

Bruce ouvira James mencionar isso antes: a distinção entre menino-menina nas aeronaves japonesas. Ele até mesmo pesquisara o assunto e descobrira que era verdade. Mas ele não se lembrava do Tony. De algum modo, isso pareceu importante.

Ele voltou então a pesquisar. Descobriu que o Tony era uma imitação do ME-109 alemão. Os pequenos aviões de caça eram desmontados e enviados clandestinamente para o Japão em submarinos. Quando Bruce consultou o diário de guerra do VC-81, descobriu que o esquadrão tinha destruído um Tony no ar. O piloto que avistara a aeronave e a derrubara tinha sido James M. Huston Jr.

Depois da transmissão do *Primetime*, Bruce entrou em casa certa noite e ouviu, por acaso, Andrea falando ao telefone. "Bruce ficará encantado em falar com você."

Bruce olhou para ela com um ar de poucos amigos. Estava cansado e não queria conversar com outro maluco. Ela se virou para ele e disse: "Bob Greenwalt está ao telefone; ele conheceu James Huston."

— Eu sei quem é Bob Greenwalt. Ele embarcou no *Natoma Bay* com Jim Huston e Warren Hooper no dia 8 de outubro de 1944.

Greenwalt assistiu ao programa por acaso. Seu filho, que morava em Houston, estava assistindo ao programa *Primetime* e reconheceu o nome *Natoma Bay*. Telefonou então para o pai, que morava em Albuquerque, onde era mais cedo, por causa do fuso horário, e lhe disse que assistisse ao programa.

Bruce agarrou o fone, e ele e Greenwalt conversaram como velhos companheiros de guerra. Bruce já sabia muitas coisas a respeito de Bob Greenwalt, mas este último acrescentou alguns detalhes às informações. Ele participara da última missão no dia 3 de março de 1945. Na realidade, ele era o *wingman* de James Huston. Eram muito amigos. Fora ele que arrumara os pertences de Huston quando este morreu, inclusive o modelo do Corsair que Anne enviara para James.

De janeiro a agosto de 1944, Greenwalt e Huston serviram no VF-301, um esquadrão de elite chamado "Devil's Disciples" (Discípulos do demônio). A função deles era testar o Corsair modificado para ser usado em porta-aviões. Em abril de 1944, o Corsair foi qualificado para ser usado no *Gamber Bay*, um porta-aviões de escolta que foi posteriormente afundado. O Corsair revelou-se uma valiosa arma. Os japoneses chamavam a aeronave de "Morte Sibilante" por causa do barulho que ela fazia quando mergulhava. Mas os Corsairs sempre tinham problemas no momento delicado de pousar nos porta-aviões. O motor era grande demais, e a cabine de pilotagem elevada não oferecia uma visibilidade suficiente para o piloto controlar o avião. Ele não conseguia enxergar o convés. O avião pousava com brutalidade e tinha a tendência de estourar os pneus.

Também tendia a se deslocar para a esquerda na decolagem, devido ao alto torque do motor. Quando James descreveu o Corsair, ele disse: "Ele queria virar para a esquerda."

Os pilotos de teste experimentavam-no, e os engenheiros constantemente faziam ajustes nos ailerons; posicionavam o piloto mais alto na cabine para que ele tivesse melhor perspectiva. Substituíram o pneu traseiro inflável por um pneu de borracha maciça e acabaram, com o tempo, tendo nas mãos um avião que se tornou um padrão para as tarefas nos porta-aviões da Marinha dos Estados Unidos.

— Jim era um excelente piloto — afirmou Greenwalt. — E um grande amigo.

Houve muitas coincidências, fatos que poderiam ter modificado o destino de James Huston. Outro piloto deveria ter ido para o *Natoma Bay*, mas foi transferido, de modo que Huston o substituiu. No revezamento, ele já não deveria estar mais combatendo no dia 3 de março de 1945, mas apresentou-se como voluntário para aquela última missão em Chichi-Jima, onde foi morto — no dia 3 de março.

A guerra encerra muitas incertezas.

Um telefonema não foi suficiente, de modo que Bruce e Bob Greenwalt combinaram se encontrar na reunião seguinte da tripulação do *Natoma Bay*.

CAPÍTULO TRINTA E TRÊS

O PROGRAMA *ABC PRIMETIME* levantou a sombra que tinha pairado sobre Bruce Leininger. A reunião da Natoma Bay Association de 2004, em San Antonio, no Texas, seria seu momento de revelação. Ninguém mais questionaria por que ele estava tão ávido para comparecer aos encontros dos tripulantes do "Naty Maru" ou por que ele tinha uma preferência tão grande e um interesse tão emocional por um pequeno porta-aviões. Todos agora sabiam da história de seu filho, James, e tinham conhecimento dos pesadelos do menino. Bruce fora eleito o fanático da Natoma Bay Association.

Por conseguinte, ele estava determinado a tornar essa reunião memorável. Não apenas em benefício próprio, mas por causa da inexorável passagem do tempo: os membros estavam morrendo, ficando frágeis ou, como costuma acontecer no final da vida, perdendo grande parte do apego aos assuntos mundanos. Bruce queria fazer uma contribuição para o grupo antes que fosse tarde demais.

Às 10h do inevitável dia 11 de setembro, mais tarde do que planejara, Bruce colocou Andrea e James no velho Volvo e iniciou a jornada de seis horas em direção a San Antonio. Bobbi, sua sogra, encontrou-se lá com eles. Bruce queria uma multidão. Tentara convencer todos os veteranos da lista de membros ativos a comparecer. E James passara mais tempo ao telefone com "Annie", convencendo a "irmã" a fazer a viagem da Califórnia até San Antonio.

Bruce passara meses montando 21 pastas azuis de folhas soltas dedicadas a cada um dos mortos do *Natoma Bay*, cada uma completa com biografia, registros de guerra e fotografias. Andrea passou semanas preparando um vídeo caseiro que era ao mesmo tempo específico (fotografias de cada membro da tripulação que morreu) e genérico (fotografias do navio em combate). Foi uma homenagem inesquecível de noventa minutos ao navio e a seus mortos.

E Bruce encontrou um novo motivo para a reunião, algo que faria com que ela se destacasse, que a tornaria um evento! Na ocasião, havia apenas um único memorial para o *Natoma Bay*. Ele se encontrava no *Yorktown*, em Charleston, na Carolina do Sul. E três dos homens do *Natoma Bay* que morreram na guerra estavam ausentes, não estavam relacionados na placa: Billie Peeler, Lloyd Holton e Ruben Goranson.

> *Bem, aquilo me deixou um pouco obcecado. Então, entrei em contato com John DeWitt, o historiador do navio, e alguns de nós decidimos iniciar um pequeno fundo de capital para mandar fazer um novo monumento. Decidimos que ele deveria ser inaugurado na reunião; nós o levaríamos para o Nimitz Museum, em Fredericksburg, no Texas, que ficava apenas a uma hora e meia de carro a noroeste de San Antonio. A ocasião e o lugar seriam perfeitos.*

Os veteranos e os membros sobreviventes da família foram atraídos pela cerimônia em memória aos mortos e pela placa, principalmente as três famílias cujos entes queridos tinham sido deixados de fora da placa original. E havia o incentivo adicional da presença de James. Para muitos deles, a informação do *ABC Primetime* de que seu companheiro, James Huston Jr., tinha voltado de sua última missão na forma de um menino da Louisiana era provocante demais para ser desconsiderada.

E o próprio James, com sua inocente maturidade, dominou o local.

Depois que a família Leininger fez o check-in no Woodfield Suites, em um quarto equipado com uma pequena cozinha e uma sala de estar, Andrea e James saíram para comprar algo para comer e beber. Como o hotel só servia o café da manhã, Andrea queria ter algo à mão para James. Compraram leite, suco, minicaixas de cereais, laranja, uva, biscoito e pipoca de micro-ondas. Depois que voltaram para o quarto, guardaram as compras, e Andrea desfez as malas, encaminhando-se em seguida para a sala de operações, onde James tornou-se uma presença que chamava a atenção.

Nesse meio-tempo, Bruce estava ocupado preparando sua exibição na sala de operações. Ele tinha os registros, as fotografias e o material para a apresentação em PowerPoint do USS *Natoma Bay* (CVE-62), que entrou em atividade em outubro de 1943 e foi vendido como sucata em maio de 1959 — para os japoneses.

John DeWitt também chegara cedo. Ele e a esposa, Dolores, tinham trazido sua coleção de fotografias, com modelos do *Natoma Bay* e de aeronaves da Segunda Guerra Mundial.

Naquela primeira manhã, quando saíam da sala de operações, foram abordados por um homem bonito, vestindo uma camisa polo, que eles nunca tinham visto.

O homem baixou os olhos para James e perguntou em uma voz forte e vigorosa:

— Você sabe quem eu sou?

James olhou nos olhos dele, pensou por um segundo, e respondeu:

— Você é Bob Greenwalt.

O homem pareceu chocado. Rindo, um pouco nervoso, ele disse:

— Isso mesmo.

Andrea perguntou:

— Você é mesmo Bob Greenwalt?

E ele respondeu que era.

Mais tarde, no quarto, Bruce perguntou ao filho:

— Como você soube?

— Reconheci a voz dele — respondeu James.

Até Greenwalt, que chama a si mesmo de "cético racional", ficou impressionado.

Os sussurros a respeito de James percorreram o encontro como o vento:

— Você assistiu ao programa? Passou no *Primetime.*

— Ele é igualzinho ao Jimmy!

— Que menino encantador!

— Não sei o que pensar!

A família Leininger foi envolvida pela importância do momento. Pela primeira vez, Andrea estava tendo um contato pessoal com os membros da família que ela passara mais de um ano tentando localizar. Uma afinidade imediata surgiu entre eles. Ao tentar aliviar a dor do seu filho, ela reabrira antigas feridas. Mas Andrea também compreendia que isso logo terminaria; a confrontação poria fim a muitas indagações dolorosas.

Nesse meio-tempo, Andrea tinha de cumprir seu papel de mãe. James fora dispensado da escola durante três dias, e ela pegara com as professoras a matéria que ele teria que estudar. Andrea começou a trabalhar com ele no carro, e depois foram para a mesa de centro da pequena sala de estar da suíte. A questão do dever de casa decidiu para sempre qualquer dúvida com relação à possibilidade de eles optarem pelo ensino em casa; nem Andrea nem James estavam a fim.

A reunião sempre era emocionante para Bruce. Os veteranos, invariavelmente, cumprimentavam-se quando assinavam o livro da reunião na hora da chegada, com o entusiasmo exagerado de homens que tinham acabado de chegar de um combate e estavam emocionados por constatar que ainda estavam vivos.

Houve os costumeiros jantares e discursos, e as atividades habituais de fazer a chamada, pagar as mensalidades e ler as minutas — e olhar em volta para verificar quem tinha envelhecido, quem tinha perdido o cônjuge e quem estava ausente. Cuidaram de todas as coisas convencionais que precisam ser tratadas nesses encontros. Nos dias em que a programação esteve menos intensa, os veteranos zarparam pelos pequenos canais de San Antonio, visitaram os museus locais e ficaram sentados contando fatos curiosos e mentiras.

As histórias dos veteranos eram transmitidas oralmente. Victor Claude Evans, um homem forte, calvo, com um senso de humor obsceno, era um atirador de metralhadora de 20 milímetros do *Natoma Bay.* Ele é famoso pela história do seu ataque à sua própria frota ao largo da costa das Filipinas. Os pilotos entraram voando baixo, e os japoneses obrigaram-nos a voltar. Evans estava tão empenhado em atirar nos aviões inimigos que atirou na cauda dos aviões americanos estacionados no convés. Ele também danificou superficialmente um encouraçado americano que estava nas proximidades, o USS *West Virginia*, que enviou ordens urgentes de cessar fogo: "Nós nos rendemos!" Ele desprezou as ordens e derrubou o avião japonês, junto de dois ou três TBMs americanos estacionados, e ele tinha varrido à bala o convés de um navio de guerra americano.

Evans permaneceu na Marinha durante trinta anos e tornou-se oficial, chegando ao posto de capitão-de-corveta. Ele era um *master diver** e mais tarde ensinou a equipe de efeitos especiais e Robert DeNiro a mergulharem no filme *Homens de honra*.

No segundo dia, Bruce foi à locadora para pegar um DVD com instruções sobre como operar o equipamento audiovisual que usaria para fazer a apresentação em PowerPoint e em vídeo na ocasião do banquete. Nesse ínterim, James vestiu seu macacão de voo e desceu para a sala de operações. James e Andrea encontraram um senhor de aparência envelhecida com um sorriso jovial; era Jack Larsen, e Andrea gritou de emoção quando foram apresentados. James apertou a mão dele e sorriu.

O fato de existir realmente um Jack Larsen e de estarem todos ali juntos, frente a frente, era em si uma coisa impressionante. A realidade era suficiente. E todos os veteranos e suas famílias começaram a entrar pouco a pouco na sala de operações, onde James ficou de sentinela em seu macacão de voo. Ele examinou em silêncio todos os rostos, ouviu as novidades

* Mestre mergulhador. É a maior qualificação de guerra alcançável por um membro da comunidade de mergulho da Marinha dos Estados Unidos. O *master diver* tem a maior experiência e conhecimento em todos os aspectos do mergulho e do salvamento subaquático. (*N. da T.*)

nas conversas e ficou atento a pequenos hábitos e trejeitos; ele estava procurando seus amigos.

Ninguém achou estranho que um menino de 6 anos estivesse totalmente envolvido com a situação, tomando o café da manhã, almoçando e jantando com os velhos veteranos, ouvindo as histórias deles com uma atenção educada e um profundo interesse, não como um companheiro, mas tampouco exatamente como uma criança.

Ele não se separava dos homens que haviam sido seus *wingmen* na guerra. Ele se sentava com eles quando estavam tomando café e os seguia como um cachorrinho. Certa manhã, quando estava descansando um pouco com a mãe na piscina, James pareceu perturbado. Andrea perguntou o que estava errado.

Ele balançou a cabeça; estava pensando em algumas coisas — nada sobre o que quisesse falar naquele momento. Andrea pressionou-o um pouco, e ele acabou confessando: "Estou triste porque todo mundo está muito velho."

Bem, isso era natural. Ele se lembrava deles todos como pilotos jovens e impetuosos! Andrea se deu conta de que o filho estava imprensado em um vácuo de memória.

Naturalmente, o fato que tornou essa reunião tão extraordinária foi a presença de Annie Barron. Quando ela e James se conhecessem, seria um encontro entre uma velha senhora e um menino, ou seria aquela outra reunião: o encontro de irmãos que haviam se separado há mais de meio século?

Bruce e Andrea estavam nervosos. Ela estava esperando poder coordenar o encontro, preparar mentalmente o terreno, mas James e Annie tropeçaram um no outro, como se o destino tivesse outra coisa em mente.

Andrea e James estavam se dirigindo ao lobby, a caminho da piscina, quando Andrea avistou Annie e sua filha, Leslie, encaminhando-se para o balcão da recepção. Ela entrou em pânico. Esse não era o momento ideal. Annie acabara de chegar da Califórnia e, certamente, deveria estar exausta. Assim, Andrea levou James de volta para o quarto. Passados vinte minutos, Bruce voltou, e decidiram ir juntos para a piscina. Quando se encaminharam para o elevador, se viram defronte a Annie e Leslie.

Não havia como não ir ao encontro delas. Foram feitas as apresentações, abraços foram trocados, e James ficou atipicamente quieto. Ele observou Annie atentamente, examinando-a, avaliando... alguma coisa. Era como se ele estivesse tentando encontrar o rosto da irmã de 24 anos na mulher de 86.

— Eu o achei tímido — relembraria Annie. — As crianças dessa idade são tímidas. Eu o apanhei me fitando, como se estivesse me examinando.

Falaram muito pouco, como se estivessem com medo de despedaçar algo frágil. Mesmo assim, havia algo poderoso e visivelmente compatível entre eles.

Andrea e Bruce convidaram Annie e Leslie para jantar com eles naquela noite. Seria um momento mais apropriado, pensou Andrea. Combinaram se encontrar no San Antonio Riverwalk. Naquela noite, todos eles, acompanhados por Bobbi, foram jantar em um restaurante mexicano. A atmosfera animada do local acalmou os nervos de todo mundo, e Annie e James pareceram se identificar um com o outro. Eles se relacionaram de forma natural, com afetividade, que dispensava uma explicação.

O evento de destaque da reunião era a cerimônia em memória dos mortos e a inauguração da nova placa no Nimitz Museum, em Fredericksburg. Esse era o evento que Bruce estivera planejando durante meses — sua própria operação combinada, sua versão do Dia D. Ele seguiu na frente, no Volvo, porque queria ter tempo para organizar as coisas.

Ao chegar lá, dispôs as cadeiras, colocando uma bandeira e um programa em cada uma. Entretanto, mal terminara a arrumação, o grupo principal de veteranos e suas famílias chegaram.

Esse não era o plano. Bruce desejara ficar sozinho algum tempo para organizar as ideias, já que teria de fazer um discurso, mas era tarde demais. Os convidados tinham chegado. A cerimônia começou: um sino tocou para cada homem morto na guerra, e um dos membros da família colocou uma pequena bandeira em uma plataforma que Bruce construíra. As pessoas proferiram discursos, ficaram em silêncio e disseram orações. Ouviram-se então toques de silêncio, e a placa foi descoberta. Foi uma cerimônia tranquila e impressionante. Foi o momento de Bruce.

Mas na realidade a reunião pertencia a James. Depois da cerimônia, o grupo percorreu o museu. Muitas coisas estavam expostas nas dependências. Havia até mesmo um canhão de 127 milímetros. James quis subir nele.

— O *Natoma Bay* tinha um desses — declarou o menino sobre o velho canhão.

Stanley Paled e Frank Woolard, que tinham servido a bordo do *Natoma Bay*, estavam bem ao lado de James quando ele disse isso e não conseguiam acreditar no que haviam acabado de ouvir.

— Onde ele estava colocado? — perguntou Stanley.

— Na saliência da popa — respondeu James, e os dois veteranos simplesmente ficaram olhando para ele; era exatamente onde ficava o canhão de 127 milímetros.

Lloyd McKann e a esposa, Alta, estavam passando nesse momento pelo canhão, um pouco mais à frente do que o restante do grupo, de modo que ele também ouviu o que James disse.

> *James e sua mãe estavam uns 12 metros atrás de nós — bem atrás — quando passamos pelo canhão de 127 milímetros. O* Natoma Bay *tinha um exatamente igual a ele na saliência da popa. Sussurrei esse fato para minha mulher. Foi quando ouvimos James dizer: "Oh, eles tinham um canhão como esse no* Natoma Bay.*"*
>
> *Quando eu disse isso para Alta, o menino estava fora do alcance de minhas palavras. Não poderia ter me ouvido. Tenho certeza disso.*

Na noite seguinte, houve um banquete, e os veteranos estavam agitados, porém com uma espécie de alívio. Tinham conhecido James. Tinham conhecido Annie, a irmã de James Huston. Tinham assistido ao vídeo, lido o conteúdo das pastas, visto o quadro completo do serviço de guerra do "Naty Maru", documentado e ilustrado por Bruce Leininger.

Entre eles, havia os que acreditavam totalmente na história, os céticos e aqueles que aceitavam que algo inexplicável havia zarpado na esteira do *Natoma Bay.*

Os anos de dedicação subserviente aos registros, aos documentos e à localização dos veteranos tinham sido exaustivos. Bruce e Andrea realizaram algo quase milagroso. Tinham solucionado a charada dos pesadelos do filho. Mas o processo era mais amplo. Enquanto faziam todas essas coisas, estavam resolvendo o mistério para muitas famílias e veteranos de um pequeno porta-aviões de escolta, um dos muitos que tinham servido briosamente na guerra do Oceano Pacífico.

Quando voltaram para casa no velho Volvo, depois da reunião, Bruce e Andrea estavam exaustos, mas felizes. Um grande peso fora aliviado. Também realizaram algo profundo. Esses homens nunca mais estariam juntos dessa maneira; as mortes causadas pelo tempo eram ainda mais inexoráveis do que as vítimas da guerra. A família Leininger teve a oportunidade de ver todas essas pessoas, a chance de dizer adeus.

E, no banco de trás, James dormia tranquilamente.

EPÍLOGO

NO VERÃO DE 2006, James era como a maioria dos outros meninos de 8 anos. Era louco pelos filmes de *Guerra nas Estrelas*, pelo Homem Aranha, pelo Batman e pelos videogames que acabavam com as unhas de sua mãe. Ele ainda brincava com aviões, mas sua vida era preenchida pelas atividades habituais das cidades pequenas: jogos de beisebol, festas de aniversário, piqueniques e pernoites ocasionais na casa dos colegas. Ele era mais ou menos parecido com qualquer outro menino meigo dessa idade afável e sonhadora, com a diferença que, de vez em quando, tinha um pesadelo. Não aqueles grandes pesadelos em que ele não parava de chutar, mas um lembrete mais suave, soluçante, de que alguma coisa ainda se prolongava dentro dele.

O interessante é que o encontro de San Antonio não acabara com a febre de Bruce com relação ao *Natoma Bay*. Ele ainda estava perseguindo a história do navio, ainda era acossado pela ansiedade de cumprir sua promessa de escrever um livro, ainda acalentava a tempestuosa esperança de que conseguiria desenredar tudo e chegar ao fundo da sua confusão espiritual.

Com esse intuito, acolheu favoravelmente a ideia de se colocar em evidência na televisão. Isso poderia ampliar a história, atrair novas linhas de discussão, proporcionar-lhe mais uma oportunidade de expandir os arquivos Leininger. Portanto, em julho, quando a família Leininger recebeu um convite de Chris Cuomo, correspondente da rede ABC de televisão, os três voaram para Nova York para participar no programa *Good Morning America*.

Fizeram isso apesar do fato de James ter inequivocamente exposto sua oposição a discutir seus sonhos em público: "Às vezes eu me lembro do que aconteceu, mas não quero falar a respeito. Talvez quando eu for adolescente."

E o programa respeitou a vontade dele. Quando estavam no ar, Cuomo, com sua habitual sensibilidade, não tocou no delicado assunto com James; apenas mostrou alguns clipes da entrevista de 2004 e perguntou como o menino estava passando.

Mas o programa despertou um novo interesse na saga de James. Quando a família Leininger voltou para Lafayette, começaram a receber telefonemas de uma produtora japonesa. A empresa estava ansiosa para televisionar a história de James e disposta a levar a família inteira ao Japão para a filmagem.

Bruce era totalmente a favor da viagem. Ele ainda alimentava o sonho de enviar mergulhadores ao local onde estavam os destroços do avião de James Huston, embora Anne Barron, a irmã de James Huston, não quisesse que os restos mortais do irmão fossem violados.

Andrea era contra a viagem. Seus motivos eram os de sempre: o custo, o fato de que James teria de perder duas semanas de aula — e agora havia algo novo. Durante a viagem a Nova York, ela contraíra um caso de vertigem intensa, o que fez com que viajar, para ela, se tornasse algo simplesmente insuportável. Andrea precisou ser fortemente medicada para conseguir fazer o percurso de volta de Nova York. Desde então, ela estivera equilibrando medicamentos, tentando controlar o corpo. A ideia de uma longa e complicada viagem ao Japão, que envolveria aviões, trens e navios, a deixava simplesmente apavorada.

Mas Bruce estava tonto de ansiedade para viajar. Ele anunciou que iria ao Japão, com ou sem ela. Durante algum tempo, esse evento se transformou em uma calorosa batalha em família, com Bruce sendo despachado para o sofá.

Finalmente, ele conseguiu fazer com que Andrea mudasse de ideia quando convenceu a companhia japonesa a realizar uma espécie de evento cerimonial de cura em Chichi-Jima, algo que Andrea ficou ansiosa para ver. E, para aliviar seus ataques de vertigem, os japoneses também concordaram em fazer o upgrade da passagem dela para a classe executiva (Bruce e James viajaram na econômica), prometeram hospedá-los em hotéis de primeira classe, cobrir todas as despesas eventuais e ainda pagar uma pequena remuneração à família.

Quando Andrea concordou, Bruce ficou empolgado, e rapidamente providenciou os passaportes, as vacinas e os intérpretes.

A essa altura, Andrea tinha conseguido certo alívio das vertigens. Seu novo médico, Juan Perez, receitou emplastros de Meclizine — um poderoso bloqueador de receptor de histamina — e Lexapro, para controlar seus ataques de pânico. A diretora da Ascension Day School, Pat Dickens, autorizou James a faltar à escola durante as duas semanas da viagem.

Quinze dias depois, partiram para gravar um especial de uma hora de duração para um programa chamado *Experiência Misteriosa — Inacreditável*, que seria transmitido na Fuji National Television.

Anne Barron, na ocasião com 88 anos, recusou o convite que lhe foi feito, pedindo a Bruce que colocasse algumas flores no lugar do último descanso do irmão. Não havia campo de aviação em Chichi-Jima, de modo que teriam de ir até lá no barco que fazia o percurso de 15 em 15 dias. Além disso, como não havia floristas na ilha, a família Leininger comprou em Tóquio um buquê de flores com gladíolos, cravos e cravos-de-amor, e carregou-o no *Ogasawara Maru* durante a viagem de 26 horas para a ilha.

Foi uma travessia difícil, através de mais de mil quilômetros do oceano Pacífico, até o arquipélago de Ogasawara, com um tufão passando perto, e Andrea compartilhou suas pílulas com a agradecida equipe de filmagem japonesa. Ela passou muito bem com o emplastro de Meclizine.

Na manhã da chegada, Bruce e Andrea foram para o convés, esforçando-se para avistar a ilha. James, por razões que só ele conhecia, optou por permanecer na cabine.

> *Foi quando avistamos a ilha. Ela lembrava dentes de barracuda projetando-se do oceano. Quando nos aproximamos, pudemos discernir as verdes montanhas de Chichi-Jima. E quando nos viramos para entrar no porto de Futami Ko pude ver "Welcome Rock".* Bruce tinha me avisado de antemão, de modo que eu estava esperando por isso. Dentro do porto, era possível divisar os destroços enferrujados de um antigo navio japonês, e pensei que talvez James Huston tivesse atirado naquele navio quando entrou no porto com o avião.*
>
> *Em seguida, passamos pelo lugar em que o avião de James Huston efetivamente fora derrubado.*

---

* A grande pedra na entrada no porto, na qual a aeronave de James Huston teria batido quando foi atingida e caiu. (*N. da T.*)

Quando desembarcamos, fomos recebidos por uma banda de metais e levados para dar uma volta na ilha em uma espécie de passeio turístico VIP. Em determinado ponto, quando paramos à beira de um penhasco de onde se descortinava Futami Ko, James puxou a manga de Bruce e disse: "Foi aqui que os aviões entraram quando James Huston foi morto." Ele reconheceu a paisagem.

Com a continuação do passeio, pudemos perceber que a ilha era escassamente povoada. Apenas duas mil pessoas residem em Chichi-Jima, e muitos dos acessos de veículos das casas tinham cartuchos de balas de canhão de 150 milímetros marcando o meio-fio. Os morros ao redor de Futami Ko estavam cheios de canhões enferrujados; eles cobriam todos os ângulos de ataque. Um deles, pensei — nós dois pensamos —, provavelmente derrubara o avião de James Huston.

A família Leininger ficou hospedada em uma pequena pousada chamada Cabbage Beach Pension, e todos descansaram depois do suplício do tufão e da longa viagem. Na tarde do dia 4 de setembro, realizou-se uma cerimônia em memória de Huston. Embarcaram em um pequeno barco de pesca chamado *Little George*. O capitão não falava inglês, e durante a maior parte do percurso todo mundo ficou em silêncio. Andrea segurava as flores. Bruce acalmou seus pensamentos, e James ficou observando os peixes que nadavam logo abaixo da superfície. Ele não sabia o que estava planejado; apenas que marcariam o lugar em que o avião de James Huston tinha sido derrubado.

O *Little George* navegou na direção do porto. O mar ainda estava um pouco agitado em consequência da tempestade. Bruce pedira a mergulhadores do local que descessem ao fundo e dessem uma olhada, mas, devido à profundidade, eles se recusaram a fazê-lo.

Quando o barco chegou ao local onde o avião de Huston tinha caído na água, o capitão desligou o motor. Todos olharam para James, mas ele não demonstrou emoção alguma.

— Você está bem, companheiro? — perguntou Bruce.

— Estou ótimo.

Mas James não quis olhar nem para Bruce nem para a câmera. Estava claro que o menino estava contendo suas emoções.

Andrea puxou o filho para perto de si e disse suavemente:

— James Huston tem sido parte da sua vida até onde vai sua lembrança. E ele sempre será uma parte importante de quem você é. Está na hora de você parar de pensar nele.

James assentiu com a cabeça.

— Está na hora de dizer adeus.

O menino colocou a cabeça no colo da mãe e começou a chorar. Foi um soluço profundo, de partir o coração, como se ele estivesse soltando toda a emoção reprimida que estivera em ebulição dentro de seu corpo de criança nos últimos seis anos. Todos os outros passageiros do barco ficaram em silêncio e boquiabertos diante da visão de um menino tão pequeno que estava sentindo um pesar tão profundo. Ele parecia estar chorando por si mesmo e por James Huston — e por toda a angústia que ele jamais vira ou sentira.

Finalmente, James restabeleceu-se e pegou o buquê. O barco estava balançando, e ele jogou as flores. Seu nariz estava escorrendo, o rosto banhado de lágrimas, e ele disse, com a voz entrecortada:

— Adeus, James M. Huston. Nunca me esquecerei de você.

Em seguida, James ficou em pé, em posição de sentido, e bateu continência. Depois, voltou a apoiar a cabeça no colo da mãe e chorou um pouco mais.

Bruce chegou à conclusão de que o círculo se completara. A alma de James Huston não conseguira descansar enquanto a missão não fosse concluída; não a missão dos pilotos sobre Chichi-Jima, e sim a narração de sua história.

Bruce está convencido de que a narrativa é uma dádiva para aqueles que precisam de uma prova tangível de que existe algo além da morte, que a vida encerra um significado que transcende a simples matemática da duração da vida de uma pessoa. A história confirmou suas convicções religiosas, reviveu (em vez de desafiar) sua fé e lhe ofereceu uma coisa rara e maravilhosa: esperança.

Andrea não precisou ser convencida. Suas fé e convicções repousavam em algo menos complicado do que a prova: a simples aceitação. Ela acreditou na história porque sempre acreditara na possibilidade de uma alma se expressar além do túmulo. Entretanto, foi agradável e glorioso ver a prova.

A caminho de casa, quando a família Leininger parou em São Francisco, James fez outro desenho. Era uma cena de outro oceano, mas com uma variação. Um barco japonês estava ancorado na água. O mar estava repleto de golfinhos que saltavam no ar. Aviões voavam tranquilamente no céu.

Não havia mais disparos de armas de fogo.

O desenho estava assinado "James".

Este livro foi composto na tipologia Adobe Garamond,
em corpo 12/15, impresso em papel offset 75g/m²,
no Sistema Digital Instant Duplex da
Divisão Gráfica da Distribuidora Record.